O lado feio do amor

Obras da autora publicadas pela Galera Record

Série **Slammed**
Métrica
Pausa
Essa garota

Série **Hopeless**
Um caso perdido
Sem esperança
Em busca de Cinderela
Em busca da perfeição

Série **Nunca jamais**
Nunca jamais
Nunca jamais: parte dois
Nunca jamais: parte três

Série **Talvez**
Talvez um dia
Talvez agora

O lado feio do amor
Novembro, 9
Confesse
É assim que acaba
Tarde demais
As mil partes do meu coração
Todas as suas (im)perfeições
Verity
Se não fosse você
Layla
Até o verão terminar

Colleen Hoover

O lado feio do amor

Tradução
Priscila Catão

7ª edição

— **Galera** —
RIO DE JANEIRO
2024

EDITORA-EXECUTIVA
Rafaella Machado

COORDENADORA EDITORIAL
Stella Carneiro

EQUIPE EDITORIAL
Juliana de Oliveira
Isabel Rodrigues

Lígia Almeida
Manoela Alves

CAPA
Gabriella Gouveia

TÍTULO ORIGINAL
Ugly Love

CIP-BRASIL. CATALOGAÇÃO NA PUBLICAÇÃO
SINDICATO NACIONAL DOS EDITORES DE LIVROS, RJ

H759L

Hoover, Colleen, 1979-

O lado feio do amor / Colleen Hoover ; tradução Priscila Catão.– 7. ed. – Rio de Janeiro: Galera Record, 2024.

Tradução de: Ugly love
ISBN 978-65-5981-125-0

Romance americano. I. Catão, Priscila. II. Título.

22-76024

CDD: 813
CDU: 82-31(73)

Meri Gleice Rodrigues de Souza - Bibliotecária - CRB-7/6439

Copyright © 2014 by Colleen Hoover
Copyright da edição em português © 2015 por Editora Galera Record Ltda.

Publicado mediante acordo com a editora original, Atria Books, um selo da Simon & Schuster, Inc.

Todos os direitos reservados.
Proibida a reprodução, no todo ou em parte, através de quaisquer meios.
Os direitos morais do autor foram assegurados.

Texto revisado segundo o novo Acordo Ortográfico da Língua Portuguesa.

Direitos exclusivos de publicação em língua portuguesa somente para o Brasil adquiridos pela
EDITORA GALERA RECORD LTDA.
Rua Argentina, 120 - Rio de Janeiro, RJ - 20921-380 - Tel.: (21) 2585-2000, que se reserva a propriedade literária desta tradução.

Impresso no Brasil

ISBN 978-65-5981-125-0

Seja um leitor preferencial Record.
Cadastre-se e receba informações sobre nossos lançamentos e nossas promoções.

Atendimento e venda direta ao leitor:
sac@record.com.br

*Às minhas duas melhores amigas do mundo,
que por acaso também são minhas irmãs,
Lin e Murphy*

capítulo um

TATE

— Alguém esfaqueou seu pescoço, mocinha.

Meus olhos se arregalam, e me viro lentamente para o senhor idoso parado ao meu lado. Ele aperta o botão do elevador e se volta para mim, então sorri e aponta para meu pescoço.

— Sua marca de nascença — explica.

Instintivamente, ergo a mão e toco a marca do tamanho de uma moeda que fica abaixo da minha orelha.

— Meu avô dizia que o local da marca de nascença de uma pessoa revelava a história de como ela perdeu a batalha na vida passada. Pelo jeito, você levou uma facada no pescoço. Mas aposto que foi uma morte rápida.

Sorrio, mas não sei se devo achar graça ou ficar com medo. Apesar de ter puxado papo de uma maneira um tanto mórbida, não vejo como esse senhor pode ser muito perigoso. Sua postura curvada e trêmula indica que não tem menos de 80 anos. Ele dá alguns passos lentos na direção de uma das duas cadeiras de veludo encostadas na parede ao lado do elevador, então solta um grunhido ao se acomodar, e olha para mim mais uma vez.

— Vai para o décimo oitavo andar?

Meus olhos estreitam-se enquanto assimilo a pergunta. Por alguma razão, ele sabe para que andar estou indo, apesar de ser a primeira vez que piso nesse prédio e de, definitivamente, ser a primeira vez que vejo esse homem.

— Sim — digo, cautelosamente. — O senhor trabalha aqui?

— Na verdade, trabalho.

Ele indica o elevador com a cabeça, e meu olhar segue os números iluminados. Onze andares para chegar. Espero que seja rápido.

— Eu aperto o botão do elevador — diz ele. — Acho que meu trabalho não tem um nome oficial, mas gosto de dizer que sou capitão de voo, pois faço as pessoas subirem até vinte andares no ar.

Sorrio com as palavras dele, pois tanto meu irmão quanto meu pai são pilotos.

— Há quanto tempo é capitão de voo aqui? — pergunto, enquanto espero.

Juro que esse maldito elevador é o mais lento que já vi.

— Desde que fiquei velho demais para cuidar da manutenção do prédio. Trabalhei aqui por 32 anos antes de me tornar capitão. Faço as pessoas voarem há mais de quinze se não me engano. O dono me deu esse trabalho por pena, para me manter ocupado até eu morrer. — Ele sorri para si mesmo. — O que não percebeu foi que Deus me deu muitas missões importantes para cumprir na vida, e, nesse momento, estou tão atrasado com elas que *nunca* vou morrer.

Percebo que estou rindo quando a porta do elevador finalmente se abre. Estendo o braço, seguro a alça da minha mala e me viro para ele mais uma vez antes de entrar.

— Qual o seu nome?

— Samuel, mas pode me chamar de Cap. Todos me chamam assim.

— Tem alguma marca de nascença, Cap?

Ele sorri.

— Na verdade, tenho. Parece que, na minha vida passada, levei um tiro bem na bunda. Devo ter sangrado até a morte.

Sorrio e levo a mão à testa, cumprimentando o capitão com a devida continência. Entro no elevador e me viro para as portas abertas, admirando o luxo da portaria. Parece mais um hotel histórico do que um prédio residencial, com colunas grossas e chão de mármore.

Quando Corbin me deixou ficar em sua casa até que eu encontrasse um emprego, eu não fazia ideia de que ele vivia como um adulto de verdade. Achei que seria como da última vez em que o visitei, logo depois de me formar no colégio. Na época, ele tinha começado a estudar para tirar a licença de piloto. Isso foi há quatro anos, e era um prédio meio esquisito de dois andares. Mais ou menos o que eu estava esperando hoje.

Não imaginava de maneira alguma um enorme arranha-céu bem no centro de São Francisco.

Encontro o painel e aperto o botão do 18º andar, depois olho para a parede espelhada do elevador. Passei o dia anterior e boa parte daquela manhã guardando tudo que havia no meu apartamento em San Diego. Felizmente, não tenho muitas coisas. Mas depois de dirigir sozinha 800 quilômetros, a exaustão está bem nítida no meu reflexo. O cabelo está preso com um lápis num coque frouxo no topo da cabeça, pois não consegui encontrar um elástico enquanto dirigia. Normalmente, meus olhos são tão castanhos quanto meu cabelo cor de avelã, mas agora estão uns dez tons mais escuros, graças às olheiras que os acompanham.

Coloco a mão na bolsa e pego um protetor labial na esperança de salvar meus lábios antes que acabem ficando com uma aparência tão desgastada quanto o resto de mim. Assim que as portas do elevador começam a se fechar, elas se abrem novamente. Um rapaz caminha apressado na direção dos elevadores, preparando-se para seguir em frente enquanto cumprimenta o senhor.

— Valeu, Cap.

Não consigo ver Cap de dentro do elevador, mas ouço-o responder com um grunhido. Não parece nem um pouco a fim de puxar papo como fez comigo. Esse cara aparenta ter uns 30 anos, no máximo. Sorri para mim, e sei exatamente o que está pensando, pois acabou de colocar a mão esquerda no bolso.

A mão com a aliança.

— Décimo andar — fala, sem tirar os olhos de mim. Seu olhar desce até o pequeno decote da minha camisa e depois passa para a mala ao meu lado. Aperto o botão do décimo andar. *Devia ter vindo de suéter.* — Está se mudando pra cá? — pergunta, encarando descaradamente minha camisa mais uma vez.

Faço que sim, mas duvido que ele tenha percebido, pois seu olhar empacou bem longe do meu rosto.

— Que andar?

Ah, não, nem vem. Estendo o braço e cubro todos os botões do painel com as mãos para esconder o botão do 18º aceso, então pressiono todos os botões entre o dez e o dezoito.

Ele olha para o painel, confuso.

— Não é da sua conta.

Ele ri.

Acha que estou brincando.

O homem ergue a sobrancelha escura e grossa. É uma bela sobrancelha. E está num belo rosto, que está numa bela cabeça, que está num belo corpo.

Num corpo *casado*.

Babaca.

Sorri sedutoramente após perceber que dei uma conferida nele; só que não foi pelo motivo que ele está pensando. Eu estava me perguntando metalmente quantas vezes esse corpo pressionou alguma moça que não era a sua esposa.

Sinto pena dela.

Ele está olhando para o meu decote mais uma vez quando chegamos ao décimo andar.

— Posso ajudá-la com isso — oferece, inclinando a cabeça na direção da minha mala.

A voz dele é gostosa. Pergunto-me quantas garotas já se entregaram a essa voz casada. Ele se aproxima de mim e estende o braço na direção do painel, apertando corajosamente o botão que fecha as portas.

Encaro-o e aperto o botão para abri-las.

— Eu me viro.

Ele assente como se entendesse, mas ainda há um brilho malicioso em seus olhos, que me confirma que não fui com a cara dele. O homem sai do elevador e se vira para mim antes de se afastar.

— Até mais, Tate — diz, enquanto as portas se fecham.

Franzo a testa, constrangida porque as duas pessoas com quem interagi desde que entrei nesse prédio já sabem quem sou.

Continuo sozinha no elevador, parando em todos os andares até chegar ao meu. Saio, tiro o telefone do bolso e abro as mensagens de Corbin. Não lembro qual era o número do apartamento. Ou é 1816 ou 1814.

Talvez 1826?

Paro na frente do 1814, pois tem um homem apagado no chão do corredor, recostado à porta do 1816.

Por favor, não seja o 1816.

Encontro a mensagem no telefone e tenho um calafrio. É o 1816.

Óbvio que é.

Aproximo-me da porta lentamente, torcendo para não acordar o cara. Suas pernas estão esparramadas para a frente, e ele está encostado na porta de Corbin, com o queixo no peito, roncando.

— Com licença — digo, bem baixinho.

Ele não se move.

Ergo a perna e cutuco seu ombro com o pé.

— Preciso entrar nesse apartamento.

Ele se mexe e abre lentamente os olhos, encarando minhas pernas à frente.

Seus olhos encontram meus joelhos, e ele franze as sobrancelhas enquanto se inclina vagarosamente para a frente, enrugando bastante a testa. Ergue a mão e cutuca meu joelho com o dedo, quase como se nunca tivesse visto um joelho antes. Então afasta a mão, fecha os olhos e cai de novo contra a porta, voltando a dormir.

Maravilha.

Corbin só volta amanhã, então disco o número dele para saber se devo me preocupar com esse cara ou não.

— Tate? — atende, sem nem sequer dizer alô.

— É. Cheguei bem, mas não consigo entrar porque tem um bêbado apagado aqui na sua porta. Alguma sugestão?

— 1816? Tem certeza de que está no apartamento certo?

— Sim.

— Tem certeza de que ele está bêbado?

— Sim.

— Que estranho. O que está vestindo?

— Por que quer saber isso?

— Se estiver de uniforme de piloto, provavelmente mora no prédio. A nossa companhia aérea tem um contrato com o prédio.

O cara não está com nenhum uniforme, mas é inevitável perceber que a calça jeans e a camisa preta ficaram muito bem nele.

— Sem uniforme — confirmo.

— Consegue passar por ele sem acordá-lo?

— Precisaria arrastá-lo. Ele vai cair para dentro do apartamento se eu abrir a porta.

Corbin fica em silêncio por alguns segundos enquanto pensa.

— Vá lá embaixo e chame o Cap — sugere. — Avisei que você chegaria hoje à noite. Ele pode ficar do seu lado até você conseguir entrar.

Suspiro, porque passei seis horas dirigindo e não estou nada a fim de voltar lá para baixo agora. E também porque Cap provavelmente é a última pessoa capaz de me ajudar nessa situação.

— Fique ao telefone comigo até eu entrar.

Gosto bem mais do meu plano. Seguro o telefone contra o ouvido com o ombro e procuro na bolsa a chave que Corbin me mandou. Coloco-a na fechadura e começo a abrir a porta, mas o bêbado começa a cair para trás a cada centímetro que a porta abre. Ele solta um grunhido, mas não abre os olhos.

— Uma pena estar bêbado — digo para Corbin. — Ele não é feio.

— Tate, entra logo e tranca a porta, porque eu quero desligar.

Reviro os olhos. Ele continua sendo o mesmo mandão de sempre. Sabia que morar com meu irmão não seria bom para o nosso relacionamento; quando éramos mais novos, ele agia como se fosse meu pai. Mas não tive tempo de encontrar emprego, achar apartamento e me acomodar antes de minhas novas aulas começarem, então não tive muita escolha.

Mas espero que agora as coisas sejam diferentes entre nós. Corbin está com 25 anos, e eu, com 23. Se nossa relação não melhorar nem um pouco, significa que ainda temos muito o que amadurecer.

Acho que vai depender mais de Corbin se mudou desde a última vez que moramos juntos. Ele criava problema com todo mundo com quem eu saía, todos os meus amigos e com todas as minhas escolhas — até com a universidade em que eu queria estudar. Não que eu ligasse para a opinião dele. A distância e o tempo que passamos separados parecem ter feito com que meu irmão me deixasse em paz nos últimos anos, mas voltarmos a morar juntos será a prova final para a nossa paciência.

Penduro a bolsa no ombro, mas ela fica presa na alça da mala, então a deixo cair no chão. Continuo segurando firme a maçaneta com a mão esquerda e fecho a porta, para que o rapaz não caia por inteiro dentro do apartamento. Pressiono o pé no ombro dele, afastando-o do centro da porta.

O cara não se mexe.

— Corbin, ele é pesado demais. Preciso desligar para usar as duas mãos.

— Não, não desligue. Coloque o telefone no bolso, mas não desligue.

Olho para o blusão e a legging que estou vestindo.

— Não tenho bolso. Você vai para o sutiã.

Corbin finge que vai vomitar enquanto afasto o telefone do ouvido e o enfio dentro do sutiã. Tiro a chave da fechadura e a solto na direção da bolsa, mas erro o alvo, e ela cai no chão. Estendo o braço para baixo, na tentativa de segurar o bêbado e afastá-lo do meu caminho.

— Vamos lá, cara — digo, fazendo força para afastá-lo do centro da porta. — Foi mal interromper seu cochilo, mas preciso entrar nesse apartamento.

De alguma maneira, consigo erguê-lo e encostá-lo no batente da porta para impedir que ele caia dentro do apartamento. Em seguida, abro-a um pouco mais e me viro para pegar minhas coisas.

Alguma coisa quente segura meu tornozelo.

Fico paralisada.

Olho para baixo.

— Me solte! — grito, chutando a mão que está agarrando o meu tornozelo com tanta força que tenho certeza que vai deixar um hematoma.

Agora o bêbado está olhando para mim, e sua força me faz cair dentro do apartamento enquanto tento me afastar dele.

— Preciso entrar aí — murmura ele, enquanto minha bunda bate no chão. Ele tenta abrir a porta com a outra mão, me deixando em pânico imediatamente. Puxo minhas pernas para dentro do apartamento e a mão dele vem comigo. Uso a perna livre para fechar a porta com um chute, batendo-a bem no pulso dele.

— Merda! — grita.

Ele está tentando puxar a mão de volta para o corredor, mas meu pé continua pressionando a porta. Diminuo a força o suficiente para que ele se solte, e na mesma hora chuto a porta para fechá-la de vez. Então me levanto, tranco a porta, fecho o trinco e passo o ferrolho o mais rápido possível.

Assim que desacelera um pouco, meu coração começa a gritar comigo.

Meu coração está mesmo gritando comigo.

Com uma voz grave e masculina.

Parece gritar:

— Tate! Tate!

Corbin.

Olho imediatamente para o peito e tiro o telefone do sutiã, levando-o ao ouvido.

— Tate! Me responda!

Contorço-me e afasto o telefone vários centímetros do ouvido.

— Estou bem — respondo, ofegante. — Estou aqui dentro. Tranquei a porta.

— Cacete! — exclama, aliviado. — Quase me matou de susto. O que diabos aconteceu?

— Ele estava tentando entrar. Mas tranquei a porta.

Acendo a luz da sala de estar e dou três passos antes de parar bruscamente.

Que beleza, Tate.

Viro-me lentamente para a porta após perceber o que fiz.

— Hum. Corbin? — chamo, e faço uma pausa. — Deixei lá fora algumas coisas de que vou precisar. Até poderia pegá-las, mas por algum motivo, o bêbado está achando que precisa entrar aqui, então não vou abrir a porta de novo nem a pau. Alguma sugestão?

Meu irmão fica em silêncio por alguns segundos.

— O que deixou no corredor?

Não quero, mas respondo:

— Minha mala.

— Meu Deus, Tate — murmura ele.

— E... minha bolsa.

— Por que diabos sua *bolsa* está lá fora?

— E pode ser que também tenha deixado a chave do apartamento no chão do corredor.

Ele nem responde à última frase. Só solta um gemido.

— Vou ligar para Miles e ver se ele já chegou. Me dê dois minutos.

— Espera. Quem é Miles?

— Ele mora no apartamento da frente. Aconteça o que acontecer, só abra a porta quando eu ligar de novo.

Corbin desliga, e eu me recosto na porta.

Moro em São Francisco há apenas trinta minutos e já estou enchendo o saco dele. Era de se esperar. Vou ter sorte se puder ficar aqui até encontrar um emprego. Espero que não demore, pois me candidatei a três vagas de enfermeira no hospital mais próximo. Talvez isso signifique trabalhar à noite, nos fins de semana ou nos dois, mas aceito qualquer coisa para não precisar usar a minha poupança enquanto volto a estudar.

O telefone toca. Deslizo o dedo pela tela e atendo.

— Oi.

— Tate?

— Sim — respondo, me perguntando por que ele sempre confere se sou eu mesma.

Ele ligou para *mim*, então quem mais atenderia com a voz idêntica a minha?

— Falei com Miles.

— Ótimo. Ele vai me ajudar a pegar minhas coisas?

— Não exatamente. Eu meio que preciso que você me faça um grande favor.

Minha cabeça encosta na porta novamente. Tenho a impressão de que os próximos meses serão cheios de favores inconvenientes, pois ele sabe que me dar abrigo aqui é uma ajuda e tanto. Lavar louça? Confere. Lavar as roupas de Corbin? Confere. Ir mercado para Corbin? Confere.

— O que é?

— Miles está meio que precisando da sua ajuda.

— O vizinho? — Paro de falar assim que a ficha cai e fecho os olhos. — Corbin, não me diga que o cara que você chamou para me proteger do bêbado *é* o próprio bêbado.

Corbin suspira.

— Preciso que destranque a porta e o deixe entrar. Deixe que durma no sofá. Chego bem cedo amanhã. Quando ficar sóbrio, ele vai perceber onde está e vai direto para casa.

Balanço a cabeça.

— Que prédio é esse em que você está morando? Preciso me preparar para ser apalpada por bêbados toda vez que chegar em casa?

Uma longa pausa.

— Ele apalpou você?

— "Apalpar" talvez seja exagero. Mas ele agarrou meu tornozelo.

Corbin solta outro suspiro.

— Só faça isso por mim, Tate. Me ligue de novo quando tiver colocado Miles e as suas coisas para dentro de casa.

— Está bem — respondo com um grunhido, percebendo a preocupação em sua voz.

Desligo o telefone e abro a porta. O bêbado cai em cima do próprio ombro, e o celular desliza da mão e cai no chão ao lado de sua cabeça. Deito-o de costas e olho para ele, que abre os olhos e tenta olhar para mim, mas suas pálpebras se fecham novamente.

— Você não é Corbin — murmura ele.

— Não. Não sou. Mas sou sua nova vizinha, e pelo jeito você já está me devendo no mínimo cinquenta xícaras de açúcar.

Ergo-o pelos ombros e tento fazer com que ele se sente, mas não dá certo. Na verdade, acho que ele nem consegue sentar. Como uma pessoa fica assim tão bêbada?

Agarro suas mãos e o puxo para dentro do apartamento, centímetro por centímetro, parando apenas quando ele entra o suficiente para que eu consiga fechar a porta. Pego minhas coisas no corredor, fecho e tranco a porta. Tiro uma almofada do sofá, ergo a cabeça dele e o viro de lado, para o caso de ele vomitar durante o sono.

E é apenas isso que vou fazer por ele.

Depois que ele está confortavelmente adormecido no meio da sala de estar, deixo-o sozinho e vou dar uma olhada no apartamento.

Só nessa sala caberiam três salas do antigo apartamento de Corbin. A de jantar é aberta para a de estar, mas a cozinha é separada por uma bancada. Há vários quadros modernos espalhados pelo cômodo, e os sofás grossos e felpudos cor de canela contrastam com os quadros vibrantes. Da última vez que morei com meu irmão, havia um sofá-cama, um pufe e pôsteres de modelos nas paredes.

Acho que ele finalmente está amadurecendo.

— Muito impressionante, Corbin — elogio em voz alta, enquanto vou de um cômodo para outro e acendo todas as luzes, inspecionando o que acabou de se tornar meu lar temporário.

Eu meio que odeio o fato de o apartamento ser tão legal. Assim fica mais difícil querer encontrar meu próprio lugar depois que juntar dinheiro suficiente.

Entro na cozinha e abro a geladeira. Há uma fileira de condimentos na porta, uma caixa de pizza na prateleira do meio e uma garrafa de leite completamente vazia na prateleira superior.

Óbvio que ele não tem comida. Não dava para esperar que a mudança tivesse sido *completa*.

Pego uma garrafa d'água e saio da cozinha para procurar o quarto em que vou morar nos próximos meses. Há dois deles, então entro no que não é o de Corbin e coloco minha mala na cama. Tenho mais três malas e pelo menos mais seis caixas no carro, sem falar em todas as roupas nos cabides, mas não vou cuidar disso hoje à noite. Corbin disse que estaria de volta pela manhã, então vou deixar que ele resolva isso.

Coloco uma calça de moletom e uma regata, escovo os dentes e me preparo para dormir. Normalmente, ficaria nervosa por ter um desconhecido no mesmo apartamento que eu, mas sinto que não preciso me preocupar. Corbin nunca pediria para que eu ajudasse alguém se achasse que isso representaria algum risco para mim. O que me deixa confusa, porque, se Miles costuma se comportar assim, fico surpresa por Corbin ter pedido para que o trouxesse para dentro de casa.

Meu irmão nunca confiou em rapazes interessados em mim, e, na minha opinião, isso é culpa de Blake, meu primeiro namorado sério e o melhor amigo de Corbin. Blake tinha 17 anos, e eu, 15, e passei meses muito a fim dele. É evidente que minhas amigas e eu éramos muito a fim da maioria dos amigos de Corbin, só porque eram mais velhos do que nós.

Blake ia lá para casa na maioria dos fins de semana para passar a noite com Corbin, e nós sempre arranjávamos uma maneira de ficar juntos quando meu irmão não estava prestando atenção. Uma coisa foi levando à outra, e, depois de vários fins de semana às escondidas, Blake me disse que queria oficializar o namoro. O problema foi que ele não previu a reação de Corbin quando seu melhor amigo partisse meu coração.

E, caramba, ele partiu mesmo. Tanto quanto era possível para uma garota de 15 anos em um namoro secreto de duas semanas. O caso era que Blake estava namorando oficialmente várias garotas durante essas duas semanas. Quando meu irmão descobriu, a amizade dos dois acabou e Corbin avisou a todos os seus amigos quem nem chegassem perto de mim. Foi quase impossível ter um namorado no colégio antes do meu irmão finalmente se mudar. E, mesmo depois, os garotos tinham ouvido as histórias de terror e achavam melhor ficar bem longe da irmã caçula de Corbin.

Por mais que eu odiasse aquilo na época, agora seria maravilhoso. Já cansei de namoros que deram errado depois do colégio. Morei com meu último namorado por mais de um ano antes de percebermos que queríamos coisas diferentes para o futuro: ele queria que eu ficasse em casa; eu queria uma carreira.

Então agora estou aqui. Focando no mestrado em enfermagem e fazendo o possível para evitar namoros. Talvez morar com Corbin não seja tão ruim no fim das contas.

Volto à sala para apagar as luzes, mas paro imediatamente.

Miles não apenas se levantou, como está na cozinha, com a cabeça apoiada nos braços dobrados na bancada. Está sentado na beira de um dos bancos do balcão, parecendo que vai cair a qualquer segundo. Não sei se está dormindo de novo ou se está apenas tentando se recuperar.

— Miles?

Ele não se mexe depois que o chamo, então me aproximo, toco delicadamente seu ombro e o balanço para acordá-lo. No segundo em que meus dedos apertam o ombro, ele arqueja e se empertiga, como se eu tivesse acabado de acordá-lo de um sonho.

Ou pesadelo.

Imediatamente, desce do banco com as pernas bastante instáveis e começa a balançar, então jogo o braço dele por cima do ombro e tento levá-lo para fora da cozinha.

— Vamos para o sofá, cara.

Ele encosta a testa na lateral da minha cabeça e cambaleia junto comigo, o que dificulta bastante nosso percurso.

— Meu nome não é Cara — protesta, arrastadamente. — É Miles.

Conseguimos chegar à frente do sofá, e começo a afastá-lo de mim.

— Está certo, Miles. Quem quer que você seja, vá dormir.

Ele cai no sofá, mas não solta meus ombros. Caio com ele e tento me soltar imediatamente.

— Rachel, não — implora, agarrando-me pelo braço, tentando me puxar.

— Meu nome não é Rachel — corrijo, soltando-me de sua pegada forte. — É Tate.

Não sei por que digo isso, pois duvido que ele se lembre dessa conversa no outro dia. Vou até onde está a almofada e a pego no chão.

Paro antes de devolvê-la a ele, pois agora Miles está de lado, pressionando o rosto na almofada. Segura o sofá com tanta força que os nós de seus dedos estão brancos. A princípio acho que está prestes a vomitar, mas depois percebo que estou incrivelmente errada.

Ele não está *passando mal*.

Está *chorando*.

Muito.

Com tanta intensidade que não está fazendo nenhum som.

Nem conheço esse cara, mas é difícil testemunhar seu sofrimento, tão evidente. Olho para o corredor e depois para ele, perguntando-me se não seria melhor dar a ele certa privacidade. A última coisa que quero é me envolver nos problemas dos outros. Consegui evitar boa parte dos dramas do meu grupo de amigos até agora, e quero que continue assim. O instinto pede que eu me afaste, mas por alguma razão, me compadeço estranhamente dele. Sua aflição parece realmente genuína, não é apenas o resultado do consumo exagerado de álcool.

Ajoelho-me à sua frente e toco seu ombro.

— Miles?

Ele inspira profundamente, levantando o rosto aos poucos para me olhar. Seus olhos são meras frestas vermelhas. Não sei se é por causa do choro ou da bebida.

— Me desculpe mesmo, Rachel — diz ele, erguendo a mão na minha direção. Ele coloca-a na minha nuca e me puxa para perto, enterrando o rosto no espaço entre meu pescoço e ombro. — Me desculpe mesmo.

Não faço ideia de quem seja Rachel ou do que ele fez com ela, mas, se o cara está sofrendo tanto assim, tenho um calafrio só de pensar no que *ela* está sentindo. Fico tentada a encontrar o telefone dele, procurar o nome dela e pedir que venha dar um jeito nessa situação. Em vez disso, empurro-o delicadamente de volta para o sofá. Arrumo a almofada e o incentivo a se recostar nela.

— Vá dormir, Miles — sugiro, baixinho.

Com os olhos repletos de mágoa, ele se deita na almofada.

—Você me odeia tanto — choraminga, agarrando minha mão.

Seus olhos se fecham mais uma vez, e ele suspira com força.

Encaro-o silenciosamente, deixando-o segurar minha mão até que fique em silêncio, parado, sem mais nenhuma lágrima. Afasto a mão, mas fico do seu lado por mais alguns minutos.

Apesar de estar dormindo, ele ainda parece sofrer imensamente. Está franzindo as sobrancelhas, e sua respiração esporádica não quer se acalmar.

Pela primeira vez, percebo uma discreta cicatriz de uns 10 centímetros de comprimento que percorre uniformemente toda a lateral direita do seu maxilar, terminando a 5 centímetros dos lábios. Sinto uma vontade estranha de tocá-la e passar o dedo por toda a sua extensão, mas em vez disso minha mão vai até seu cabelo. É curto nas laterais e um pouco mais longo em cima, a mistura perfeita de castanho e loiro. Acaricio sua cabeça, consolando-o, embora talvez ele não mereça o gesto.

Talvez esse cara mereça todo o remorso que está sentindo pelo que quer que tenha feito com Rachel, mas pelo menos está sentindo algum remorso. Isso eu preciso reconhecer.

Seja lá o que tenha feito com Rachel, pelo menos ele a ama o suficiente para se arrepender.

capítulo dois

MILES

Seis anos antes

Abro a porta da sala da administração e levo a lista de presença para a mesa da secretária. Antes de me virar para voltar à aula, ela me interrompe com uma pergunta.

— Você está na turma de inglês do último ano do Sr. Clayton, não é, Miles?

— Sim — respondo para a Sra. Borden. — Quer que eu leve alguma coisa para ele?

O telefone na mesa dela toca, e ela assente, pegando o aparelho e cobrindo-o com a mão.

— Espere mais um minutinho — pede, indicando com a cabeça a sala do diretor. — Estamos com uma aluna nova que acabou de se matricular, e ela também está na aula do Sr. Clayton nesse horário. Preciso que a acompanhe até a sala.

Concordo e me jogo numa das cadeiras próximas à porta. Dou uma olhada na sala da administração e percebo que é a primeira vez que me sento aqui nos meus quatro anos de colégio. O que significa que consegui passar esse tempo todo sem me mandarem para a sala do diretor.

Minha mãe teria ficado orgulhosa em saber disso, mas eu fico um pouco desapontado. A detenção é algo que todo garoto deve enfrentar pelo menos uma vez durante o colégio. Tenho o resto do meu último ano para atingir esse objetivo.

Tiro o celular do bolso, torcendo secretamente para que a Sra. Borden me veja com ele e decida me mandar para a detenção. Ao olhar para cima, percebo que ela ainda está ao telefone, mas faz contato visual comigo; simplesmente sorri e continua seus afazeres.

Balanço a cabeça, desapontado, e abro uma mensagem para Ian. Qualquer besteira anima o pessoal por aqui. Nunca acontece nenhuma novidade.

Eu: Uma novata se matriculou hoje. Último ano.
Ian: Gostosa?
Eu: Não vi ainda. Vou levar ela até a sala de aula.
Ian: Tira foto se ela for gostosa.
Me: Tiro. Aliás, quantas vezes ficou de detenção esse ano?
Ian: Duas. Por quê? O que você fez?

Duas? Pois é, preciso me rebelar um pouco mais antes da formatura. Com certeza, é melhor que eu atrase algum dever de casa esse ano.

Sou ridículo.

A porta da sala do diretor se abre, então fecho o telefone. Guardo-o no bolso e olho para cima.

Nunca mais quero olhar para baixo.

— Miles vai acompanhá-la até a sala do Sr. Clayton, Rachel. — A Sra. Borden aponta na minha direção, e Rachel começa a se aproximar.

Imediatamente fico consciente das minhas pernas e da sua incapacidade de se firmarem no chão.
Minha boca esquece como se fala.
Meus braços esquecem como se cumprimenta alguém para apresentar a pessoa a quem eles pertencem.
Meu coração se esquece de esperar conhecer uma garota antes de começar a rasgar meu peito para chegar até ela.
Rachel.
Rachel.
Rachel, Rachel, Rachel.
Ela é como poesia.
Como prosa e cartas de amor e letras de músicas, cascateando
página
abaixo
bem
no
meio
do
papel.
Rachel, Rachel, Rachel.
Repito o nome dela sem parar na minha cabeça,
pois tenho certeza de que é o nome da próxima
garota pela qual vou me apaixonar.
De repente, estou em pé. Caminhando na direção dela.
Talvez esteja sorrindo, fingindo não estar abalado pelos olhos verdes que espero que um dia sorriam apenas para mim. Ou pelo cabelo ruivo-da-cor-do-meu-coração que parece estar intacto desde que Deus o criou especificamente para ela.
Estou falando com ela.
Digo a ela que me chamo Miles.
Peço que me acompanhe, e digo que vou
levá-la até a sala do Sr. Clayton.
Estou encarando-a porque ela não disse nada
ainda, mas seu menear de cabeça é a melhor
coisa que uma garota já disse para mim.

Pergunto-lhe de onde é, e ela diz que é do Arizona.
— Phoenix — especifica.
Não pergunto o que a fez vir para a Califórnia,
mas conto que meu pai faz muitos negócios em
Phoenix por ser dono de alguns prédios por lá.
Ela sorri.
Digo que nunca fui a Phoenix, mas que no futuro gostaria de ir.
Ela sorri novamente.
Acho que diz que é uma cidade legal, mas é difícil entender suas
palavras quando tudo que escuto na minha cabeça é seu nome.
Rachel.
Vou me apaixonar por você, Rachel.
O sorriso dela me dá vontade de continuar falando, então faço
mais uma pergunta enquanto passamos pela sala do Sr. Clayton.
Continuamos andando.
Ela continua falando, porque continuo fazendo perguntas.
Ela assente.
Responde algumas.
Responde outras cantando.
Ou é o que parece.
Chegamos ao fim do corredor bem na hora em
que ela diz que espera gostar do colégio, pois
não estava a fim de se mudar de Phoenix.
Ela não parece estar muito contente com a mudança.
Ela não sabe o quanto estou contente com a mudança.
— Onde é a sala do Sr. Clayton?
Fico encarando a boca que acabou de fazer aquela
pergunta. Seus lábios não são simétricos. Seu lábio
superior é um pouquinho mais fino do que o inferior,
mas só se percebe isso quando ela fala. Quando ela fala,
pergunto-me porque as palavras são tão melhores quando
vêm de sua boca do que de todas as outras bocas.
E os *olhos*. É impossível que seus olhos não vejam um mundo
mais bonito e pacífico do que todos os outros olhos.

Fico encarando-a por mais alguns segundos;
depois aponto para trás de mim e digo que
já passamos da sala do Sr. Clayton.
Suas bochechas ficam mais rosadas, como se minha confissão
a tivesse afetado da mesma forma como ela está me afetando.
Sorrio novamente.
Meneio a cabeça na direção da sala do Sr. Clayton.
Caminhamos na direção dela.
Rachel.
Você vai se apaixonar por mim, Rachel.
Abro a porta para ela e aviso ao Sr. Clayton que Rachel
é nova no colégio. Também quero acrescentar a todos
os outros garotos na sala que Rachel não é deles.
Ela é minha.
Mas não digo nada.
Não preciso, pois a única pessoa que precisa
saber que desejo Rachel é *Rachel.*
Ela olha para mim e sorri novamente, sentando-
se no único lugar vazio, do outro lado da sala.
Seus olhos me dizem que ela já sabe que é minha.
É apenas uma questão de tempo.
Quero mandar uma mensagem para Ian dizendo
que ela não é gostosa. Quero dizer que ela é uma
explosão de sabor, mas ele riria disso.
Então, tiro uma foto dela discretamente do meu lugar.
Envio a foto na mensagem para Ian, dizendo:
"Ela vai ser a mãe de todos os meus filhos."
O Sr. Clayton começa a aula.
Miles Archer fica obcecado.

* * *

Conheci Rachel na segunda.
Hoje é sexta.

Não disse nada para ela desde o dia em que nos conhecemos. Não sei por quê. Temos três aulas em comum. Toda vez que a vejo, ela sorri para mim como se quisesse que eu puxasse assunto. Toda vez que crio coragem, convenço-me do contrário.
Eu costumava ser uma pessoa segura.
Até Rachel acontecer.
Estipulei um prazo. Se até hoje eu não criar coragem, estarei abrindo mão da minha única chance. Garotas como Rachel não ficam disponíveis por muito tempo.
Se é que ela está disponível.
Não sei qual a sua história ou se está envolvida com algum cara lá de Phoenix, mas só existe uma maneira de descobrir.
Estou parado ao lado do armário dela, aguardando-a.
Ela sai da sala e sorri para mim. Dou um oi quando se aproxima do seu armário. Percebo a mesma mudança sutil na cor de sua pele. Gostei disso. Pergunto como foi a primeira semana. Ela me diz que foi boa. Pergunto se fez amizades, ao que ela responde, dando de ombros:

— Algumas.

Sinto seu cheiro sutilmente.
Ela percebe mesmo assim.
Digo que está cheirosa.
Diz:

— Obrigada.

Ignoro o barulho do meu coração disparando nos ouvidos. Desconsidero a camada de umidade que está surgindo nas palmas das mãos. Abafo o som do nome dela, que tenho vontade de repetir bem alto, sem parar. Passo por cima de tudo e encaro-a enquanto pergunto se ela não gostaria de fazer alguma coisa mais tarde.
Mantenho tudo a distância e abro espaço para a resposta, pois é a única coisa que quero.

Na verdade, quero aquele menear de cabeça. O que dispensa palavras. Que só pede um sorriso.
Não o consigo.
Ela tem planos para hoje.
Tudo volta com uma força dez vezes maior, como uma enchente que transborda, da qual sou a barragem. O coração disparado, as mãos suadas, o nome dela, uma insegurança inédita, que jamais imaginei que existia, enterrando-se no meu peito. Tudo isso toma conta de mim, parecendo construir um muro ao redor dela.

— Mas não tenho planos para amanhã — complementa, destruindo o muro com suas palavras.

Abro espaço para essas palavras. Muito espaço. Deixo-as me invadirem. Absorvo-as como uma esponja. Colho-as no ar e as engulo.

— Amanhã eu posso — confirmo. Tiro o celular do bolso, sem nem me dar ao trabalho de disfarçar o sorriso. — Qual o seu número? Eu ligo para você.

Ela me diz o número.
Ela está empolgada.
Ela está empolgada.
Salvo o contato dela no meu celular, sabendo que vai ficar lá por muito, muito tempo.
E vou usá-lo.
Bastante.

capítulo três
TATE

Normalmente, se acordasse, abrisse os olhos e visse um homem zangado me encarando da porta do quarto, eu gritaria. Tacaria coisas. Correria até o banheiro e me trancaria lá dentro.

Mas não fiz nada disso.

Encaro-o de volta, pois não entendo como esse é o mesmo cara que estava desmaiado de tão bêbado no corredor. Como é possível ser o mesmo que chorou até pegar no sono na noite anterior?

Esse cara é intimidante. Esse cara está com raiva. Esse cara está me olhando como se eu devesse pedir desculpas ou me explicar.

Mas é sim o mesmo cara da véspera, pois está com a mesma calça jeans e camisa preta com que dormiu. A única diferença na sua aparência entre a noite e aquela manhã é que agora ele consegue ficar em pé sem ajuda.

— O que aconteceu com minha mão, Tate?

Ele sabe meu nome. Será que sabe por que Corbin contou que eu me mudaria para cá ou por realmente lembrar o que falei na noite anterior? Espero que Corbin tenha dito, pois não quero que ele se lembre da véspera. De repente me sinto envergonhada, pois pode se lembrar de quando o consolei enquanto ele chorava antes de dormir.

Mas, aparentemente, ele não faz ideia do que aconteceu com a mão, então espero que isso também signifique que não se lembra de nada depois daquilo.

Está encostado na porta do meu quarto com os braços cruzados na frente do peito. Parece na defensiva, como se eu fosse a responsável por sua péssima noite. Rolo para o lado, querendo dormir mais, apesar de ele achar que estou lhe devendo alguma espécie de explicação. Puxo as cobertas para cima da cabeça.

— Tranque a porta ao sair — respondo, esperando que ele perceba a indireta de que está mais do que na hora de voltar para a casa dele.

— Cadê meu celular?

Aperto os olhos e tento ignorar o som suave de sua voz deslizando pelos meus ouvidos, atravessando todos os nervos do meu corpo e me aquecendo em locais que esse cobertor fajuto não esquentou durante a noite.

Lembro que o dono da voz sensual está parado à porta, fazendo perguntas de um jeito grosseiro sem nem reconhecer o fato de que o ajudei na véspera. Queria saber onde está o meu *obrigado*. Ou o meu *oi, sou Miles, prazer*.

Não consigo nada disso desse cara. Ele está preocupado demais com a mão. E com o celular, aparentemente. Preocupado demais consigo mesmo para pensar em quantas pessoas foram importunadas pelo seu descuido da noite anterior. Se ele e esse comportamento serão meus vizinhos nos próximos meses, é melhor ser logo bem clara.

Tiro as cobertas, levanto, vou até a porta e olho em seus olhos.

— Faça-me o favor de dar um passo para trás.

Surpreendentemente, ele obedece. Continuo encarando-o até a porta do quarto bater na cara dele. Sorrio e volto para a cama. Deito-me e puxo as cobertas por cima da cabeça.

Ganhei.

Já falei que não sou muito de acordar cedo?

A porta abre-se novamente.

Escancara-se.

— Qual o seu problema, cacete? — grita ele.

Solto um gemido, sento na cama e o encaro. Ele está parado na porta mais uma vez, ainda me olhando como se eu lhe devesse alguma coisa.

— *Você!* — respondo, aos berros.

Ele parece genuinamente chocado com minha resposta rude, o que me deixa meio mal. Mas é *ele* quem está sendo um babaca!

Eu acho.

Foi ele quem começou.

Eu acho.

Ele me encara firmemente por alguns segundos, inclina a cabeça um pouco para a frente e ergue a sobrancelha.

— Nós... — Ele move o dedo para a frente e para trás entre nós dois. — Nós ficamos ontem? É por isso que está zangada?

Dou uma risada depois de perceber que tinha razão.

É *ele* quem está sendo o babaca.

E isso é uma maravilha. Sou vizinha de um rapaz que enche a cara durante a semana e que obviamente leva tantas garotas para casa que nem consegue lembrar com quem fica ou não.

Abro a boca para responder, mas sou interrompida pelo barulho da porta do apartamento fechando e pela voz de Corbin gritando:

— Tate?

Salto da cama imediatamente e vou correndo até a porta, mas Miles ainda está bloqueando o caminho, fulminando-me com o olhar, esperando alguma resposta para sua pergunta. Encaro-o bem nos olhos para responder, mas eles me surpreendem por um breve instante.

São os olhos azuis mais claros que já vi. Completamente diferente dos olhos pesados e vermelhos de ontem à noite. O azul é tão claro que os olhos quase não têm cor. Continuo encarando-os, meio que esperando conseguir ver ondas se prestar bastante atenção. Diria que são tão cristalinos quanto as águas do Caribe, mas na verdade nunca fui ao Caribe, então não tenho como saber.

Ele pisca, o que imediatamente me faz parar de pensar no Caribe e voltar a São Francisco. A esse quarto. À última pergunta que ele fez antes que Corbin chegasse em casa.

— Não sei se dá para dizer que o que fizemos foi *ficar* — sussurro.

Encaro-o, esperando que saia da minha frente.

Ele se empertiga, vestindo uma armadura invisível com sua postura e linguagem corporal rígida.

Pelo jeito, com base no seu olhar inflexível sobre mim, ele não gosta da ideia de nós dois juntos. Quase parece estar me olhando com nojo, o que me faz achá-lo ainda mais desagradável.

Eu não recuo, e nenhum de nós desvia o olhar quando ele sai da frente e me deixa passar. Corbin aparece no corredor quando saio do quarto. Ele fica olhando para nós dois, então rapidamente correspondo seu olhar indicando que isso que ele está pensando não é nem uma remota possibilidade.

— Oi, mana — diz ele, puxando-me para um abraço.

Não o vejo há quase seis meses. Às vezes é fácil esquecer o quanto você sente saudade de alguém até ver essa pessoa novamente. Não é o caso de Corbin. Sinto saudade dele o tempo todo. Por mais que às vezes o excesso de proteção encha o saco, isso também prova o quanto somos próximos.

Corbin afasta-se e puxa uma mecha do meu cabelo.

— Está mais comprido — constata. — Gostei.

Acho que nunca passamos tanto tempo sem nos ver. Estendo o braço e dou um peteleco no cabelo que cai em sua testa.

— O seu também. E eu *não* gostei.

Sorrio para mostrar que estou brincando. Na verdade, gostei desse visual mais desgrenhado. As pessoas sempre dizem que somos muito parecidos, mas não acho. Sua pele é bem mais escura do que a minha, o que sempre invejei. Nossos cabelos têm o mesmo tom forte de castanho, mas nossas feições são totalmente diferentes, especialmente os olhos. Mamãe dizia que se juntássemos nossos olhos, eles pareceriam uma árvore. Os dele são verdes como as folhas, e os meus, castanhos como o tronco.

Sempre tive inveja de ele ser as folhas, porque verde era a minha cor preferida quando criança.

Corbin assente, cumprimentando Miles.

— E aí, cara. Noite difícil? — pergunta ele, rindo, como se soubesse exatamente o tipo de noite que Miles teve.

Miles passa por nós dois.

— Não sei. Não me lembro.

Ele entra na cozinha e abre o armário, tirando um copo de lá como se sentisse à vontade.

Não gosto disso.

Não gosto de Miles à vontade.

Miles-à-vontade abre outro armário, tira um frasco de aspirina, enche o copo de água e põe duas aspirinas na boca.

— Subiu todas as suas coisas? — pergunta Corbin para mim.

— Não — confesso, olhando para Miles ao responder. — Passei boa parte da noite me preocupando com seu vizinho.

Miles limpa a garganta, nervoso, enquanto lava o copo e o guarda de volta no armário. Seu constrangimento devido à falta de memória me faz rir. Gosto que ele esteja perdido quanto ao que aconteceu ontem à noite. Até meio que gosto de ver que a ideia de ficar comigo o incomoda. Talvez eu continue mantendo o suspense por um tempo só para satisfazer meu prazer doentio.

Corbin lança um olhar em minha direção como se soubesse o que estou querendo fazer. Miles sai da cozinha e olha para mim, depois para Corbin.

— Até já teria voltado para casa, mas não estou encontrando minhas chaves. Você está com aquela cópia?

Corbin faz que sim e vai até uma gaveta na cozinha. Ele abre-a, pega a chave e a joga para Miles, que a agarra no ar.

— Pode voltar daqui a uma hora e me ajudar a descarregar o carro de Tate? Quero tomar banho primeiro.

Miles faz que sim, mas seus olhos desviam-se brevemente para os meus enquanto Corbin vai para o quarto.

— Podemos colocar o papo em dia quando não for tão cedo — diz Corbin.

Já faz sete anos desde a última vez em que moramos juntos, mas pelo jeito ele lembra que não sou muito de falar durante a manhã. Pena que Miles não sabe disso.

Depois que Corbin desaparece dentro do quarto, eu me viro para Miles outra vez. Ele já está me olhando como se esperasse alguma coisa, como as respostas às perguntas que me fez mais cedo. Tudo o que quero é que ele vá embora, então respondo todas de uma vez só.

— Você estava apagado no corredor ontem à noite quando cheguei. Eu não sabia quem você era, então, quando tentou entrar aqui, talvez eu tenha batido a porta na sua mão. Não está quebrada. Dei uma olhada, está no máximo contundida. É só colocar gelo e deixá-la enfaixada por algumas horas. E, não, não ficamos. Ajudei você a entrar e depois fui dormir. O seu celular está no chão, perto da porta, onde o derrubou ontem porque estava alcoolizado demais para andar.

Viro-me na direção do corredor, querendo apenas fugir da intensidade nos olhos dele.

Viro de volta quando chego à porta do quarto.

— Quando você voltar daqui a uma hora e eu tiver tido tempo para acordar, podemos tentar isso de novo.

Ele está com a mandíbula trincada.

— Tentar *o quê?*

— Começar com o pé direito.

Fecho a porta do quarto, erguendo uma barreira entre mim e aquela voz.

E aquele *olhar*.

* * *

— Quantas caixas são? — pergunta Corbin.

Ele está perto da porta, colocando os sapatos. Pego minhas chaves no balcão.

— Seis, mais três malas e todas as minhas roupas penduradas.

Corbin atravessa o corredor, bate na porta exatamente na frente da sua, vira-se e segue em direção aos elevadores, então aperta o botão para descer.

— Avisou à mamãe que chegou?

— Sim, mandei uma mensagem ontem à noite.

Escuto a porta do apartamento dele se abrir no instante em que o elevador chega, mas não me viro para vê-lo saindo de casa. Entro no elevador, e Corbin segura a porta para Miles.

Assim que ele aparece, perco a guerra. A guerra que eu nem sabia que estava lutando. Não acontece sempre, mas, quando realmente acho um cara atraente, prefiro que seja alguém com quem *quero* me envolver.

Miles não é essa pessoa. Não quero me interessar por um cara que bebe até cair, chora por outras garotas e nem lembra se comeu você na noite anterior. Mas é difícil não perceber a presença dele quando esta se torna tudo.

— Acho que conseguimos em duas viagens — afirma Corbin para Miles, enquanto aperta o botão do térreo.

Miles está me encarando, e não consigo interpretar seu comportamento, pois ele ainda parece furioso. Encaro-o também, afinal, não importa o quanto ele fica lindo carrancudo: ainda estou esperando o *obrigado* que não escutei.

— Oi — diz Miles, finalmente. Dá um passo para a frente, chega perto demais de mim e estende a mão, ignorando totalmente a etiqueta de elevador. — Miles Archer. Moro no apartamento da frente.

E estou confusa.

— Acho que isso já ficou nítido — retruco, olhando para sua mão estendida.

— Estou começando de novo — explica, erguendo a sobrancelha. — Com o pé direito, não?

Ah. Sim. De fato, falei isso para ele.

Seguro a mão dele e a aperto.

— Tate Collins. Sou a irmã de Corbin.

A maneira como ele dá um passo para trás e continua me encarando me deixa um pouco constrangida, pois Corbin está a 30 centímetros de distância. No entanto, não parece se importar. Ele nos ignora, prestando atenção no celular.

Miles finalmente desvia o olhar e tira o celular do bolso. Enquanto ele não está prestando atenção em mim, aproveito a oportunidade para observá-lo.

Chego à conclusão de que a aparência dele é completamente contraditória. É como se dois criadores diferentes estivessem em guerra quando a imagem dele foi concebida. A força da sua estrutura óssea contrasta com o encanto macio e convidativo dos lábios. Eles parecem inofensivos e acolhedores em comparação às feições grosseiras e à cicatriz no lado direito do maxilar.

O cabelo é incapaz de decidir entre castanho e loiro, e entre ondulado ou liso. Sua personalidade alterna entre convidativa e insensivelmente indiferente, deixando confusa a minha capacidade de distinguir quente e frio. O jeito casual luta contra a intensidade que vi em seus olhos. A compostura daquela manhã contradiz o estado embriagado da noite anterior. Seus olhos não conseguem decidir se querem olhar para o celular ou para mim, pois vão e voltam várias vezes até a porta do elevador se abrir.

Paro de encará-lo e saio do elevador primeiro. Cap está sentado em sua cadeira, vigilante como sempre. Olha para nós três saindo do elevador e se ergue, apoiando nos braços da cadeira e levantando-se lenta e tremulamente. Corbin e Miles cumprimentam-no e continuam andando.

— Como foi sua primeira noite, Tate? — pergunta com um sorriso, parando-me no meio do caminho.

Não me surpreende que ele já saiba o meu nome, pois sabia o andar para o qual eu ia ontem à noite.

Olho para a parte de trás da cabeça de Miles enquanto eles seguem em frente sem mim.

— Movimentada, na verdade. Acho que meu irmão escolheu mal suas companhias.

Olho para Cap, que agora também está encarando Miles. Seus lábios enrugados pressionam-se formando uma linha fina, e ele balança levemente a cabeça.

— Ah, acho que aquele garoto não faz de propósito — diz ele, rejeitando meu comentário.

Não sei se "aquele garoto" se refere a Corbin ou Miles, mas não questiono.

Cap vira-se e começa a se arrastar na direção dos banheiros da portaria.

— Acho que mijei nas calças — murmura.

Observo-o desaparecer pela porta do banheiro, perguntando-me em que momento da vida a pessoa se torna velha o suficiente para ter permissão para falar o que quiser. Apesar de Cap parecer o tipo de homem que *sempre* falou o que quisesse. Meio que gosto disso nele.

— Tate, vamos! — grita Corbin do outro lado da portaria.

Alcanço-os para mostrar onde está meu carro.

Precisamos de três viagens, e não duas, para subir todas as coisas.

Três viagens inteiras em que Miles não diz uma única palavra para mim.

capítulo quatro

MILES

Seis anos antes

Pai: Onde você está?
Eu: Na casa de Ian.
Pai: Precisamos conversar.
Eu: Não pode ser amanhã? Vou chegar tarde.
Pai: Não. Preciso que venha para casa agora. Estou esperando você desde que as aulas terminaram.
Eu: Tá bom. Estou indo.

Essa foi a conversa que levou ao presente momento. Eu sentado no sofá na frente do meu pai. Ele me contando algo que não estou a fim de ouvir.

— Queria ter contado antes, Miles. É que...

— Ficou se sentindo culpado? — interrompo. — Como se estivesse fazendo algo de errado?

Seus olhos encontram os meus, e começo a me sentir mal por ter falado aquilo, mas afasto o sentimento e prossigo:

— Ela morreu há menos de um ano.

Assim que as palavras saem da minha boca, fico com vontade de vomitar.

Ele não gosta de ser julgado, especialmente por mim. Está acostumado a me ver apoiando suas decisões. Caramba, *eu* estou acostumado a apoiar as decisões dele. Até então, sempre achei que fossem boas.

— Olhe, sei que é difícil para você aceitar, mas preciso do seu apoio. Não faz ideia de o quanto foi difícil seguir em frente depois que ela morreu.

— Difícil?

Estou me levantando. Erguendo a voz. Estou agindo como se me importasse por algum motivo, o que não é verdade. Não dou a mínima para o fato de ele já estar saindo com outras mulheres. Pode sair com quem quiser. Pode transar com quem quiser.

Acho que só estou reagindo assim porque é algo que ela não pode fazer. É difícil defender o próprio casamento quando se está morta. É por essa razão que estou fazendo isso por ela.

— Está na cara que não está achando nada difícil, pai.

Vou até o outro lado da sala.

Volto.

Essa porcaria de casa é pequena demais para toda a minha frustração e decepção.

Encaro-o novamente, percebendo que a questão não é ele estar saindo com outra pessoa. O que odeio é a expressão que surge em seus olhos quando ele fala nela. Nunca o vi falar da minha mãe desse jeito, então, quem quer que a mulher seja, sei que não é apenas casual. Ela está prestes a se infiltrar nas nossas vidas, permeando os arredores do meu relacionamento com meu pai como uma erva daninha. Não seremos mais apenas meu pai e eu. Seremos eu, meu pai e *Lisa*. Não parece correto, considerando que ainda dá para sentir a presença da minha mãe na casa inteira.

Ele está sentado com as mãos unidas na frente do corpo. Olhando para o chão.

— Não sei se vai se tornar algo sério, mas quero tentar. Lisa me faz feliz. Às vezes seguir em frente é... a única maneira de seguir em frente.

Abro a boca para responder, mas minhas palavras são interrompidas pela campainha. Ele olha para mim, levantando-se hesitantemente. Parece menor. Menos heroico.

— Não estou pedindo para você gostar. Nem para se aproximar. Só quero que seja legal com ela.

Os olhos dele estão implorando, fazendo com que eu me sinta culpado por estar resistindo tanto.

Assinto.

— Vou ser legal, pai. Sabe que vou.

Ele me abraça, o que é uma sensação boa *e* ruim. Não parece que acabei de abraçar o homem que idolatrei por 17 anos. Parece que acabei de abraçar um semelhante meu.

Ele pede que eu abra a porta enquanto volta para a cozinha para terminar o jantar, então obedeço. Fecho os olhos e aviso a minha mãe que serei legal com Lisa, mas que, para mim, ela sempre vai ser *Lisa*, independentemente do que acontecer entre eles. Abro a porta.

— Miles?

Observo o rosto dela, que é completamente diferente do rosto da minha mãe. O que acho bom. Ela é bem mais baixa. Também não é tão bonita. Não tem nada que possa se comparar à minha mãe, então nem tento fazer isso. Aceito-a pelo que ela é: nossa convidada para o jantar.

Faço que sim com a cabeça e abro mais a porta para que ela entre.

— Você deve ser Lisa. Prazer em conhecê-la. — Aponto para trás de mim. — Meu pai está na cozinha.

Lisa inclina-se para a frente e me abraça — algo que consigo tornar constrangedor, pois demoro vários segundos para abraçá-la também.

Meus olhos encontram os da garota parada atrás dela.
Os olhos da garota parada atrás dela encontram os meus.

Você
    vai
        se
            apaixonar
                por
                    mim,
                    Rachel.

— Miles? — sussurra ela, baixinho.
Rachel falou de um jeito parecido com a mãe, só que mais triste.
Lisa olha para nós dois.
— Você se conhecem?
Rachel não assente.
Nem eu.
Nossa decepção derrete no chão, formando uma poça de lágrimas prematuras aos nossos pés.
— Ele, hum... ele...
Rachel está gaguejando, então ajudo-a a terminar a frase:
— Estudo no mesmo colégio que Rachel.
Me arrependo do que disse, pois o que realmente queria dizer era: *Rachel é a próxima garota pela qual vou me apaixonar.*
Mas não posso, porque é óbvio o que está prestes a acontecer. Rachel não é a próxima garota pela qual vou me apaixonar porque Rachel é a garota que muito provavelmente vai se tornar a minha nova meia-irmã.
Pela segunda vez na noite, sinto vontade de vomitar.
Lisa sorri e junta as mãos.
— Isso é ótimo. Que alívio.
Meu pai aparece. Abraça Lisa. Cumprimenta Rachel e diz que é bom vê-la novamente.
Meu pai já conhece Rachel.
Rachel já conhece meu pai.

Meu pai é o novo namorado de Lisa.
Meu pai vai muito a Phoenix.
Meu pai já ia muito a Phoenix mesmo antes de minha mãe morrer.
Meu pai é um canalha.
— Rachel e Miles já se conhecem — diz Lisa para o meu pai.
Ele sorri, e o alívio toma conta do seu rosto.
— Que bom, que bom — assente, repetindo duas vezes como se isso fosse melhorar as coisas.
Não.
Que ruim. Que ruim.
— Isso vai tornar a noite de hoje bem menos constrangedora — constata, rindo.
Olho de novo para Rachel.
Rachel olha para mim.
Não posso me apaixonar por você, Rachel.
Os olhos dela estão tristes.
Meus pensamentos estão mais tristes ainda.
E você não pode se apaixonar por mim.
Ela entra lentamente, evitando o meu olhar enquanto observa os próprios pés a cada passo. São os passos mais tristes que já vi uma pessoa dar.
Fecho a porta.
É a porta mais triste que já fechei na vida.

capítulo cinco
TATE

— Vai estar de folga no dia de Ação de Graças? — pergunta minha mãe.

Ponho o celular no outro ouvido e tiro a chave do apartamento da bolsa.

— Sim, mas não no Natal. Por enquanto, só estou trabalhando nos fins de semana.

— Ótimo. Diga a Corbin que ainda não estamos mortos, caso ele queria nos telefonar algum dia.

— Pode deixar — respondo, rindo. — Amo você.

Desligo e guardo o telefone no bolso do jaleco. É um emprego de meio período, mas já é um começo. Aquela foi a minha última noite de treinamento antes de começar os turnos de fim de semana amanhã à noite.

Por enquanto, estou gostando do emprego e fiquei realmente chocada por conseguí-lo na primeira entrevista que fiz. Além de tudo, se encaixa bem com os horários do mestrado. Vou para a faculdade de segunda a sexta, cumprindo a carga de aulas ou de clínica, e nos fins de semana pego o segundo turno no hospital. Até agora, a transição foi bem tranquila.

Também gostei de São Francisco. Sei que se passaram apenas duas semanas, mas consigo me imaginar ficando aqui depois que me formar no ano que vem, em vez de voltar para San Diego.

Até mesmo a relação com Corbin vai bem, embora ele passe mais tempo fora do que em casa, então tenho certeza de que é só por causa disso.

Sorrio, finalmente sentindo que encontrei meu lugar, e abro a porta do apartamento. O sorriso esvaece assim que me deparo com os olhos de três rapazes — reconheço apenas dois deles. Miles está em pé na cozinha, e o babaca casado do elevador está sentado no sofá.

Por que diabos Miles está aqui?

Por que *todos eles* estão aqui?

Fulmino Miles com o olhar enquanto tiro os sapatos e solto a bolsa no balcão. Corbin só volta em dois dias, e eu estava morrendo de vontade de ter uma noite calma e silenciosa para estudar um pouco.

— Hoje é quinta — diz Miles ao me ver franzindo a testa, como se o dia da semana fosse alguma espécie de explicação.

Ele está me observando da cozinha, e percebeu que não estou contente.

— É mesmo — respondo. — E amanhã é sexta. — Então, viro-me para os outros dois rapazes sentados no sofá de Corbin. — Por que estão todos aqui no meu apartamento?

O rapaz magro e loiro levanta-se imediatamente e se aproxima de mim, então estende a mão.

— Tate? Meu nome é Ian. Cresci com Miles. Sou amigo do seu irmão. — Ele aponta para o cara do elevador, que ainda está sentado no sofá. — Esse aqui é o Dillon.

Dillon assente, cumprimentando-me, sem se dar ao trabalho de dizer nada. E nem precisa. O sorriso convencido já é o suficiente para que eu entenda o que ele está pensando nesse momento.

Miles volta para a sala e aponta para a televisão.

— É meio que nosso programa das quintas se estamos em casa. É noite de jogo.

Não me importo se é um *programa* deles. Tenho dever de casa.

— Corbin nem está aqui hoje. Não podem fazer isso na casa de um de vocês? Preciso estudar.

Miles entrega uma cerveja a Dillon e depois olha de volta para mim.

— Não tenho TV a cabo.

Óbvio que não.

— E a esposa de Dillon não nos deixa usar o apartamento.

Óbvio que não deixa.

Reviro os olhos e vou até meu quarto, batendo a porta sem querer.

Tiro o uniforme e coloco uma calça jeans. Pego a camisa com que dormi na véspera, e, assim que a passo pela cabeça, alguém bate à porta. Escancaro-a com o mesmo jeito dramático de quando a bati.

Ele é tão *alto*.

Não tinha percebido isso, mas agora que está parado na minha porta — preenchendo-a —, ele parece bem alto. Se me abraçasse nesse momento, meu ouvido ficaria pressionado contra seu coração. E sua bochecha ficaria confortavelmente apoiada no topo da minha cabeça.

Se me beijasse, eu teria que inclinar o rosto para cima para alcançar o dele, mas seria bom, pois ele provavelmente envolveria minha lombar com os braços e me puxaria para perto, para que nossas bocas se encaixassem como peças de um quebra-cabeça. No entanto, elas não se encaixariam muito bem, pois estão longe de ser do *mesmo* quebra-cabeça.

Tem alguma coisa estranha acontecendo no meu peito. Alguma espécie de *palpitação*... Odeio isso, pois sei o que significa. Que meu corpo está realmente começando a gostar de Miles.

Só espero que meu cérebro nunca faça o mesmo.

— Se quiser silêncio, pode ir para o meu apartamento.

Contraio-me ao perceber que a oferta me causa um frio na barriga. Não deveria ficar entusiasmada com a possibilidade de entrar na casa dele, mas estou.

— Vamos ficar aqui provavelmente mais umas duas horas — acrescenta ele.

Há certa culpa em sua voz. É bem provável que só dê para encontrá-la com um grupo de resgate, mas está enterrada em algum lugar, bem debaixo de toda aquela sensualidade.

Expiro de maneira rápida e resignada. Estou sendo uma chata. Esse apartamento nem é meu. É um programa que eles sempre fazem. Quem sou eu para achar que posso simplesmente me intrometer e acabar com tudo?

— Estou cansada, só isso. Está tudo bem. Desculpe se fui mal educada com seus amigos.

— *Amigo*. Dillon *não é* meu amigo.

Não pergunto o que ele quer dizer com isso. Ele olha para a sala e depois para mim. Encosta-se na porta, indicando que não a conversa não chegou ao fim. Ele lança um olhar na direção do jaleco esparramado no colchão.

— Arranjou um emprego?

— Sim — digo, perguntando-me por que ele resolveu puxar papo de repente. — De enfermeira num pronto-socorro.

Ele franze a testa, e não sei se é de dúvida ou fascínio.

— Você ainda não está na faculdade? Como pode já trabalhar como enfermeira?

— Estou fazendo mestrado em enfermagem para trabalhar com anestesiologia. Já sou formada em enfermagem.

A expressão dele continua inflexível, então explico:

— Vou poder dar anestesia.

Miles fica me encarando por alguns segundos antes de se empertigar e se afastar da porta.

— Que bom.

Mas não sorri.

Por que ele nunca sorri?

Ele volta para a sala. Eu saio do quarto e o observo. Miles senta-se no sofá e foca toda sua atenção na TV.

Dillon é quem está *me* dando toda sua atenção, mas desvio o olhar e vou até a cozinha para comer algo. Não tem muita coisa, pois não cozinhei a semana inteira, então pego na geladeira o que preciso para fazer um sanduíche. Quando me viro, Dillon ainda está me encarando. Mas agora a 30 centímetros de distância, e não de lá, do outro lado da sala.

Ele sorri, dá um passo para a frente e estende o braço para a geladeira, ficando a centímetros do meu rosto.

— Então você é a irmãzinha de Corbin?

Acho que concordo com Miles. Também não gosto muito de Dillon.

Estes olhos são bem diferentes dos olhos de Miles. Quando ele olha para mim, seus olhos escondem tudo. Os de Dillon não escondem *nada*, e agora está óbvio que estão tirando minha roupa.

— Sou — digo, curta e grossa enquanto passo por ele.

Vou até o armário e abro-o, procurando o pão. Após encontrar, coloco-o no balcão e começo a fazer meu sanduíche. Pego algumas fatias a mais para fazer um sanduíche para Cap. Meio que passei a gostar dele nesse tempinho desde que cheguei aqui. Descobri que, às vezes, ele trabalha até 14 horas por dia, só porque mora aqui no prédio sozinho e não tem mais o que fazer. Parece gostar da minha companhia e, especialmente, de presentes em forma de comida, então, até que eu faça mais amizades por aqui, acho que vou passar meu tempo livre com um octogenário.

Dillon encosta-se no balcão casualmente.

— Você é enfermeira ou algo do tipo?

Ele abre a cerveja e leva-a até a boca, mas para antes de dar um gole. Quer que eu responda primeiro.

— Sou — digo, secamente.

Ele abre um sorriso e toma um gole da cerveja. Continuo fazendo meus sanduíches, tentando intencionalmente parecer fechada, mas Dillon não capta a mensagem. Só continua me encarando até os sanduíches ficarem prontos.

Não vou me oferecer para fazer uma porcaria de sanduíche para ele, se for isso o que está esperando.

— Sou piloto. — Ele não fala isso de forma presunçosa, mas quando ninguém pergunta o que a pessoa faz da vida e ela solta assim, do nada, no meio da conversa, naturalmente passa a impressão de ser presunçosa. — Trabalho na mesma companhia aérea que Corbin.

Continua me encarando, esperando que eu fique impressionada por ele ser piloto. O que não percebe é que todos os homens da minha vida são pilotos. Meu avô era piloto. Meu pai era piloto, até se aposentar alguns meses atrás. Meu irmão é piloto.

— Dillon, se está tentando me impressionar, está indo pelo caminho errado. Prefiro caras um pouco mais modestos e muito menos *casados*.

Lanço um olhar para a aliança em sua mão esquerda.

— O jogo acabou de começar — avisa Miles, entrando na cozinha.

Suas palavras podem ser inofensivas, mas os olhos estão nitidamente dizendo a Dillon que é hora de voltar para a sala.

Dillon suspira como se Miles tivesse acabado com sua diversão.

— É bom vê-la novamente, Tate — diz ele, agindo como se a conversa fosse chegar ao fim de todo jeito, independentemente da decisão de Miles. — Você deveria ficar na sala com a gente. — Os olhos dele examinam Miles, apesar de estar falando comigo. — Aparentemente o jogo acabou de começar.

Dillon endireita a postura e esbarra com o ombro em Miles enquanto volta para a sala.

Miles ignora a demonstração de irritação de Dillon e põe a mão no bolso de trás, sacando uma chave, e a entrega para mim.

— Vá estudar na minha casa.

Não é um pedido.

É uma ordem.

— Não me incomodo de estudar aqui. — Ponho a chave no balcão e tampo a maionese, recusando-me a ser expulsa do meu próprio apartamento por três rapazes. Cubro os dois sanduíches com papel toalha. — A TV nem está tão alta.

Ele dá um passo para a frente até ficar próximo o suficiente para sussurrar. Tenho certeza de que estou deixando marcas de dedo no pão, pois todas as partes do meu corpo, até os dedos dos pés, acabam de se enrijecer.

— *Eu* que me incomodo de você estudar aqui. Pelo menos, enquanto todo mundo não for embora. Vá. Leve seus sanduíches.

Olho para os sanduíches. Não sei por que fiquei com a impressão de que ele acabou de insultá-los.

— Não são os dois para mim — retruco, na defensiva. — Vou dar um para Cap.

Olho para ele, que mais uma vez está me encarando daquela maneira impossível de interpretar. Com olhos como esses, isso deveria ser ilegal. Ergo as sobrancelhas esperando alguma reação, pois está me deixando bastante constrangida. Não sou uma exposição, mas pelo modo como ele me olha, sinto como se fosse.

— Fez um sanduíche para Cap?

Faço que sim.

— Ele gosta de comida — comento, dando de ombros.

Miles fica analisando a exposição por mais um tempo antes de se aproximar novamente, então pega a chave no balcão atrás de mim e a desliza para o interior do bolso da frente da minha calça.

Nem sei se os dedos dele encostaram no meu jeans, mas inspiro fortemente e olho para o bolso enquanto suas mãos se afastam, porque, *nossa senhora*, não estava esperando por isso.

Fico paralisada enquanto ele volta casualmente para a sala, indiferente. Parece que meu bolso está pegando fogo.

Convenço meus pés a se moverem, precisando de um tempo para assimilar tudo isso. Depois de entregar o sanduíche de Cap, obedeço a Miles e vou para o apartamento dele. Vou porque eu quero, não por ele mandou e nem porque *realmente* tenho muito dever de casa. Vou porque a ideia de ficar sozinha no apartamento dele é algo que acho sadicamente excitante. Sinto como se tivesse acabado de ganhar livre acesso a todos os seus segredos.

* * *

Devia ter percebido que seu apartamento não daria nenhuma pista a respeito de quem ele é. Nem seus olhos fazem isso.

Tudo bem, aqui realmente está bem mais silencioso do que no meu apartamento, e sim, já passei duas horas inteiras fazendo o dever de casa, mas só porque aqui não tem nenhuma distração.

Nenhuma *mesmo*.

Nenhum quadro nas paredes brancas e sem vida. Nenhuma decoração. Absolutamente nada de cor. Nem a mesa de carvalho que separa a cozinha da sala tem qualquer ornamento. É bem diferente do lar onde cresci, onde a mesa da cozinha era o foco da casa inteira, com direito a trilho de mesa, um candelabro sofisticado e jogo de pratos combinando com a estação.

Miles não tem sequer uma tigela de frutas.

A única coisa impressionante a respeito do apartamento é a estante de livros na sala de estar. Tem dezenas de títulos, e não consigo imaginar nada nessas paredes vazias que pudesse achar mais excitante do que aquilo. Vou até ela inspecionar a coleção, esperando descobrir mais sobre ele com base em suas escolhas literárias.

Tudo o que encontro são fileiras e fileiras de livros sobre aeronáutica.

Após uma inspeção geral no apartamento, fico desapontada ao perceber que tudo que posso concluir é que ele provavelmente é um workaholic sem nenhuma aptidão para decoração.

Desisto da sala e vou até a cozinha. Abro a geladeira, mas não encontro quase nada. Apenas algumas caixas de comida de delivery. Temperos. Suco de laranja. Parece a geladeira de Corbin: vazia e triste, típica de um solteiro.

Abro o armário, pego um copo e coloco um pouco de suco para mim. Bebo e depois lavo o copo. Tem mais louça empilhada no lado esquerdo da pia, então começo a lavá-la. Falta personalidade até nos pratos e copos, que são lisos e brancos e tristes.

Sinto uma vontade repentina de pegar o cartão de crédito e ir até uma loja comprar cortinas, um novo jogo de pratos mais alegre, alguns quadros e talvez até uma ou duas plantas. Esse lugar está precisando de um pouco de vida.

Fico me perguntando a respeito de seu passado. Acho que ele não tem namorada. Até agora, não o vi com ninguém, e o apartamento sem nenhum toque feminino indica que devo ter razão. Duvido que uma garota consiga entrar neste apartamento sem dar pelo menos um toque na decoração antes de ir embora, então presumo que nenhuma garota chegue a entrar aqui.

O que faz com que me pergunte a respeito de Corbin também. Apesar de todos esses anos crescendo juntos, ele nunca foi aberto em relação a seus namoros, mas tenho certeza de que é porque *nunca* namorou. Toda vez que me apresentou a alguma garota, não durou mais de uma semana. Não sei se é porque ele não gosta de ficar com a mesma pessoa ou se é um sinal de que é difícil demais *conviver* com meu irmão. Com base na quantidade de ligações aleatórias que ele recebe de mulheres, tenho certeza de que é a primeira opção.

Considerando a abundância de mulheres com quem passa só uma noite e a falta de um namoro de verdade, fico confusa por ele ter sido tão protetor a meu respeito durante minha adolescência. Vai ver se conhecia muito bem e não queria que eu namorasse alguém parecido com ele.

Pergunto-me se Miles também é como Corbin.

— Está lavando minha louça?

A voz dele me surpreende completamente e levo um susto. Viro-me, avisto Miles e quase derrubo o copo que estou segurando. Ele escorrega, mas, de alguma maneira, consigo agarrá-lo de novo. Respiro para me acalmar, e o coloco delicadamente na pia.

— Terminei o dever — explico, engolindo o nó que acabou de surgir na garganta. Olho para a louça que agora está no secador. — Estava suja.

Ele sorri.

Eu acho.

Assim que seus lábios começam a se encurvar para cima, eles voltam a formar uma linha reta. *Alarme falso.*

— Eles já foram — avisa Miles, indicando que devo dar o fora do seu apartamento.

Ele percebe o suco de laranja no balcão, então pega-o e guarda na geladeira.

— Desculpe — murmuro. — Estava com sede.

Ele vira-se para mim e encosta o ombro na geladeira, cruzando os braços.

— Não ligo de você tomar meu suco, Tate.

Ah, *nossa.*

Que frase estranhamente sexy. Assim como sua aparência ao dizê-la.

E, mesmo assim, nada de sorriso. *Meu Deus*, esse homem. Será que não percebe que expressões faciais são feitas para acompanhar a fala?

Não quero que perceba meu desapontamento, então me viro para a pia. Uso o jato d'água para escoar o resto da espuma até o ralo. É bastante reconfortante, considerando o clima estranho na cozinha.

— Há quanto tempo mora aqui? — pergunto, tentando amenizar o silêncio constrangedor, enquanto me viro novamente em sua direção.

— Quatro anos.

Não sei por quê, mas dou uma risada. Ele ergue a sobrancelha, confuso, sem entender por que sua resposta me fez rir.

— É que seu apartamento... — Olho para a sala e depois para ele. — É meio sem graça. Achei que, talvez, você tivesse acabado de se mudar e, por isso, não tivesse arrumado tempo de decorá-lo.

Não tive a intenção de insultá-lo, no entanto foi exatamente o que pareceu. Estou apenas tentando puxar papo, mas pelo jeito só consegui deixar o clima ainda mais constrangedor.

Seus olhos percorrem o apartamento lentamente, enquanto ele reflete sobre o comentário. Eu queria retirar o que disse, mas nem tento. Provavelmente só pioraria a situação.

— Eu trabalho muito. Nunca recebo visitas, então não me preocupei com isso.

Quero perguntar por que nunca vem ninguém aqui, mas sinto que certas perguntas parecem invadir um território proibido para ele.

— Por falar em visitas, qual é a do Dillon?

Miles dá de ombros, encostando-se completamente na geladeira.

— Dillon é um babaca que não tem o mínimo respeito pela esposa — diz ele, de maneira inexpressiva, então vira-se completamente e sai da cozinha, indo para o quarto. Empurra a porta, deixando-a aberta apenas o suficiente para que eu consiga escutá-lo. — Achei melhor alertá-la antes que você caísse no papinho dele.

— Não caio no papinho de ninguém. Especialmente no de gente como Dillon.

— Ótimo.

Ótimo? Ha! Miles não quer que eu goste de Dillon. Adorei isso.

— Corbin não gostaria que você se envolvesse com ele. Corbin odeia Dillon.

Ah. Não quer que eu goste de Dillon por causa de *Corbin*. Por que isso me deixou decepcionada?

Ele sai do quarto e não está mais de calça jeans e camiseta. Está vestindo um conjunto familiar de calça social e camisa branca bem passada, desabotoada e aberta.

Está colocando o uniforme de piloto.

— Você é piloto? — pergunto, um tanto perplexa.

Minha voz dá a impressão de que estou estranhamente impressionada.

Miles assente e entra na área de serviço adjacente à cozinha.

— É por isso que conheço Corbin. Estudamos juntos na escola de aviação. — Ele volta para a cozinha com um cesto de roupas e o coloca no balcão. — Ele é gente boa.

A camisa dele não está abotoada.

Estou encarando o abdômen dele.

Pare de encarar o abdômen dele.

Meu Deus do céu, ele tem *o V*. Aquelas lindas reentrâncias que os homens têm ao longo dos músculos abdominais exteriores, que desaparecem para dentro da calça como se apontassem para um alvo secreto.

Meu Deus, Tate, você está encarando a porra da virilha dele!

Agora ele está abotoando a camisa, então, de alguma maneira, me armo de uma força sobre-humana e obrigo meus olhos a voltarem para seu rosto.

Pensamentos. Eu devia ter pensamentos, mas não consigo encontrá-los. Talvez seja porque acabei de descobrir que ele é piloto.

Mas por que isso me impressionaria?

O fato de Dillon ser piloto não me impressiona. Mas não descobri que ele é piloto enquanto ele cuidava das roupas e exibia o abdômen. Um rapaz dobrando roupas enquanto exibe o abdômen e é piloto é algo realmente impressionante.

Agora Miles está completamente vestido, calçando os sapatos. Eu o encaro como se estivesse num teatro e ele fosse a atração principal.

— Isso é seguro? — pergunto, conseguindo de alguma maneira encontrar um pensamento coerente. — Você estava bebendo com o pessoal e agora vai pilotar uma aeronave comercial?

Miles fecha o zíper da jaqueta e pega uma mala já pronta no chão.

— Hoje fiquei só na água — diz, logo antes de sair da cozinha. — Não sou muito de beber. E, definitivamente, nunca bebo em noites de trabalho.

Solto uma gargalhada e o acompanho na direção da sala de estar. Vou até a mesa para pegar minhas coisas.

— Acho que está se esquecendo de como nos conhecemos — brinco. — No dia da minha mudança? No dia de tem-alguém--apagado-de-tão-bêbado-no-corredor-?

Ele abre a porta da frente para que eu saia.

— Não faço ideia do que está falando, Tate. Nos conhecemos no elevador. Lembra?

Não sei se ele está brincando, pois não está sorrindo e não há brilho algum em seus olhos.

Saímos, e ele fecha a porta. Devolvo a chave do apartamento, e ele o tranca. Vou até minha porta e a abro.

— Tate?

Quase finjo não escutá-lo, só para que ele precise dizer meu nome mais uma vez. Em vez disso, viro-me, fingindo ser completamente indiferente a esse homem.

— Aquela noite em que me encontrou no corredor... foi uma exceção. Uma exceção *muito rara*.

Há algo não dito em seus olhos, e talvez até em sua voz.

Ele está parado na frente de sua porta, pronto para ir para o elevador. Fica aguardando para ver se tenho algo a dizer. Eu devia dizer tchau. Talvez, desejar um bom voo. Mas tem gente que acha que isso dá azar. Eu devia apenas dar boa-noite.

— A exceção foi por causa do que aconteceu com Rachel?

Sim. Eu realmente preferi dizer isso.

POR QUE acabei de dizer isso?

Sua postura muda. A expressão fica paralisada, como se minhas palavras o tivessem abalado feito um raio. É mais do que provável que esteja confuso por eu ter dito isso, pois está na cara que não se lembra de nada daquela noite.

Rápido, Tate. Conserte isso.

— Você achou que eu era alguém chamada Rachel — explico, rapidamente, numa tentativa de fazer o constrangimento sumir. — Achei que tinha acontecido algo entre vocês dois, e que foi por isso que... você sabe.

Miles inspira profundamente, mas tenta disfarçar. Atingi um ponto fraco.

Pelo jeito, Rachel não é um assunto a se discutir.

— Boa noite, Tate — diz ele, virando-se.

Não sei o que acabou de acontecer. Será que o deixei envergonhado? Irritado? Triste?

Seja lá o que foi que fiz, odeio isso... esse constrangimento que agora ocupa o espaço entre a minha porta e o elevador que ele está esperando.

Entro em casa e fecho a porta, mas o constrangimento está por toda parte. Não ficou lá no corredor.

capítulo seis

MILES

Seis anos antes

Jantamos, mas é constrangedor.
Lisa e meu pai tentam nos incluir na conversa, mas nem eu nem ela estamos a fim de falar. Ficamos encarando os pratos. Empurramos a comida com os garfos.
Não queremos comer.
Meu pai pergunta a Lisa se ela quer ir sentar nos fundos da casa.
Lisa responde sim.
Lisa pede para Rachel me ajudar a tirar a mesa.
Rachel diz sim.
Levamos os pratos até a cozinha.
Ficamos em silêncio.
Rachel encosta-se no balcão enquanto encho a lava-louças. Ela me observa fazer o máximo para ignorá-la.

Não percebe que ela está por todo canto. Está em tudo.
Todas as mínimas coisas acabaram de se tornar Rachel.
E estão me consumindo.
Meus pensamentos não são mais pensamentos.
Meus pensamentos são Rachel.
Não posso me apaixonar por você, Rachel.
Olho para a pia. *Quero olhar para Rachel.*
Inspiro o ar. *Quero inspirar Rachel.*
Fecho os olhos. *Só vejo Rachel.*
Lavo as mãos. *Quero tocar em Rachel.*
Seco as mãos na toalha antes de me virar para ela.
Suas mãos estão segurando o balcão atrás do
seu corpo. As minhas estão cruzadas.
— Eles são os piores pais do mundo — sussurra.
A voz dela falha.
O meu coração falha.
— Abomináveis — concordo.
Ela ri.
Eu não devia me apaixonar pela sua risada, Rachel.
Ela suspira. Também me apaixono por isso.
— Há quanto tempo eles estão juntos? — pergunto.
Ela vai ser honesta.
Dá de ombros.
— Há cerca de um ano. Era namoro a distância até
nos mudarmos para cá, para ficar mais perto dele.
Sinto o coração da minha mãe se partindo.
Nós dois o odiamos.
— Um ano? Tem certeza?
Ela assente.
Não sabe sobre a minha mãe. Dá para perceber.
— Rachel?
Digo o nome dela em voz alta, algo que quero
fazer desde o segundo em que a conheci.
Ela continua olhando diretamente para mim. Engole
em seco, depois exala superficialmente.

— Sim?
Aproximo-me dela.
Seu corpo reage. Ela endireita um pouco a postura, mas não muito. Sua respiração fica mais ofegante, mas não muito. Suas bochechas coram, mas não muito.
Tudo é na medida certa.
Minha mão se encaixa na sua cintura.
Meus olhos investigam os seus.
Eles não dizem não, então continuo.
Quando meus lábios tocam os seus, é tanta coisa.
É bom e ruim, e certo e errado e *vingança*.
Ela inspira, deixando-me um pouco sem ar. Exalo bem perto , dando-a mais do meu ar. Nossas línguas se encostam, e nossa culpa se entrelaça, e meus dedos deslizam pelo cabelo que Deus fez especialmente para ela.
Meu novo sabor preferido é Rachel.
Minha nova coisa preferida é Rachel.
Quero Rachel de aniversário. Quero Rachel de Natal. Quero Rachel de presente de formatura.
Rachel, Rachel, Rachel.
Vou me apaixonar por você mesmo assim, Rachel.
A porta dos fundos se abre.
Solto Rachel.
Ela me solta, mas apenas fisicamente. Ainda a sinto de todas as outras maneiras.
Desvio o olhar, mas tudo ainda é Rachel.
Lisa entra na cozinha. Ela parece feliz.
Tem o direito de ser feliz. Não foi ela quem morreu.
Lisa diz a Rachel que é hora de elas irem.
Despeço-me das duas, mas minhas palavras são apenas para Rachel.
Ela sabe disso.
Termino de lavar a louça.
Digo a meu pai que Lisa é legal.

Ainda não digo a ele que o odeio. Talvez jamais faça isso. Não sei que bem faria contar a ele que não o enxergo mais da mesma maneira. Agora ele é apenas... *normal*. Humano. Talvez isso seja um rito de passagem antes de o menino se tornar um homem: perceber que seu pai não entende mais da vida do que você. Vou para o meu quarto. Pego o celular e mando uma mensagem para Rachel.

Eu: O que faremos em relação a amanhã?
Rachel: Mentimos para eles?
Eu: Pode me encontrar às sete?
Rachel: Sim.
Eu: Rachel?
Rachel: Sim?
Eu: Boa noite.
Rachel: Boa noite, Miles.

Desligo o telefone, pois quero que essa seja a última mensagem de hoje. Fecho os olhos.
Estou me apaixonando, Rachel.

capítulo sete
TATE

Já faz duas semanas que não vejo Miles, mas apenas dois segundos em que não penso nele. Parece trabalhar tanto quanto Corbin, e, por mais que seja legal ficar com o apartamento só para mim de vez em quando, também é legal quando Corbin não está trabalhando e eu tenho com quem conversar. Até diria que é legal quando Corbin e Miles estão *ambos* de folga, mas isso não aconteceu ainda desde que me mudei para cá.

Até agora.

— O pai dele está trabalhando, e ele está de folga até segunda — diz Corbin. Só agora descobri que convidou Miles para passar o dia de Ação de Graças com a nossa família. Está batendo à porta do apartamento de Miles. — Ele não tem opção.

Tenho certeza de que assinto após ouvir essas palavras, mas me viro e vou direto para o elevador. Estou com medo de que minha empolgação por saber que Miles vai nos acompanhar fique nítida demais quando ele abrir a porta.

Estou no elevador, encostada na parede de trás, quando os dois entram. Miles me avista e balança a cabeça, mas é tudo que ganho. Da última vez que falei com ele, deixei tudo extremamente constrangedor entre nós, então agora não digo nada. Também tento não encará-lo, mas é muito difícil focar em outra coisa. Ele está vestido de forma casual: boné, calça jeans e uma camiseta do 49ers. Acho que é por isso que está sendo difícil desviar o olhar, pois sempre me senti mais atraída por rapazes quando não estão se esforçando muito em parecer atraentes.

Minha vista sobe de suas roupas e encontra seu olhar concentrado. Não sei se devo sorrir de vergonha ou virar o rosto, então decido simplesmente imitar o que ele fizer e fico esperando que desvie o olhar primeiro.

Ele não o faz. Continua me encarando em silêncio durante todo o trajeto do elevador, e eu, teimosamente, faço o mesmo. Quando finalmente chegamos ao térreo, fico aliviada ao vê-lo sair primeiro, pois preciso a soltar a respiração bem perceptivelmente, afinal passei os últimos sessenta segundos prendendo-a.

— Aonde os três vão? — pergunta Cap, quando saímos do elevador.

— Para nossa casa, em San Diego — conta Corbin. — Tem algum plano para o dia de Ação de Graças?

— É um dia bem movimentado para voos — comenta Cap. — Acho que vou ficar aqui, trabalhando. — Ele pisca para mim, e retribuo o gesto antes que ele foque a atenção em Miles. — E você, garoto? Também vai para casa?

Miles fica olhando Cap silenciosamente, do mesmo jeito que fez comigo há pouco. Fico bastante decepcionada, pois, no elevador, tive a mínima esperança de que Miles estivesse me encarando daquele jeito por sentir a mesma atração que sinto por ele quanto estamos juntos. Mas, agora, vendo seu duelo visual com Cap, tenho quase certeza de que, no caso dele, ficar encarando alguém não significa sentir atração. Pelo jeito, Miles olha assim para *todo mundo*. Cinco segundos bem silenciosos e constrangedores se passam sem que nenhum dos dois diga nada. Talvez Miles não goste de ser chamado de "garoto".

— Feliz dia de Ação de Graças, Cap — diz Miles, por fim, sem nem ao menos se dar ao trabalho de responder à pergunta de Cap.

Ele se vira e começa a andar pela portaria com Corbin.

Olho para Cap e dou de ombros.

— Me deseje sorte — peço-lhe, baixinho. — Parece que o Sr. Archer está tendo mais um dia ruim.

Cap sorri.

— Que nada — retruca, dando um passo para trás em direção à sua cadeira. — Algumas pessoas não gostam de perguntas, só isso.

Cap senta-se na cadeira e faz uma continência de despedida, e eu respondo com outra antes de sair.

Não sei se Cap justifica o comportamento rude de Miles porque gosta dele, ou se simplesmente inventa desculpas para *todo mundo*.

— Posso ir dirigindo se quiser — oferece Miles a Corbin quando chegamos ao carro. — Sei que você ainda não dormiu. Dirige na volta amanhã.

Corbin concorda, e Miles abre a porta do motorista. Entro no banco de trás e tento decidir onde me sentar. Não sei se devo ficar atrás de Miles, no meio ou atrás de Corbin. Vou senti-lo onde quer que me sente. Ele está em todo lugar.

Todas as coisas são Miles.

É assim quando alguém se sente atraído por um pessoa. Ela não está em lugar algum e, de repente, está por todo canto, quer você queira ou não.

Fico me perguntando se ele me enxerga em algum lugar, mas o pensamento não dura muito. Sei quando um rapaz se sente atraído por mim, e Miles com certeza não se encaixa nessa categoria. E é por isso que preciso descobrir como acabar com o que quer que seja isso que sinto quando estou perto dele. A última coisa que quero agora é uma paixonite boba por um rapaz quando mal tenho tempo para o trabalho e os estudos.

Tiro um livro da bolsa e começo a ler. Miles liga o rádio, enquanto Corbin reclina o banco e põe os pés no painel.

— Só me acorde quando chegarmos — diz ele, puxando o boné para cima dos olhos.

Olho para Miles, que está ajustando o retrovisor. Ele vira e olha para trás para sair da vaga, e seus olhos encontram os meus por um breve instante.

— Está confortável? — pergunta, e se vira antes que eu possa responder, engatando a marcha.

Ele olha para mim pelo retrovisor.

— Estou — respondo, fazendo questão de colar um sorriso no fim da palavra.

Não quero que ache que estou chateada por ele ter vindo, mas é difícil não parecer tão fechada perto dele quando é exatamente o que estou tentando aparentar.

Ele olha para a frente e eu volto para o meu livro.

Trinta minutos se passam, e o movimento do carro junto à minha tentativa de ler me deu dor de cabeça. Ponho o livro ao meu lado e me acomodo no banco de trás, encostando a cabeça e colocando os pés no console entre Miles e Corbin. Ele olha para mim pelo retrovisor, e seus olhos parecem mãos percorrendo cada centímetro do meu corpo. Fica me encarando por não mais do que dois segundos, então volta a olhar para a estrada.

Odeio isso.

Não faço ideia do que ele está pensando. Ele nunca sorri. Não flerta. Parece que seu rosto está sempre debaixo de uma armadura, separando suas expressões do resto do mundo.

Sempre tive um fraco por rapazes mais quietos. Em parte, porque a maioria dos caras fala demais, e é doloroso ter que aturar todo e qualquer pensamento que passa pela cabeça deles. Miles, no entanto, me faz desejar que ele fosse o oposto de quieto. Quero saber todos os pensamentos que se passam pela sua cabeça.

Especialmente o que está nela agora, escondido por trás de sua expressão estoica e determinada.

Ainda estou encarando-o pelo retrovisor, tentando compreendê-lo, quando ele olha para mim mais uma vez. Baixo o olhar em direção ao celular, um pouco envergonhada por ele ter me flagrado. Mas o espelho é como um ímã, e óbvio que meu olhar se lança de volta para ele.

No segundo em que olho para o espelho novamente, ele faz o mesmo.

Olho para baixo.

Merda.

Esta vai ser a viagem de carro mais longa da minha vida.

Aguento três minutos e olho novamente.

Merda. Ele também.

Sorrio, gostando desse jogo que estamos fazendo, seja lá qual for ele.

Ele sorri também.

Ele.

Sorri.

Também.

Miles olha de volta para a estrada, mas seu sorriso fica ali por vários segundos. Sei disso pois não consigo parar de encará-lo. Quero tirar uma foto antes que ele desapareça de novo, mas seria estranho.

Ele abaixa o braço para apoiá-lo no console, mas meus pés estão no caminho. Ergo-me sobre as mãos.

— Desculpe — digo, enquanto começo a puxá-los para trás.

Os dedos dele envolvem o meu pé descalço, pausando meu movimento.

— Pode deixar.

A mão dele ainda está ao redor do meu pé. Estou encarando-a.

Nossa senhora, o dedão dele acabou de se mexer. Se mexeu *de propósito*, acariciando o lado do meu pé. Minhas coxas apertam-se uma contra a outra, e a respiração para nos pulmões, e as pernas contraem-se, pois juro que a mão dele acabou de acariciar meu pé antes que ele a tirasse dali.

Preciso mastigar o interior da bochecha para não sorrir.

Acho que você está atraído por mim, Miles.

* * *

Assim que chegamos, meu pai pede para Corbin e Miles pendurarem as luzes de Natal. Levo nossas coisas para dentro de casa e deixo Corbin e Miles ficarem com o meu quarto, pois é o único com duas camas. Fico com o quarto antigo de Corbin e vou para a cozinha ajudar minha mãe a terminar de preparar o jantar.

O dia de Ação de Graças na nossa casa sempre foi para poucas pessoas. Meus pais não gostavam de escolher entre as duas famílias, e meu pai quase nunca estava em casa, pois a época mais movimentada do ano para um piloto são as festas de fim de ano. Minha mãe decidiu que o dia de Ação de Graças seria apenas para a família mais próxima, então todo ano somos apenas eu, Corbin, minha mãe e meu pai — quando ele está em casa. No ano passado fomos apenas mamãe e eu, já que tanto papai quanto Corbin estavam trabalhando.

Nesse ano somos todos nós.

E *Miles*.

É estranho ele estar aqui assim. Mamãe pareceu feliz ao conhecê-lo, então acho que não se importou tanto. Meu pai adora todo mundo, e está mais do que feliz por ter alguém para ajudar a pendurar as luzes de Natal, então acho que a presença de outra pessoa não o incomodou nem um pouco.

Minha mãe passa a panela de ovos cozidos para mim. Começo a quebrá-los para preparar os ovos temperados, e ela se inclina por cima da bancada da cozinha e apoia o queixo nas mãos.

— Aquele Miles é um gatinho — comenta, erguendo a sobrancelha.

Vou explicar uma coisa a respeito da minha mãe. Ela é uma ótima mãe. Uma mãe realmente excelente. Mas nunca me senti à vontade para conversar com ela sobre garotos. Começou quando eu tinha 12 anos e menstruei pela primeira vez. Ela ficou tão animada que ligou para três amigas para contar antes mesmo de me explicar o que diabos estava acontecendo comigo. Aprendi bem cedo que segredos deixam de ser segredos ao chegarem nos ouvidos dela.

— Ele não é feio — digo, mentindo completamente.

Estou mentindo totalmente, pois ele *é* um gato. Seu cabelo castanho-dourado, junto aos olhos azuis hipnotizantes, os ombros largos, a barba por fazer no maxilar definido depois que passa uns dois dias de folga, o cheiro fantasticamente delicioso que sempre tem, como se tivesse acabado de sair do banho e ainda nem tivesse se secado com a toalha...

Meu Deus.

Quem diabos sou eu nesse momento?

— Ele tem namorada?

Dou de ombros.

— Não o conheço bem, mãe. — Levo a panela até a pia e deixo a água escorrer pelos ovos para afrouxar as cascas. — O que papai está achando da aposentadoria? — pergunto, tentando mudar de assunto.

Minha mãe sorri. É um sorriso perspicaz, e eu o odeio imensamente.

Acho que nunca preciso contar nada para ela, pois é minha mãe. Ela já sabe.

Fico corada, me viro e termino de quebrar os malditos ovos.

capítulo oito

MILES

Seis anos antes

— Vou à casa do Ian hoje à noite.
Meu pai não se importa. Vai sair com
Lisa. Está pensando na Lisa.
O tudo dele é Lisa.
O tudo dele *era* Carol. Às vezes, era Carol e Miles.
Agora, o tudo dele é Lisa.
Tudo bem, porque o meu *era* ele e Carol.
Não mais.
Mando uma mensagem para ver se ela pode me encontrar em algum lugar. Ela diz que Lisa acabou de vir para minha casa. Diz que posso passar na dela e buscá-la.
Quando chegar lá, não sei se devo sair do carro.
Não sei se ela quer que eu faça isso.

Eu saio.
Vou até a porta dela e bato. Não sei o que dizer quando ela abri-la. Parte de mim quer pedir desculpas e dizer que não devia tê-la beijado. Parte de mim quer perguntar milhões de coisas até que eu descubra tudo sobre ela.
A maior parte de mim quer beijá-la de novo, especialmente agora que a porta se abriu e ela está parada à minha frente.

— Quer entrar um pouco? Ela só vai voltar daqui a algumas horas, no mínimo.

Faço que sim com a cabeça. Pergunto-me se ela ama quando eu balanço com a cabeça o tanto quanto eu amo quando faz isso.

Ela fecha a porta atrás de mim, e eu olho ao redor. O apartamento delas é pequeno. Nunca morei num lugar tão pequeno. Acho que gostei. Quanto menor a casa, mais a família é obrigada a se amar. As pessoas não têm espaço extra para *não* fazer isso. Fico com vontade de morar com meu pai num lugar menor. Um lugar onde fôssemos obrigados a interagir. Um lugar onde precisássemos parar de fingir que minha mãe não deixou espaço demais na nossa casa depois que morreu. Rachel vai até a cozinha. Pergunta se quero tomar alguma coisa.

Vou atrás dela e pergunto o que ela tem. Ela me diz que tem praticamente tudo menos leite, chá, refrigerante, café, suco e bebidas alcoólicas.

— Espero que goste de água — brinca.

Ela ri da própria piada. Rio com ela.

— Água está ótimo. Era a minha primeira escolha mesmo.

Ela pega um copo d'água para cada um. Nos encostamos nos balcões, um na frente do outro.

Ficamos nos encarando.

Eu não devia tê-la beijado ontem.

— Eu não devia ter beijado você ontem, Rachel.

— Eu não devia ter deixado você me beijar — rebate ela.

Ficamos nos encarando mais um pouco. Fico me perguntando se ela me deixaria beijá-la outra vez.

Fico me perguntando se eu devia ir embora.

— Vai ser fácil parar com isso — digo.

Estou mentindo.

— Não, não vai — discorda.

Ela está dizendo a verdade.

— Acha que eles vão se casar?

Ela assente. Por algum motivo, dessa vez não amei tanto o gesto. Não amo a pergunta que o antecedeu.

— Miles?

Ela olha para os próprios pés. Disse meu nome como se fosse uma arma e ela estivesse dando um tiro de alerta e eu devesse correr.

Saio em disparada.

— O que foi?

— Nós alugamos o apartamento só por um mês. Escutei minha mãe conversando com ele ao telefone ontem.

Ela olha de novo para mim.

— Vamos nos mudar para a casa de vocês daqui a duas semanas.

Tropeço no obstáculo.

Ela vai se mudar para minha casa.

Ela vai morar comigo.

A mãe dela vai preencher todos os espaços vazios da minha mãe.

Fecho os olhos. *Ainda vejo Rachel.*

Abro os olhos. *Encaro Rachel.*

Eu me viro e seguro no balcão. Deixo minha cabeça cair entre os ombros. Não sei o que fazer. Não quero gostar dela.

Não quero me apaixonar por você, Rachel.

Não sou idiota. Sei como a luxúria funciona.

A luxúria quer o que a luxúria não pode ter.

A luxúria quer que eu fique com Rachel.

O *bom senso* quer que Rachel vá embora.

Fico do lado do bom senso e me viro para Rachel novamente.

— Isso não vai dar em nada. Isso entre nós. Não vai terminar bem.
— Eu sei — sussurra ela.
— Como fazemos isso parar?
Ela olha para mim, esperando que eu responda à minha própria pergunta.
Não consigo.
Silêncio.
Silêncio.
Silêncio.
UM SILÊNCIO ALTO, ENSURDECEDOR.
Quero cobrir meus ouvidos com as mãos.
Quero cobrir meu coração com uma armadura.
Eu nem a conheço, Rachel.
— É melhor eu ir — digo.
Ela responde tudo bem.
— Não consigo — sussurro.
Ela responde tudo bem.
Ficamos nos encarando.
Talvez se encará-la por tempo o suficiente, eu me canse de encará-la.
Quero sentir o gosto dela novamente.
Talvez se sentir o gosto dela o suficiente, eu me canse de sentir o gosto dela.
Não espera que eu chegue até lá. Ela me encontra no meio do caminho. Seguro seu rosto, e ela segura meus braços; nossa culpa colide quando nossas bocas colidem. Mentimos para nós mesmos sobre a verdade. Dizemos a nós mesmos que vamos conseguir superar... quando na verdade não vamos de jeito nenhum.
Minha pele fica mais gostosa com o toque dela. Meu cabelo fica mais gostoso com as mãos dela no meio. Minha boca fica mais gostosa com a língua dela dentro.
Queria que pudéssemos respirar assim.

Viver assim.
A vida seria mais gostosa com ela assim.
Agora ela está encostada na geladeira. Minhas mãos estão ao lado da sua cabeça. Afasto-me e olho para ela.
— Quero fazer um milhão de perguntas
— digo a ela.
Ela sorri.
— Então acho melhor você começar.
— Onde você vai fazer universidade?
— Michigan. E você?
— Vou ficar aqui para obter meu bacharelado, e depois eu e meu melhor amigo, Ian, vamos para a escola de aviação. Quero ser piloto. O que você quer ser?
— Feliz — afirma, sorrindo.
É a resposta perfeita.
— Quando é seu aniversário? — pergunto.
— 3 de janeiro. Vou fazer 18 anos. E o seu?
— Amanhã. Vou fazer 18 anos.
Ela não acredita que meu aniversário é amanhã. Mostro a minha identidade. Ela me deseja feliz aniversário adiantado. Me beija novamente.
— O que vai acontecer se eles se casarem? — pergunto.
— Nunca vão aceitar que fiquemos juntos, mesmo se não se casarem.
Ela tem razão. Seria difícil explicar para os amigos deles. Difícil explicar para o resto da família.
— Então por que continuar se sabemos que não vai terminar bem? — pergunto.
— Porque não sabemos como parar.
Ela tem razão.
— Você vai para Michigan daqui a sete meses, e eu vou ficar aqui em São Francisco. Talvez essa seja a nossa resposta.
Ela assente.
— Sete meses?

Faço que sim com a cabeça. Encosto nos seus lábios com o dedo, porque seus lábios são daqueles que precisam ser apreciados mesmo quando não estão sendo beijados.

— Faremos isso por sete meses. Não contaremos para ninguém. E depois...

Paro de falar porque não sei como dizer a palavra *paramos*.

— Depois paramos — sussurra ela.

— Depois paramos — concordo.

Ela assente, e consigo até mesmo ouvir nossa contagem regressiva começar.

Beijo-a, e é mais gostoso ainda agora que temos um plano.

— Vamos conseguir, Rachel.

Ela sorri, concordando.

— Vamos conseguir, Miles.

Aprecio sua boca como ela merece ser apreciada.

Vou amá-la por sete meses, Rachel.

capítulo nove

TATE

— Enfermeira! — grita Corbin.

Ele entra na cozinha, e Miles vem logo atrás. Corbin dá um passo para o lado e aponta para Miles. A mão dele está coberta de sangue. Pingando. Miles olha para mim como se eu devesse saber o que fazer. Aqui não é um pronto-socorro. É a cozinha da minha mãe.

— Uma ajudinha? — pede Miles, segurando o pulso com força. Seu sangue está escorrendo pelo chão inteiro.

— Mãe! — grito. — Onde está o kit de primeiros socorros? Abro os armários tentando encontrá-lo.

— No banheiro do térreo! Debaixo da pia!

Aponto para o banheiro, e Miles me acompanha. Abro o armário e tiro o kit. Fechando a tampa do vaso sanitário, indico que Miles se sente e, depois, eu mesma me sento na beirada da banheira, puxando, em seguida, sua mão.

— O que você fez?

Começo a limpar e analisar o corte. É fundo, bem no centro da palma.

— Agarrei a escada. Ela estava caindo.

Balanço a cabeça.

— Devia ter deixado cair.

— Não. Corbin estava nela.

Olho para ele, que está me observando com aqueles olhos azuis contrastantes e intensos. Volto o olhar para sua mão.

— Vai precisar levar ponto.

— Tem certeza?

— Tenho. Posso levá-lo ao pronto-socorro.

— Não pode dar os pontos aqui?

Balanço a cabeça.

— Não tenho instrumentos para isso. Preciso de material de sutura. Foi bem profundo.

Ele usa a outra mão para remexer no kit de primeiros socorros. Tira um carretel e o entrega para mim.

— Faça o melhor que puder.

— Não é o mesmo que costurar um maldito botão, Miles.

— Não vou passar o dia inteiro numa sala de emergência por causa de um corte. Faça o que puder e está ótimo. Vou ficar bem.

Também não quero que ele passe o dia numa sala de emergência. Dessa forma, ele não estaria *aqui*.

— Se sua mão infeccionar e você morrer, eu nego meu envolvimento nisso tudo.

— Se minha mão infeccionar e eu morrer, vou estar morto demais para culpá-la.

— Bem lembrado.

Limpo a ferida mais uma vez e coloco os instrumentos que vou usar no balcão. Não estou conseguindo um ângulo bom da maneira como estamos posicionados, então me levanto e apoio a perna na beirada da banheira. Ponho a mão dele na minha perna.

Ponho a mão dele na minha perna.

Ai, merda.

Não vai dar certo com o braço dele por cima da minha perna assim. Se quero mãos calmas e firmes, preciso mudar de posição.

— Não vai dar certo assim — digo, virando-me para ele.

Seguro sua mão, coloco-a no balcão e paro bem na frente dele. Do outro jeito era melhor, mas não vou conseguir fazer isso com ele tocando na minha perna.

— Vai doer.

Ele ri como se soubesse o que é dor e isso não chegasse nem perto.

Perfuro sua pele com a agulha, e ele nem se mexe.

Não faz nenhum barulho.

Ele me observa trabalhar silenciosamente. De vez em quando, desvia o olhar da minha mão e fica prestando atenção no meu rosto. Não dizemos nada, como sempre.

Tento ignorá-lo. Tento me concentrar na mão dele e na ferida, e em como ela precisa desesperadamente ser fechada, mas nossos rostos estão próximos demais, e consigo sentir sua respiração na minha bochecha toda vez que ele expira. E ele começa a expirar muito.

— Vai ficar uma cicatriz — sussurro, baixinho.

Para onde será que foi o resto da minha voz?

Empurro a agulha na pele pela quarta vez. Sei que está doendo, mas ele não demonstra nada. Toda vez que ela o perfura, tenho que me segurar para não fazer uma careta por ele.

Eu deveria estar concentrada no corte, mas tudo que consigo sentir são nossos joelhos se tocando. A outra mão dele está no topo do seu joelho. A ponta de um dos seus dedos toca o meu.

Não faço ideia de como pode estar acontecendo tanta coisa ao mesmo tempo, mas só consigo pensar na ponta desse dedo. Parece que tem um ferro quente encostando na minha calça. Aqui está ele, com um talho sério, com sangue encharcando a toalha sob sua mão, com a agulha perfurando a pele, e só o que consigo pensar é naquele mínimo contato entre o meu joelho e o dedo dele.

Fico imaginando como seria sentir aquele toque se não houvesse uma camada de tecido entre nós.

Nossos olhares encontram-se por dois segundos, então desvio o foco rapidamente para sua mão. Agora ele não está olhando nem um pouco para ela. Fica me encarando, e faço o melhor que posso para ignorar a maneira como ele está respirando. Não sei se a respiração dele acelerou por causa do quanto estamos próximos ou porque ele está sentindo dor.

Duas pontas dos seus dedos estão tocando meu joelho.

Três.

Inspiro novamente e tento me concentrar em terminar os pontos.

Não dá.

É proposital. Esse toque não é acidental. Ele está me tocando porque *quer*. Os dedos dão a volta no meu joelho, e a mão desliza até a parte de trás da minha perna. Ele encosta a testa no meu ombro enquanto solta um suspiro, então aperta minha perna com a mão.

Nem sei como ainda estou em pé.

— Tate.

Ele sussurra meu nome com sofrimento, então paro e espero ele me dizer que está doendo. Espero ele pedir para eu esperar por um instante. É por isso que está me tocando, não é? Porque o estou machucando?

Ele não diz mais nada, então termino o último ponto e dou um nó no fio.

— Terminei — digo, colocando os instrumentos no balcão.

Ele não me solta, então não me afasto dele.

Sua mão começa a deslizar lentamente para cima na minha perna, subindo até a parte de trás da coxa, cercando meu quadril e indo até a cintura.

Respire, Tate.

Seus dedos agarram minha cintura, e ele me puxa para perto, ainda com a cabeça pressionada contra o meu corpo. Minhas mãos encontram seus ombros, pois preciso me segurar em algo para manter o equilíbrio. De alguma maneira, todos os meus músculos se esqueceram de como funcionam.

Ainda estou em pé, e ele ainda está sentado, mas agora que me puxou para perto, estou entre suas pernas. Lentamente, ele começa a levantar o rosto do meu ombro, e sinto necessidade de fechar os olhos, pois ele está me deixando tão nervosa que não consigo olhá-lo.

Sinto-o inclinar o rosto para me olhar, mas meus olhos ainda estão fechados. Fecho-os com um pouco mais de força. Não sei por quê. Não sei de nada nesse momento. Só sei de Miles.

E, neste momento, acho que Miles quer me beijar.

E, neste momento, tenho certeza absoluta de que quero beijar Miles.

Lentamente, sua mão sobe pelas minhas costas até tocar minha nuca. Sinto como se tivesse deixado marcas em todos os locais em que encostou. Os dedos estão na base do meu pescoço, e sua boca está a poucos centímetros do meu maxilar. Está tão perto que não consigo distinguir se são seus lábios ou sua respiração que farfalha sobre minha pele.

Parece que estou prestes a morrer e que não tem porcaria nenhuma nesse kit de primeiros socorros capaz de me salvar.

Ele segura meu pescoço com mais força... e me mata.

Ou me beija. Não sei qual dos dois, pois tenho certeza de que a sensação seria a mesma. Sentir os lábios dele nos meus é sentir tudo. É viver e morrer e renascer, tudo ao mesmo tempo.

Caramba. Ele está me beijando.

A língua dele já está dentro da minha boca, acariciando delicadamente a minha, e nem me lembro de como isso aconteceu. Mas por mim tudo bem. Por mim tudo bem.

Ele começa a se levantar, mas a boca continua na minha. Afasta-me alguns metros até a parede atrás de mim e substitui a mão que tocava a parte de trás da minha cabeça. Agora, ele toca minha cintura.

Meu Deus, como a boca dele é possessiva.
Seus dedos estão espalhados mais uma vez, enterrando-se no meu quadril.
Nossa senhora, ele acabou de gemer.
A mão dele se afasta da minha cintura e desce deslizando até a perna.
Pode me matar agora. Apenas me mate.
Ele ergue minha perna e envolve seu corpo com ela, e em seguida se pressiona contra mim tão lindamente que eu solto um gemido dentro da sua boca. O beijo para abruptamente.
Por que está se afastando? Não pare, Miles.
Ele solta minha perna, e a palma da sua mão atinge a parede atrás da minha cabeça, como se precisasse se apoiar para continuar em pé.
Não, não, não. Continue. Coloque a boca de volta na minha.
Tento olhar nos olhos dele mais uma vez, mas estão fechados.
Estão se arrependendo disso.
Não os abra, Miles. Não quero ver você se arrependendo disso.
Ele pressiona a testa na parede ao lado da minha cabeça, ainda se apoiando em mim enquanto ficamos parados ali, tentando fazer o ar voltar aos pulmões. Depois de respirar fundo várias vezes, ele se afasta da parede e vai até o balcão. Felizmente, não vi seus olhos e, agora que está de costas para mim, não consigo ver o arrependimento neles. Ele pega a tesoura do kit e corta o rolo de gaze.
Estou grudada na parede. Acho que vou ficar aqui para sempre.
Virei papel de parede. Pronto. É tudo o que sou.
— Eu não deveria ter feito isso.
Sua voz está firme. Dura. Como metal. Como uma espada.
— Eu não me incomodei — respondo.
Minha voz não está firme. Parece líquida. Evapora.
Ele enfaixa a mão ferida e vira-se para mim.
Seus olhos estão com a mesma firmeza de sua voz. Também estão duros como metal. Como espadas, cortando as cordas que

seguravam a pequena esperança oscilante que sentia por ele e por mim e por aquele beijo.

— Não me deixe fazer isso de novo.

Quero que faça isso de novo mais do que quero o jantar de Ação de Graças, mas não digo isso. Não consigo falar, pois o arrependimento dele está preso na minha garganta.

Ele abre a porta do banheiro e vai embora.

Ainda estou grudada na parede.

O.

Que.

Diabos.

Foi.

Isso?

* * *

Não estou mais grudada na parede do banheiro.

Agora estou grudada na minha cadeira, sentada convenientemente ao lado de Miles na mesa de jantar.

Miles, com quem não falo desde que se referiu a si mesmo ou a nós ou ao beijo como "isso".

Não me deixe fazer "isso" de novo.

Eu não seria capaz de impedi-lo nem se quisesse. Quero tanto "isso" que nem quero comer, e ele provavelmente não sabe o quanto amo o jantar de Ação de Graças. O que significa que quero muito "isso", e "isso" não é o prato de comida à minha frente. "Isso" é Miles. Nós dois. Eu beijando Miles. Miles me beijando.

De repente, sinto muita sede. Pego o copo e bebo metade da água em três goles enormes.

— Você tem namorada, Miles? — pergunta minha mãe.

Isso, mãe. Continue fazendo essas perguntas, já que eu não tenho coragem de fazê-las.

Miles limpa a garganta.

— Não, senhora.

Corbin ri, baixinho, o que faz uma nuvem de desapontamento subir do meu peito. Pelo jeito, Miles tem a mesma opinião que Corbin sobre namoros, e Corbin acha engraçado minha mãe presumir que Miles seja capaz de se comprometer com alguém.

Subitamente, passo a achar o beijo de mais cedo bem menos marcante.

— Bem, então você é um partido e tanto. Piloto de companhia aérea, solteiro, bonito, educado...

Miles não responde. Dá um sorriso sincero e coloca um pouco de batata na boca. Não quer falar sobre si mesmo.

Que pena.

— Miles não namora há um bom tempo, mãe — explica Corbin, confirmando minha suspeita. — Mas isso não quer dizer que esteja solteiro.

Minha mãe inclina a cabeça, confusa. Eu também. Miles também.

— Como assim? — indaga. No entanto, seus olhos arregalam-se imediatamente. — Ah! Desculpe. É nisso que dá ser tão enxerida.

Ela diz a última parte da frase como se tivesse acabado de perceber algo que eu ainda não percebi.

Agora, está pedindo desculpas a Miles, envergonhada.

Continuo confusa.

— Perdi alguma coisa? — pergunta meu pai.

Minha mãe aponta o garfo para Miles.

— Ele é gay, querido.

Hum...

— É lógico que não — diz meu pai, com firmeza, rindo da hipótese dela.

Estou balançando a cabeça. *Não balance a cabeça, Tate.*

— Miles não é gay — contesto, em tom de defesa, olhando para minha mãe.

Agora, Corbin parece confuso. Olha para Miles. Tem uma colherada de batatas parada na frente de Miles, que está de sobrancelha erguida. Ele encara Corbin.

— Ah, merda — diz Corbin. — Eu não sabia que era segredo. Cara, foi mal mesmo.

Miles abaixa a colher de purê até o prato, ainda observando Corbin com uma expressão de perplexidade.

— Eu não sou gay.

Corbin assente, então ergue as palmas das mãos e articula um "desculpa" com os lábios, como se não quisesse revelar um segredo tão importante.

Miles balança a cabeça.

— Corbin. Eu não sou gay. Nunca fui e tenho certeza de que nunca vou ser. Que *história* é essa, cara?

Corbin e Miles estão se encarando, e todos os outros prestam atenção em Miles.

— Ma-mas... — gagueja Corbin. — Você disse... uma vez você me disse...

Miles solta a colher e cobre a boca com a mão, abafando o som alto de sua gargalhada.

Meu Deus, Miles. Rindo.

Ria, ria, ria. Por favor, ache isso a coisa mais engraçada do mundo, pois a sua risada é tão melhor do que o jantar de Ação de Graças.

— O que falei para você achar que sou gay?

Corbin recosta-se na cadeira.

— Não lembro exatamente. Você disse que não ficava com nenhuma garota há mais de três anos. Achei que aquela era sua maneira de me dizer que era gay.

Agora todos estão rindo. Inclusive eu.

— Isso foi há mais de três anos! Você passou esse tempo inteiro achando que eu era gay?

Corbin ainda está confuso.

— Mas...

Lágrimas. Miles está chorando de tanto rir.

É lindo.

Sinto-me mal por Corbin. Ele está meio envergonhado. Mas gosto de ver Miles achando engraçado. É como se isso não o envergonhasse.

— Três anos? — repete meu pai, ainda pensando a mesma coisa que eu.

— Isso foi há três anos — diz Corbin, finalmente rindo com Miles. — Agora provavelmente já são seis.

A mesa fica em silêncio. *Isso sim* deixa Miles envergonhado.

Continuo pensando no beijo do banheiro, mais cedo, e em como tenho certeza de que não faz seis anos que ele não fica com uma garota. Um cara com uma boca tão possessiva quanto a dele sabe usá-la, e tenho certeza de que a usa bastante.

Não quero pensar nisso.

Não quero minha *família* pensando nisso.

— Você está sangrando de novo — digo, olhando para a gaze encharcada que ainda está enrolada em sua mão. Viro-me para minha mãe. — Você tem curativo líquido?

— Não. Acho aquilo assustador.

Olho para Miles.

— Depois que comermos, dou uma olhada nisso.

Miles assente, mas não olha para mim. Minha mãe me pergunta sobre o trabalho, e Miles deixa de ser o centro das atenções. Deve estar bastante aliviado com isso.

* * *

Desligo a luz e vou para a cama, sem saber interpretar aquele dia. Não nos falamos de novo depois do jantar, apesar de eu ter passado uns dez minutos trocando o curativo da sua ferida na sala de estar.

Não dissemos nada durante todo o processo. Nossas pernas não se tocaram. O dedo dele não tocou meu joelho. Sequer olhou para mim. Ficou somente prestando atenção na mão o tempo inteiro, concentrado, como se ela fosse cair do braço se desviasse o olhar.

Não sei o que pensar sobre Miles, nem sobre o beijo. Está na cara que se sente atraído por mim, ou não teria me beijado.

Infelizmente, isso já é o suficiente. Não me importa se ele *gosta* de mim. Só quero que se sinta atraído por mim, pois o gostar pode vir depois.

Fecho os olhos e tento adormecer pela quinta vez, mas não adianta. Viro para o lado e fico de frente para a porta bem no instante em que a sombra dos pés de alguém se aproxima. Observo a porta, esperando que se abra, mas as sombras desaparecem, e os passos seguem pelo corredor. Tenho quase certeza de que era Miles, mas só porque é a única pessoa em que estou pensando no momento. Controlo minha respiração por alguns instantes para me acalmar o suficiente e decidir se quero ou não ir atrás. Estou apenas na terceira expiração quando salto da cama.

Me pergunto se não deveria escovar os dentes novamente, mas só se passaram vinte minutos desde a última vez que fiz isso.

Confiro o cabelo no espelho, abro a porta do quarto e caminho o mais silenciosamente possível até a cozinha.

Quando dou a volta no corredor, eu o vejo. Todo ele. Está encostado no balcão, de frente para mim, quase como se estivesse me esperando.

Nossa, odeio isso.

Finjo que foi mera coincidência estarmos aqui na mesma hora, apesar de ser meia-noite.

— Não está conseguindo dormir? — pergunto.

Passo por ele para ir até a geladeira e pego o suco de laranja, então sirvo um copo para mim e me encosto no balcão na frente dele, que está me observando, mas não respondeu à minha pergunta.

— É sonâmbulo?

Ele sorri, com seus olhos me absorvendo dos pés à cabeça como se fossem uma esponja.

— Gosta mesmo de suco de laranja — comenta, achando graça.

Olho para o copo e depois para ele, e dou de ombros. Ele dá um passo na minha direção e gesticula na direção do copo.

Entrego-o para ele, que o leva até os lábios, dá um gole lento e o devolve. Todos os movimentos são concluídos sem que ele perca o contato visual comigo nem por um segundo.

Bem, *agora* eu realmente amo suco de laranja.

— Também gosto — diz, embora eu sequer tenha respondido.

Ponho o copo ao meu lado, seguro a beirada do balcão e me ergo para sentar na superfície. Finjo que Miles não está invadindo o meu ser inteiro, mas ainda está por todo canto. Ocupando a cozinha.

A *casa* inteira.

Está silêncio demais. Decido tomar a iniciativa.

— Faz mesmo seis anos que não namora?

Ele assente sem hesitar, e fico chocada e extremamente contente com a resposta. Não sei por que gostei. Acho que é bem melhor do que o que imaginava sobre a vida dele.

— Nossa. Mas você pelo menos... — Não sei como terminar a frase.

— Transei?

Que bom que a única luz acesa agora fica acima do fogão, pois estou completamente corada.

— Nem todo mundo quer as mesmas coisas da vida — diz ele.

Sua voz é suave, como um edredom. Quero rolar nele e me cobrir com essa voz.

— Todo mundo quer amor. Ou, pelo menos, sexo. Faz parte da natureza humana.

Não acredito que estamos tendo essa conversa.

Ele cruza os braços. Seus pés se cruzam na altura dos tornozelos. Percebi que essa é a forma dele de vestir sua armadura particular. Está erguendo o escudo invisível mais uma vez, protegendo-se para não se abrir demais.

— A maioria das pessoas não consegue separar um do outro — explica —, então acho mais fácil abrir mão dos dois.

Ele está me observando, sondando minha reação àquelas palavras. Faço o possível para não demonstrar reação alguma.

— Então, qual dos dois você não quer, Miles? — Minha voz está vergonhosamente fraca. — Amor ou sexo?

Seus olhos continuam os mesmos, mas a boca muda. Os lábios curvam-se num sorriso bastante sutil.

— Acho que você já sabe a resposta, Tate.

Uau.

Expiro controladamente, sem me importar se ele vai perceber o quanto essas palavras me afetaram. A maneira como diz meu nome me deixa tão agitada quanto o beijo. Cruzo as pernas na altura dos joelhos, esperando que ele não perceba que essa é a minha versão de uma armadura particular.

Seus olhos descem até minhas pernas, e eu o vejo inspirar suavemente.

Seis anos. Inacreditável.

Também olho para minhas pernas. Quero fazer outra pergunta, mas não vou conseguir olhar para ele ao perguntar.

— Há quanto tempo não beija uma garota?

— Oito horas — responde, sem hesitar. Ergo os olhos até os seus, e ele sorri, pois sabe o que estou perguntando. — A mesma coisa — confessa, baixinho. — Seis anos.

Não sei o que acontece comigo, mas alguma coisa muda. Alguma coisa derrete. Alguma coisa dura ou fria ou coberta pela minha própria armadura particular está se liquefazendo agora que percebi o que o beijo realmente significou. Sinto como se não passasse de um líquido, e líquidos não sabem ficar de pé ou ir embora, então não me mexo.

— Está brincando? — pergunto, incrédula.

Acho que agora é ele quem está corando.

Estou tão confusa. Não entendo como achei que ele era tão diferente, ou como o que está dizendo sequer era possível. Ele é bonito. Tem um ótimo emprego. E com certeza beija bem, então por que não tem feito isso?

— Qual é a sua, então? — pergunto. — Tem alguma DST?

É meu lado enfermeira. Não tenho filtro quando se trata de saúde.

Ele ri.

— Nadinha.

Mas não se explica.

— Se faz seis anos que não beija uma garota, por que me beijou? Parecia que nem sequer gostava de mim. Você é bem difícil de interpretar.

Ele não me pergunta por que eu estava achando que ele não gostava de mim.

Se acho tão óbvio que fica diferente quando está comigo, tem que ser algo intencional da parte dele.

— Não é que não goste de você, Tate. — Ele suspira forte e passa a mão no cabelo, agarrando a nuca. — É que não *quero* gostar de você. Não quero gostar de *ninguém*. Não quero *namorar* ninguém. Não quero *amar* ninguém. Eu só...

Ele cruza os braços de novo e olha para o chão.

— Você só o quê? — pergunto, incentivando-o a terminar a frase.

O olhar ergue-se até o meu mais uma vez, e preciso de todas as minhas forças para ficar sentada no balcão com ele me olhando dessa maneira: como se eu fosse o jantar de Ação de Graças.

— Sinto-me atraído por você, Tate — prossegue, com a voz baixa. — Quero você, mas quero você sem todo aquele resto.

Meus pensamentos se esvaem.

Cérebro = líquido.

Coração = manteiga.

Contudo, ainda consigo suspirar, então é o que faço.

Espero até conseguir pensar novamente. Então, penso *muito*.

Acabou de admitir que quer transar comigo, só não quer que isso se transforme em nada mais sério. Não sei por que estou me sentindo lisonjeada. Deveria querer dar um murro nele, mas o fato de ter escolhido me beijar depois de passar seis anos inteiros sem beijar ninguém faz com que eu me sinta como se tivesse acabado de ganhar um Pulitzer.

Estamos nos encarando de novo, e ele parece um pouco nervoso. Tenho certeza de que está se perguntando se me deixou zangada. Não quero que pense isso pois, sinceramente, quero gritar "ganhei!" o mais alto possível.

Não faço ideia do que dizer. Desde que nos conhecemos, tivemos conversas bem estranhas e constrangedoras, mas essa com certeza bateu o recorde.

— Nossas conversas são tão estranhas — digo.

Ele ri, aliviado.

— Sim.

A palavra *sim* é tão mais bonita saindo da boca dele, enfeitada com essa voz. Provavelmente, consegue tornar qualquer palavra bonita. Tento pensar numa palavra que odeio. Meio que odeio a palavra *boi*. É uma palavra feia. Tão pequena e ríspida. Será que a voz dele é capaz de me fazer amar essa palavra?

— Diga a palavra *boi*.

Ele ergue a sobrancelha, como se estivesse duvidando do que escutou. Ele me acha estranha.

Não estou nem aí.

— Apenas diga — insisto.

— Boi — diz ele, hesitando um pouco.

Sorrio. *Amo a palavra* boi. *É minha nova palavra preferida.*

— Você é tão estranha — comenta, curioso.

Descruzo as pernas. Ele percebe.

— Então, Miles, vamos ver se entendi. Você não transa com ninguém há seis anos. Não namora ninguém há seis anos. Não beija ninguém há oito horas. Está na cara que não gosta de namorar. *Nem* de amar. Mas você é um cara. E caras têm necessidades.

Está me observando, ainda curioso.

— Continue — pede, com aquele sorriso involuntariamente sexy.

— Não quer sentir atração por mim, mas sente. Quer transar comigo, mas não quer me namorar. Também não quer me *amar*. E também não quer que *eu* ame *você*.

Ele continua curioso. Continua sorrindo.

— Não percebi que estava sendo tão óbvio.

Você não é nada óbvio, Miles. Confie em mim.

— Se vamos fazer isso, precisa ser com calma — provoco.

— Não quero pressioná-lo a fazer algo que não está pronto para fazer. Você é praticamente virgem.

Seu sorriso desaparece, e ele dá três passos propositalmente lentos na minha direção. Paro de sorrir, pois ele é realmente intimidante. Ao chegar perto de mim, põe as mãos nas laterais do meu corpo e se aproxima do meu pescoço.

— Já se passaram seis anos, Tate. Confie em mim... estou pronto.

Todas essas palavras também viraram minhas novas palavras preferidas. *Confie* e *em* e *mim* e *estou* e *pronto*.

Preferidas. Todas elas.

Ele recua, e sem dúvida percebeu que não estou respirando no momento. Volta para onde estava antes, no lugar à minha frente. Balança a cabeça como se não acreditasse no que acabou de acontecer.

— Não acredito que acabei de pedir para transar com você. Que tipo de cara faz isso?

Engulo a seco.

— Praticamente todos.

Ele ri, mas percebo que está se sentindo culpado. Talvez esteja com medo de que eu não dê conta disso tudo. Talvez tenha razão, mas não vou dizer isso para ele. Se achar que não consigo, ele vai retirar tudo que está dizendo. Se retirar tudo que está dizendo, não vou sentir outro beijo como o que ele me deu mais cedo.

Eu concordaria com qualquer coisa para ser beijada por ele de novo. Especialmente se também for sentir *mais* do que somente o beijo dele.

Só de pensar nisso, minha garganta seca. Pego o copo e dou mais um lento gole no suco enquanto reflito silenciosamente sobre o assunto.

Ele só quer sexo comigo.

Sinto falta de sexo. Já faz um tempo.

Não tenho a menor dúvida de que me sinto atraída por ele, e não consigo pensar em nenhuma outra pessoa na vida com quem preferiria fazer sexo casual do que meu vizinho piloto de avião que dobra a própria roupa lavada.

Ponho o copo de suco no balcão e me inclino um pouco para a frente, apoiada nas mãos.

— Olha, Miles. Você é solteiro. Eu sou solteira. Você trabalha demais, e eu estou focando na minha carreira de uma maneira não muito saudável. Mesmo se quiséssemos algo sério, nunca daria certo. Nossas vidas não combinam com namoro. E também não somos amigos de verdade, então não precisamos nos preocupar em arruinar a amizade. Quer transar comigo? Eu deixo mesmo. E muito.

Ele está observando minha boca como se todas aquelas palavras tivessem acabado de se tornar suas novas palavras preferidas.

— Muito?

Faço que sim.

— Sim. Muito.

Ele me olha nos olhos com uma expressão desafiadora.

— OK — diz ele, quase como se fosse um desafio.

— OK.

Ainda estamos a vários metros de distância. Acabei de dizer para o cara que transaria com ele sem esperar nada além disso, e ele ainda está ali, e eu bem aqui do outro lado, e está ficando bastante evidente que ele é mesmo diferente do que imaginei. Está mais nervoso do que eu. Mas acho que a origem de seu nervosismo é diferente da minha. Está nervoso porque não quer que isso se transforme em nada sério.

Eu estou nervosa porque não tenho certeza se vai ser possível ser *só sexo* com ele. Com base na minha atração, tenho a forte sensação de que o sexo vai ser o menor dos problemas. Mas aqui estou eu, sentada, fingindo que não tem problema ser *só sexo*. Se começar assim, talvez termine virando algo mais sério.

— Bem, não podemos transar agora — avisa.

Droga.

— Por que não?

— A única camisinha que tenho na carteira já deve ter se desintegrado.

Dou uma risada. Adoro seu humor autodepreciativo.

— Mas quero beijá-la de novo — afirma, com um sorriso esperançoso.

Estou realmente surpresa por ele *não* estar me beijando.

— Certo.

Lentamente, ele volta para onde estou sentada, até que meus joelhos estejam nas laterais de sua cintura. Fico observando seus olhos, porque está me olhando como se estivesse esperando que eu mudasse de ideia. Não vou mudar de ideia. Provavelmente quero que isso aconteça mais do que ele.

Ele sobe as mãos e as desliza pelo meu cabelo, acariciando as bochechas com os polegares. Sua respiração está ofegante enquanto encara minha boca.

— Você me deixa sem ar.

Ele pontua a frase com um beijo, levando os lábios para cima dos meus. Todas as partes do meu corpo que ainda não tinham derretido na presença dele se liquefizeram, assim como o resto de mim. Tento me lembrar de alguma vez em que achei tão gostoso sentir uma boca na minha. Sua língua desliza por cima dos meus lábios, depois entra, sentindo meu gosto, preenchendo-me, tomando-me.

Meu... Deus.

Eu.

Amo.

A.

Boca.

Dele.

Inclino a cabeça para sentir mais o gosto dela, e ele inclina a dele para sentir mais o gosto da minha. Sua língua tem uma memória excelente, pois sabe fazer isso muito bem. Ele abaixa a mão machucada e a apoia na minha coxa enquanto agarra a parte de trás da minha cabeça com a outra, fazendo nossos lábios se esmagarem. Minhas mãos não estão mais segurando sua camisa. Elas exploram seus braços, pescoço, costas, cabelo.

Solto um gemido baixinho, e o barulho faz com que ele pressione o corpo contra o meu, puxando-me vários centímetros na direção da beirada do balcão.

— Bem, você definitivamente não é gay — diz alguém atrás de nós.

Ai, meu Deus.
Meu pai.
Pai!
Merda.
Miles. Afastando-se.
Eu. Descendo do balcão.
Meu pai. Passando entre nós dois.

Ele abre a geladeira e pega uma garrafa d'água, como se encontrasse a filha sendo apalpada pelo seu hóspede todas as noites. Vira-se para nós e dá um longo gole. Após terminar, coloca a tampa de volta na garrafa e guarda-a na geladeira, então vem na nossa direção, passando entre nós, criando ainda mais espaço ali.

— Volte para a cama, Tate — diz ele, enquanto sai da cozinha.

Cubro a boca com a mão. Miles cobre o rosto com a dele. Estamos completamente horrorizados. Ele ainda mais do que eu, tenho certeza.

— É melhor irmos dormir — sugere.

Concordo.

Saímos da cozinha sem nos tocar. Chegamos no meu quarto primeiro, então paro e me viro para ele, que também para.

Ele olha para a esquerda e depois rapidamente para a direita, a fim de garantir que estamos a sós no corredor, então dá um passo para a frente e rouba outro beijo. Minhas costas encontram a porta do quarto, mas ele consegue, de alguma maneira, afastar a boca.

— Tem certeza de que não tem problema? — pergunta, procurando alguma dúvida nos meus olhos.

Não sei se não tem problema. É gostoso, é bom sentir o gosto dele, e não consigo pensar em nada que queira mais do que ficar com ele. No entanto, o que me preocupa são as razões por trás dos seus seis anos de abstinência.

— Você se preocupa demais — afirmo, com um sorriso forçado. — Será que ajudaria se tivéssemos regras?

Ele me observa silenciosamente antes de dar um passo para trás.

— Talvez — diz ele. — Nesse momento só consigo pensar em duas.

— Quais?

Seus olhos fixam-se nos meus por vários segundos.

— Não me pergunte sobre o meu passado — fala, com firmeza. — E nunca espere de mim um futuro.

Não gosto nem um pouco delas. As duas me dão vontade de mudar de ideia sobre nosso acordo, virar e sair correndo, mas, em vez disso, concordo. Concordo porque aceito qualquer coisa que me ofereça. Não sou Tate quando estou perto de Miles. Sou um líquido, e líquidos não sabem ser firmes e se defender. Líquidos fluem. É tudo o que quero fazer com Miles.

Fluir.

— Bem, eu só tenho uma regra — sussurro.

Ele espera pela minha regra. Não consigo pensar em nenhuma. Não tenho nenhuma regra. Por que não tenho regras? Ele ainda está esperando.

— Ainda não sei qual é. Mas, quando decidir, você vai ter que obedecê-la.

Miles ri. Ele inclina-se para a frente, beija minha testa e vai para seu quarto. Abre a porta, mas olha para trás e me encara por um breve segundo antes de desaparecer dentro do quarto.

Não sei ao certo, mas tenho certeza de que a expressão que acabei de ver no rosto dele foi medo. Só queria saber do que é que ele tem medo, porque eu sei muito bem do que é que eu tenho medo.

Tenho medo de como isso vai terminar.

capítulo dez

MILES

Seis anos antes

Ian sabe.
Tive que contar para ele. Depois da primeira semana de
aulas, ele soube que tudo tinha se tornado Rachel.
Rachel sabe que Ian sabe. Rachel sabe que
ele não vai contar nada a ninguém.
Dou meu quarto a Rachel quando ela se muda, e fico
com o quarto extra. O meu é o único que tem banheiro.
Quero que Rachel fique com o melhor quarto.
— Quer que eu deixe essa caixa aqui? — pergunta
Ian para Rachel, que pergunta o que é, e ele diz
que são seus sutiãs e calcinhas. — Achei que
devia colocar logo no quarto de Miles.
Rachel revira os olhos para Ian.

— Shh.

Ele ri.

Ele gosta de estar por dentro de algo tão pessoal. É por isso que nunca contaria para ninguém. Ele sabe o poder dos segredos.

Ian vai embora após descarregarmos todas as caixas.

Meu pai passa por mim no corredor e hesita. O que significa que também devo hesitar.

— Obrigado, Miles.

Ele acha que estou aceitando bem a situação. Aceitando bem que outra mulher expulse as últimas lembranças da minha mãe.

Não estou aceitando bem.

Estou apenas fingindo aceitar bem, porque nada disso importa. Rachel importa.

Ele, não.

— Tudo bem.

Ele começa a se afastar e para novamente. Agradece por eu estar sendo legal com Rachel. Diz que queria que ele e minha mãe pudessem ter me dado um irmão ou irmã quando eu era mais novo.

Diz que sou um bom irmão.

As palavras são terríveis.

Volto para o quarto de Rachel. Fecho a porta.

Somente nós dois.

Sorrimos.

Vou até ela e a abraço, em seguida beijo seu pescoço. Já se passaram três semanas desde a primeira noite em que a beijei. Dá para contar as vezes em que a beijei desde então. Não podemos interagir assim no colégio. Não podemos interagir assim em público. Não podemos interagir assim na frente dos nossos pais. Só posso tocá-la quando estamos a sós, e não tivemos muitas oportunidades de ficar a sós nas últimas três semanas.

Agora?

Agora, beijo-a.
— Precisamos de algumas regras para não nos metermos em encrenca — sugere.
Ela separa-se de mim, então senta-se à minha escrivaninha, e eu sento na minha cama. Bem... ela se senta à escrivaninha *dela*, e eu me sento na cama *dela*.
— Primeiro — diz ela —, nada de pegação quando eles estiverem em casa. É arriscado demais.
Não quero concordar com essa regra, mas estou assentindo.
— Segundo, nada de sexo.
Não estou mais assentindo.
— Nunca?
Ela está assentindo. Ah, *como* eu odeio esse gesto.
— Por quê?
Ela suspira com força.
— O sexo vai dificultar muito a situação quando nosso tempo acabar. Você sabe disso.
Ela tem razão. Também está completamente errada, mas tenho a impressão de que vai perceber isso depois.
— Posso perguntar qual é a terceira regra antes de aceitar a segunda?
Ela sorri.
— Não existe uma terceira regra.
Eu sorrio.
— Então sexo é a única coisa proibida? E estamos falando de penetração, não é? Não de oral?
Ela cobre o rosto com as mãos.
— Meu Deus, precisa ser tão específico?
Fica uma gracinha quando está envergonhada.
— Só queria deixar explícito. Tem uma vida inteira de coisas que quero fazer com você, e tenho apenas seis meses para fazer todas elas.
— Vamos deixar os detalhes para cada situação — sugere.

— É justo — concordo, admirando suas bochechas coradas. — Rachel? Você é virgem?

Suas bochechas ficam ainda mais coradas. Ela balança a cabeça e nega. Pergunta se me incomodo com isso.

— De jeito nenhum — respondo, sendo sincero.

Ela pergunta se sou virgem, mas com a voz tímida ao perguntar.

— Não. Mas agora que a conheci, meio que queria ser.

Ela gostou do que acabei de dizer.

Levanto e me preparo para ir ao meu novo quarto e começar a reorganização. Antes de sair, tranco a porta do quarto dela por dentro, me viro e abro um sorriso.

Vou lentamente até ela.

Seguro suas mãos e a levanto. Ponho o braço ao redor de sua lombar e a puxo para perto.

Beijo-a.

capítulo onze

TATE

— Preciso fazer xixi.

Corbin geme.

— De novo?

— Não faço há duas horas — digo, na defensiva.

Na verdade, não preciso ir ao banheiro, mas preciso sair desse carro. Depois da conversa que tive com Miles na noite anterior, o carro ficou diferente com ele ali dentro. Parece que tem mais dele, e a cada minuto que se passa sem que diga nada, pergunto-me o que está pensando. Se está arrependido da nossa conversa. Se vai fingir que nunca aconteceu.

Queria que meu pai tivesse fingido que nada aconteceu. Antes de irmos embora essa manhã, estava sentada à mesa da cozinha com ele quando Miles apareceu.

— Dormiu bem, Miles? — perguntou ele, enquanto Miles sentava-se à mesa.

Achei que Miles fosse corar de vergonha, mas só olhou para o meu pai e balançou a cabeça.

— Não muito. Seu filho fala dormindo.

Meu pai pegou o copo e o ergueu na direção de Miles.

— Bom saber que estava no quarto de Corbin ontem à noite.

Por sorte, Corbin ainda não havia se sentado e não escutou o comentário do meu pai. Miles passou o resto do café da manhã em silêncio, e a única vez em que o vi falando depois disso foi quando Corbin e eu estávamos no carro. Miles aproximou-se do meu pai e apertou sua mão, dizendo alguma coisa que só meu pai conseguia escutar. Tentei interpretar a expressão no rosto dele, mas ele se manteve neutro. Meu pai é quase tão bom em esconder os pensamentos quanto Miles.

Quero muito saber o que Miles disse para o meu pai antes de partirmos.

Também quero saber as respostas de mais uma dúzia de perguntas que tenho a respeito de Miles.

Quando éramos mais novos, Corbin e eu sempre concordamos que, se pudéssemos ter qualquer superpoder, escolheríamos a habilidade de voar. Agora que conheci Miles, mudei de ideia. Se pudesse ter um superpoder, seria a habilidade de me infiltrar. Eu me infiltraria na mente dele para enxergar cada pensamento.

Eu me infiltraria no seu coração e me esparramaria por ele como um vírus.

Seria a Infiltradora.

Isso. É um nome legal.

— Vá *fazer xixi* — ordena Corbin agitadamente, enquanto para o carro.

Queria voltar ao colégio só para chamá-lo de bundão. Contudo, adultos não chamam os irmãos de bundão.

Saio do carro e sinto que está mais fácil respirar novamente, até que Miles abre a porta e sai do carro para o mundo. Agora, Miles parece ainda maior, e meus pulmões, menores. Entramos juntos no posto de gasolina, mas não dizemos nada.

É engraçado como as coisas são. Às vezes, não dizer nada fala mais do que todas as palavras do mundo. Às vezes, meu silêncio está dizendo: *não sei falar com você. Não sei o que está pensando. Converse comigo. Me diga tudo que já disse na vida. Todas as palavras. Desde a primeira.*

Pergunto-me o que o silêncio dele está dizendo.

Após entrarmos, ele avista a placa dos banheiros primeiro, aponta a cabeça e vai para a minha frente. Ele me guia. Eu deixo. Porque ele é sólido, e eu, líquido, e agora sou apenas o rastro dele.

Ao chegarmos aos banheiros, ele entra no masculino sem hesitar. Não se vira nem olha para mim. Não espera que eu entre no feminino primeiro. Empurro a porta, mas não preciso ir ao banheiro. Só queria respirar, e ele não está deixando. Está invadindo. Não acho que seja sua intenção. Está apenas invadindo meus pensamentos e minha barriga e meus pulmões e meu mundo.

É o superpoder dele. Invasão.

O Invasor e a Infiltradora. Os dois têm praticamente o mesmo significado, então acho que formamos uma dupla um tanto problemática.

Lavo as mãos e fico enrolando para parecer que realmente precisava que Corbin parasse aqui. Abro a porta do banheiro, e ele está invadindo novamente. Está no meu caminho, parado na frente da porta por onde estou tentando sair.

Não se move, apesar de estar invadindo. Na verdade, porém, não quero que se mova, então o deixo ficar.

— Quer alguma coisa para beber?

Balanço a cabeça.

— Tenho água no carro.

— Está com fome?

Digo que não. Ele parece um pouco desapontado com isso. Talvez não queira voltar para o carro ainda.

— Talvez eu queira algum doce — digo.

Um dos seus raros e apreciados sorrisos aparece lentamente.

— Vou comprar algum doce para você então.

Ele se vira e vai até o corredor dos doces. Paro ao seu lado e vejo minhas opções. Ficamos encarando os doces por tempo demais. Sequer quero um, mas nós os encaramos mesmo assim, e fingimos que os queremos.

— Isso é estranho — sussurro.

— O que é estranho? Escolher um doce ou ter que fingir que nós dois não queremos ir juntos para o banco de trás do carro nesse momento?

Uau. Parece que realmente consegui me infiltrar nos pensamentos dele de alguma maneira. Mas não foram pensamentos, foram palavras que falou voluntariamente. Palavras que fizeram com que eu me sentisse muito bem.

— Os dois — respondo, calmamente, então me viro para ele. — Você fuma?

Ele me lança aquele olhar novamente. O que me diz que sou estranha.

Não me importo.

— Não — fala, casualmente.

— Lembra aqueles cigarros de chocolate que eram vendidos quando éramos crianças?

— Lembro. É meio mórbido se você parar para pensar.

Faço que sim.

— Corbin e eu comprávamos o tempo inteiro. Jamais deixaria meus filhos comprarem aquilo.

— Duvido que ainda sejam fabricados — argumenta Miles.

Viramo-nos para os doces mais uma vez.

— E você?

— Eu o quê?

— Fuma?

Balanço a cabeça.

— Não.

— Ótimo — elogia. Ficamos encarando os doces por mais um tempo, então ele vira-se para mim, e olho para ele. — Quer mesmo algum doce, Tate?

— Não.

Ele ri.

— Então acho que é melhor voltarmos para o carro.

Concordo, mas nenhum de nós se move.

Ele estende o braço e toca tão delicadamente na minha mão que é como se soubesse que é feito de lava, e eu não. Segura dois dos meus dedos, sem nem chegar perto de segurar minha mão inteira, e os puxa com delicadeza.

— Espere — digo para ele, puxando de volta sua mão. Ele olha para mim por cima do ombro e depois se vira completamente na minha direção. — O que disse para o meu pai hoje de manhã? Antes de irmos embora?

Seus dedos seguram os meus com mais força, sem que ele tire do rosto o olhar intenso que sabe dar perfeitamente.

— Pedi desculpas.

Ele se vira para a porta mais uma vez, e, dessa vez, eu o sigo. Só solta minha mão quando estamos perto da saída. Quando finalmente a deixa se afastar, evaporo de novo.

Sigo-o até o carro e torço para que eu não acredite que sou realmente capaz de me infiltrar dentro dele. Lembro-me de que ele é feito de armadura. Ele é impenetrável.

Não sei se consigo fazer isso, Miles. Não sei se consigo seguir a regra número dois, porque de repente quero mais entrar no seu futuro do que no banco de trás do carro com você.

— Fila longa — explica Miles depois que entramos no carro.

Corbin sai com o carro e muda a estação de rádio. Não se importa com o tamanho da fila. Não suspeitou de nada, senão teria dito alguma coisa. Além disso, ainda não tem nada do que suspeitar.

Passam-se quinze minutos inteiros antes que eu perceba que não estou mais pensando em Miles. Durante esse tempo, estive imersa em lembranças.

— Lembra quando éramos crianças e queríamos que nosso superpoder fosse voar?

— Sim, lembro — diz Corbin.

— Agora você tem esse superpoder. Sabe voar.

Corbin sorri para mim pelo retrovisor.

— É. Acho que sou um super-herói, então.

Recosto-me ao banco e fico olhando pela janela, sentindo inveja dos dois. Inveja das coisas que já viram. Dos lugares para os quais viajaram.

— Como é ver o sol nascer lá de cima?

Corbin dá de ombros.

— Na verdade, não fico olhando — admite. — Estou sempre ocupado demais trabalhando quando estou lá em cima.

Fico triste. *Aprecie seu trabalho, Corbin.*

— *Eu* olho — diz Miles. Está olhando pela janela, e sua voz está tão baixa que quase não a escuto. — Toda vez que estou lá em cima, fico olhando.

Mas não descreve nada. Sua voz está distante, como se quisesse guardar a sensação para si. Permito que ele faça isso.

— Vocês estão desobedecendo às leis da natureza ao voarem. É impressionante. Desafiar a gravidade? Ver o nascer e o pôr do sol de onde a Mãe Natureza não planejou que os vissem? Vocês são mesmo super-heróis se pararem para pensar.

Corbin olha para mim pelo retrovisor e ri. *Aprecie seu trabalho, Corbin.* Mas Miles não está rindo. Ainda está olhando pela janela.

— Você salva vidas — diz Miles para mim. — É muito mais impressionante.

Meu coração absorve as palavras no momento de impacto.

Aqui atrás, a regra número dois não vai nada bem.

capítulo doze
MILES

Seis anos antes

A regra número um, de não dar uns amassos quando nossos pais estivessem em casa, foi alterada. Agora, significa que podemos quando estivermos protegidos por uma porta trancada.
A regra número dois continua firme, infelizmente. Nada de sexo ainda.
E a regra número três foi criada recentemente: nada de sair escondido do quarto à noite. Às vezes, Lisa ainda confere se Rachel está no quarto no meio da noite, só porque é mãe de uma adolescente e é o que deve ser feito.
Mas odeio isso.
Sobrevivemos a um mês inteiro na mesma casa. Não mencionamos o fato de que falta apenas pouco mais

de cinco meses. Não falamos sobre o que vai acontecer quando meu pai se casar com a mãe dela. Não falamos sobre o fato de que, quando isso acontecer, teremos um vínculo que durará muito mais do que cinco meses.

Feriados.

Visitas nos fins de semana.

Reuniões de família.

Ela e eu precisaremos ir a tudo, mas como família. Não falamos sobre esses assuntos porque assim ficamos sentindo que o que estamos fazendo é errado. Também não falamos sobre eles porque é difícil. Quando penso que ela vai para Michigan e eu vou ficar em São Francisco, não consigo ver nada depois disso. Não consigo ver nada em que ela não seja o meu tudo.

— Voltamos no domingo — diz ele. — A casa vai ficar toda para você. Rachel vai ficar na casa de uma amiga. Chame Ian para vir para cá.

— Já chamei — minto.

Rachel mentiu também. Ela vai passar o fim de semana inteiro aqui. Não queremos levantar nenhuma suspeita. Já é difícil tentar ignorá-la na frente deles. É difícil fingir que não tenho nada em comum com ela, quando quero rir de tudo o que diz. Quero dar um high-five por tudo que ela faz. Quero me gabar para o meu pai sobre a inteligência dela, suas boas notas, bondade e mente afiada. Quero contar para ele que tenho uma namorada realmente incrível, e que quero que a conheça pois sei que vai adorá-la.

E ele a adora. Mas não da maneira como eu queria que ele a adorasse.

Quero que ele a adore por *mim*.

Nos despedimos dos nossos pais. Lisa diz para Rachel se comportar, mas não está preocupada de verdade.

Em sua experiência, Rachel é uma boa garota.

Rachel se comporta. Rachel não desobedece.

Exceto à regra número três. Rachel com certeza vai desobedecer à regra número três nesse fim de semana.
Brincamos de casinha.
Fingimos que a casa é nossa. Fingimos que é a nossa cozinha, e ela cozinha para mim. Finjo que ela é minha, e a sigo pelos cantos enquanto ela cozinha, abraçando-a. Tocando-a. Beijando seu pescoço. Puxando-a para perto quando está tentando terminar de fazer alguma coisa, só para sentir seu corpo contra o meu. Ela gosta, mas finge não gostar. Após terminarmos de comer, ela se senta comigo no sofá. Colocamos um filme, mas não vemos nada. Não conseguimos parar de nos beijar. Nos beijamos tanto que nossos lábios doem. Nossas mãos doem. Nossas barrigas doem de tanto que nossos corpos querem quebrar a regra número dois.
O fim de semana vai ser longo.
Decido tomar um banho, ou vou implorar para que a regra número dois seja alterada.
Tomo uma ducha no banheiro dela. Gosto desse chuveiro. Gosto mais do que gostava quando era apenas o meu chuveiro. Gosto de ver as coisas dela aqui. Gosto de ver sua gilete e imaginar Rachel usando-a. Gosto de olhar para seus shampoos e imaginá-la com a cabeça inclinada para trás debaixo d'água enquanto enxagua o cabelo. Amo o fato de o meu chuveiro também ser o chuveiro dela.
— Miles?
Está batendo à porta, mas já entrou no banheiro. A água na minha pele está quente, mas a voz dela me fez sentir mais calor ainda. Abro a cortina do boxe. Talvez tenha aberto demais porque quero que ela *queira* quebrar a regra número dois. Ela inspira com calma, mas os olhos param onde quero que parem.
— Rachel — digo, sorrindo ao ver o sorriso envergonhado no seu rosto.
Ela me olha nos olhos.

Quer entrar no chuveiro comigo. Só
é tímida demais para pedir.
— Entre.
Minha voz está rouca, como se tivesse gritado.
Minha voz estava bem cinco segundos atrás.
Fecho a cortina do chuveiro para esconder o efeito
que está tendo em mim, mas também para que tenha
privacidade enquanto ela tira a roupa. Nunca a vi sem
roupa. Já senti o que tem por baixo da roupa.
De repente, fico nervoso.
Ela desliga a luz.
— Pode ser? — pergunta, tímida.
Digo sim, mas queria que ela fosse mais
confiante. Preciso deixá-la mais confiante.
Rachel abre a cortina, e vejo uma de suas pernas entrar
primeiro. Engulo em seco quando o resto do corpo
entra também. Felizmente, a luz da noite lá fora a
ilumina o bastante, lança um brilho fraco sobre ela.
Consigo enxergá-la o bastante.
Consigo enxergá-la perfeitamente.
Seus olhos encontram os meus outra vez. Ela se aproxima
de mim. Fico me perguntando se já tomou banho
alguma vez com outra pessoa, mas não digo nada. Dessa
vez, sou eu quem dá um passo em sua direção, pois ela
parece assustada. Não quero que fique assustada.

Eu estou assustado.

Toco seus ombros e a levo para debaixo d'água. Não
pressiono meu corpo contra o dela, embora sinta necessidade
de fazer isso. Mantenho um espaço entre nós dois.
Preciso manter.
A única coisa que nos une são nossas bocas. Beijo-a
delicadamente, mal tocando os lábios, mas dói tanto.
Dói mais do que qualquer outro beijo que já demos.
Beijos em que nossas bocas colidiram uma contra a outra.

Nossos dentes colidiram. Beijos agitados e tão apressados que acabaram ficando desleixados. Beijos que acabaram comigo mordendo seu lábio, ou ela mordendo o meu. Nenhum daqueles beijos doeu tanto quanto esse, e não sei por que esse está doendo tanto.
Preciso me afastar. Peço que me dê um instante, ao que ela assente e encosta a bochecha no meu peito. Recosto-me na parede e a puxo para mim enquanto mantenho os olhos bem fechados. Mais uma vez, as palavras tentam romper a barreira que ergui. Toda vez que estou com ela, essas palavras querem sair, mas me esforço imensamente para cimentar a parede que as cerca. Ela não precisa escutá-las.
Eu não preciso dizê-las.
Mas estão martelando as paredes. Elas sempre martelam bem forte, até que todos os nossos beijos terminem assim — eu pedindo um instante, e ela deixando. Agora, estão querendo sair mais do que nunca. Precisam de ar. Estão pedindo para serem escutadas. Chega uma hora em que o martelar é tão forte que as paredes desmoronam. Meus lábios vão atingir o limite, não aguentarão mais tocar os lábios dela sem que essas palavras transbordem por cima dos muros, atravessem as frestas e subam pelo meu peito até que eu segure seu rosto, olhando-a nos olhos, e deixe que destruam todas as barreiras que nos separam de um sofrimento inevitável.

As palavras surgem mesmo assim.

— Não consigo ver nada — digo a ela.

Sei que ela não sabe do que estou falando. Não quero entrar em detalhes, mas *as palavras surgem mesmo assim*. Elas assumiram o comando.

— Depois que você se mudar para Michigan e eu ficar em São Francisco... não consigo ver nada depois disso. Antes, conseguia imaginar qualquer futuro que eu quisesse para mim, mas agora não vejo nada.

Beijo a lágrima que escorre pela bochecha dela.
— Não consigo fazer isso — confesso. — A única coisa que quero ver é você, e, se isso não vai ser possível... nem vale a pena fazer mais nada. Você melhora as coisas, Rachel. Você melhora tudo. — Beijo sua boca intensamente, e aquilo não dói mais, agora que as palavras estão livres. — Eu te amo — digo, libertando-me completamente.

Beijo-a novamente, sem sequer dar a ela a oportunidade de responder. Só preciso ouvi-la dizer essas palavras quando estiver pronta, e não quero que diga que o que estou sentindo é errado.

As mãos estão nas minhas costas, puxando-me, trazendo-me para perto. Suas pernas envolvem as minhas como se ela estivesse tentando se fixar dentro de mim.

Ela já fez isso.

Fica tudo agitado novamente. Dentes batendo, lábios se mordendo, tudo corrido, apressado, ofegante, cheio de mãos. Ela está gemendo, e sinto-a tentando se separar da minha boca, mas seguro-a pelo cabelo e cubro sua boca desesperadamente, esperando que nunca queira se afastar para respirar.

Ela me obriga a soltá-la.

Encosto a testa na dela, tentando recobrar o fôlego para que meus sentimentos não transbordem.

— Miles — diz ela, ofegante. — Miles, eu amo você. Estou com tanto medo. Não quero que isso tudo acabe.

Você me ama, Rachel.

Afasto-me e a olho nos olhos.

Ela está chorando.

Não quero que fique com medo. Digo que vai ficar tudo bem. Digo que vamos esperar até a formatura, e então contaremos para eles. Digo que vão ter que aceitar.

Depois que nos mudarmos daqui, tudo vai ser diferente. Tudo vai ser bom. Eles vão ter que entender.

Digo a ela que vamos conseguir cuidar disso.

Ela assente, empolgada.

— Vamos conseguir — responde, concordando comigo.
Pressiono a testa na sua.
— Vamos conseguir, Rachel — repito. — Não consigo desistir de você agora. De jeito nenhum.
Ela segura meu rosto entre as mãos e me beija.
Você se apaixonou por mim, Rachel.
Seu beijo tira um peso tão grande do meu peito que sinto como se estivesse flutuando. Sinto como se ela estivesse flutuando comigo.
Viro-a até que encoste na parede.
Levanto seus braços e entrelaço meus dedos nos dela, pressionando suas mãos na parede de azulejos atrás.
Olhamos nos olhos um do outro... e estilhaçamos completamente a regra número dois.

capítulo treze

TATE

— Valeu por me obrigar a ir — diz Miles para Corbin. — Exceto por arranjar uma ferida a mais na mão e descobrir que você achava que eu fosse gay, foi divertido.

Corbin ri e se vira para destrancar a porta.

— Ter presumido que você era gay não foi exatamente culpa minha. Você nunca fala sobre garotas e aparentemente passou seis anos inteiros sem incluir sexo na sua pauta.

Corbin abre a porta e entra, indo em direção a seu quarto. Fico parada à porta, virada para Miles.

Ele está olhando diretamente para mim. Me invadindo.

— Agora está na pauta — brinca, sorrindo.

Agora eu sou uma *pauta*. Não quero ser uma pauta. Quero ser um plano. Um mapa. Quero estar no mapa do futuro dele.

Mas isso seria quebrar a regra número dois.

Miles entra de costas no apartamento após abrir a porta e aponta a cabeça na direção do seu quarto.

— Depois que ele for dormir? — sussurra.
Tá bom, Miles. Pode parar de implorar. Serei sua pauta.
Faço que sim antes de fechar a porta.

Tomo banho e me depilo e escovo os dentes e canto e coloco apenas o suficiente de maquiagem para parecer que não coloquei nada. E ajeito o cabelo para que pareça que não o arrumei nem um pouco. E visto a mesma roupa que estava usando antes para não parecer que troquei de roupa. Mas troquei o sutiã e a calcinha, porque antes não estavam combinando, e agora estão. E, então, entro em crise porque Miles vai me ver de sutiã e calcinha hoje.

E possivelmente vai tocar neles.

Se estiver em sua pauta, talvez até seja ele quem vá tirá-los.

Recebo uma mensagem no celular, e o barulho me assusta, pois receber uma mensagem às 23h não está na minha pauta. A mensagem é de um número desconhecido. Tudo o que diz é:

Ele já foi para o quarto?
Eu: Como você tem meu número?
Miles: Roubei do telefone de Corbin no meio da viagem.

Tem uma voz estranha na minha cabeça cantando: *lá lá lá lá lá, ele roubou meu número.*
Sou muito infantil.

Eu: Não, está vendo TV.
Miles: Ótimo. Preciso resolver uma coisa. Volto em vinte minutos. Vou deixar o apartamento destrancado, caso ele vá dormir antes disso.

Quem tem coisas para resolver às 23h?

Eu: Até já.

Fico encarando minha última mensagem e faço uma careta. Parece casual demais. Estou dando a impressão de que faço isso o tempo inteiro. Ele deve achar que todos os meus dias são mais ou menos assim:

Cara qualquer: Tate, está a fim de transar?
Eu: Com certeza. Deixa só eu terminar aqui com esses dois caras que vou até aí. Aliás, não tenho regra nenhuma, topo tudo.
Cara qualquer: Maravilha.

Quinze minutos se passam, e a televisão finalmente é desligada. Assim que a porta do quarto de Corbin se fecha, a minha se abre. Passo pela sala, saio escondida pela porta e esbarro em Miles, que está no corredor.

— Bem na hora — brinca.

Está segurando uma sacola e passa-a para a outra mão para que eu não a veja.

— Você primeiro, Tate — diz ele, empurrando a porta.

Não, Miles. Eu sigo. É assim que funciona entre nós. Você é sólido, eu sou líquido. Você separa as águas, eu sou seu rastro.

— Está com sede?

Ele vai para a cozinha, mas não sei se consigo segui-lo dessa vez. Não sei fazer isso e estou com medo de que perceba que nunca tive uma regra número um ou dois antes. Se o passado e o futuro são proibidos, nos resta apenas o presente, e não faço ideia do que fazer no presente.

Vou para a cozinha no presente.

— O que tem para beber? — pergunto.

Agora a sacola está no balcão, e ele vê que estou de olho nela, então a empurra para o lado, tirando-a de meu campo de visão.

— Me diga o que quer, e eu vejo se tenho — sugere.

— Suco de laranja.

Ele sorri e estende o braço para a sacola, então tira de lá uma garrafa de suco de laranja, e o mero fato de ter pensado nisso prova sua generosidade. Também prova que não preciso de muito para derreter. Deveria dizer a ele que minha única regra acabou de virar *Pare de fazer coisas que me dão vontade de quebrar suas regras*.

Pego o suco de sua mão com um sorriso.

— O que mais tem na sacola?

Ele dá de ombros.

— Coisas.

Ele me observa abrir o suco. Observa-me dar um gole. Observa-me tampar o suco. Ele me observa colocar o suco no balcão da cozinha, mas não com atenção suficiente para perceber que consigo me lançar na direção da sacola com bastante rapidez.

Agarro-a antes que seus braços envolvam minha cintura.

Ele está rindo.

— Deixa isso aí, Tate.

Abro-a e olho o que tem dentro.

Camisinhas.

Dou uma risada e jogo a sacola de volta no balcão. Quando me viro, seus braços não me soltam.

— Queria muito dizer alguma coisa inadequada ou vergonhosa, mas não consigo pensar em nada. Finja que foi o que fiz e ria mesmo assim.

Ele não ri, mas seus braços ainda estão ao meu redor.

— Você é tão estranha.

— Não me importo.

Ele sorri.

— Essa história toda é estranha.

Está me dizendo o quanto isso é estranho, mas estou achando bem gostoso. Não sei se considera estranho algo bom ou ruim.

— Estranho é bom ou ruim?

— Os dois. Nenhum dos dois.

— Você é estranho — digo.

Ele sorri.

— Não me importo.

Sobe as mãos pelas minhas costas e ombros, e depois desce lentamente pelos braços até suas mãos encostarem nas minhas.

O que me lembra de uma coisa.

Ponho sua mão entre nós.

— Como está o machucado?

— Bem.

— É melhor eu dar uma olhada amanhã.

— Não vou estar aqui. Vou embora daqui a algumas horas.

Dois pensamentos passam pela minha cabeça. Um: *estou muito desapontada por ele ir embora esta noite.* Dois: *por que estou aqui se ele vai embora ainda hoje?*

— Não deveria estar dormindo?

Ele balança a cabeça.

— Não vou conseguir dormir agora.

— Você nem tentou. Não dá para pilotar um avião sem dormir, Miles.

— O primeiro voo é curto. Além disso, serei o copiloto. Durmo no avião.

Dormir não está em sua pauta. *Tate* está.

Tate é mais importante do que dormir, em sua pauta.

Que outras coisas são menos importantes do que Tate?

— Então — sussurro, enquanto solto sua mão.

Paro, pois não tenho nada a dizer depois do *então*. Nada. Nem um *e aí*.

Silêncio.

Está ficando constrangedor.

— Então — diz ele.

Seus dedos movem-se entre os meus e os abrem. Meus dedos gostam dos dedos dele.

— Quer saber há quanto tempo não faço isso, já que sei um detalhe tão íntimo sobre você?

É mais do que justo, já que minha família inteira sabe há quanto tempo ele não faz isso.

— Não — diz ele simplesmente. — Mas quero beijá-la.

Hmm. Não sei como interpretar isso, mas não vou analisar seu *não* se ele foi seguido por uma frase dessas.

— Então me beije.

Seus dedos soltam os meus e se movem até as laterais da minha cabeça, e ele me segura.

— Espero que esteja com gosto de suco de laranja de novo.

Uma, duas, três, quatro, cinco, seis, sete, oito, nove, dez, onze.

Conto as palavras dessa última frase e procuro algum lugar na minha cabeça para armazenar essas onze palavras para sempre. Quero escondê-las numa gaveta da minha mente e chamá-la de *Coisas para tirar e ler quando a ridícula regra número dois se tornar um presente triste e solitário.*

Miles está na minha boca. Está me invadindo de novo. Fecho a gaveta da mente e saio da minha cabeça; volto para ele.

Me invada, me invada, me invada.

Devo estar com gosto de suco de laranja, pois ele está agindo como se estivesse adorando meu gosto. Também devo estar adorando o gosto dele, pois estou puxando-o para perto, beijando-o, fazendo o meu melhor para me infiltrar nele.

Ele se afasta para respirar e falar.

— Tinha me esquecido do quanto isso é bom.

Está me comparando. Não gosto do fato de estar me comparando com quem quer que o tenha feito achar isso bom.

— Quer saber de uma coisa? — pergunta.

Quero. Quero saber tudo, mas por alguma razão, escolho esse momento para me vingar daquela palavrinha que ele disse para mim.

— Não.

Puxo-o de volta para minha boca. Ele não retribui o beijo imediatamente, pois está sem saber o que pensar a respeito do que acabou de acontecer. Mas a boca dele reage bem depressa. Acho que odiou minha resposta sucinta tanto quanto odiei a dele, e agora está usando as mãos para ter sua própria vingança. Não sei onde está me tocando, porque assim que me toca num lugar, suas mãos vão para outro. Está me tocando em todos os lugares, em nenhum lugar, sem me tocar, me tocando inteira.

O que mais gosto quando beijo Miles é o som. O som dos lábios dele se fechando por cima dos meus. O som das nossas respirações sendo engolidas uma pela outra. Amo a maneira como ele geme quando nossos corpos se unem. Normalmente, os rapazes retêm mais os sons que fazem do que as garotas.

Miles, não. Miles me quer e quer que eu saiba, e eu adoro isso.

— Tate — murmura contra minha boca. — Vamos para o quarto.

Faço que sim, então ele se afasta da minha boca e estende o braço por cima do balcão para pegar a caixa de camisinhas. Começa a andar comigo até o quarto, mas logo volta para a cozinha e pega o suco de laranja. Ao passar por mim a caminho do quarto, dá uma piscada.

Essa mera piscada mexe tanto comigo que fico morrendo de medo do que vou sentir quando estiver dentro de mim. Não sei se vou conseguir sobreviver.

Quando chegamos ao quarto dele, começo a ficar apreensiva. Em boa parte, porque estamos na casa dele, e toda essa situação está sendo controlada quase totalmente por ele, e sinto que estou um pouco em desvantagem.

— O que foi? — pergunta.

Está tirando os sapatos. Vai até o banheiro, desliga a luz e fecha a porta.

— É que fiquei um pouco nervosa — confesso.

Estou parada no meio do quarto dele, sabendo exatamente o que está prestes a acontecer. Normalmente, esse tipo de coisa não é discutido nem planejado assim. É algo espontâneo, no calor do momento, e os dois lados só sabem o que vai acontecer quando já está acontecendo.

Mas tanto Miles quanto eu sabemos o que está prestes a acontecer.

Ele vai até a cama e senta na beirada.

— Vem cá — chama.

Sorrio e ando alguns metros até onde está. Ele põe as mãos na parte de trás das minhas coxas e pressiona os lábios na camisa que cobre minha barriga. Minhas mãos descem até seus ombros, e olho para ele. Está me encarando, e a calma em seus olhos é contagiante.

— Podemos ir com calma — sugere. — Não precisa ser hoje.

Não era uma das nossas regras.

Dou risada, mas também balanço a cabeça.

— Não, está tudo bem. Você vai embora daqui a algumas horas e só volta daqui a quanto tempo, uns cinco dias?

— Dessa vez são nove.

Odeio esse número.

— Não quero fazer você esperar nove dias depois de deixá-lo todo esperançoso.

As mãos dele sobem pelas minhas coxas e vêm para a frente da minha calça. Ele abre o botão sem nenhuma dificuldade.

— Me imaginar fazendo isso com você não é nenhuma tortura — fala, enquanto seus dedos tocam no meu zíper.

Ele começa a abri-lo, e meu coração está martelando tanto meu peito que parece que está construindo alguma coisa. Talvez esteja construindo uma escada para subir até o céu, pois sabe que vai explodir e morrer no instante em que minha calça for tirada.

— Tenho certeza que vai ser torturante para mim — sussurro.

Meu zíper está aberto, e as mãos dele deslizam para dentro da minha calça. Ele leva a mão até meu quadril e começa a puxá-la para baixo.

Fecho os olhos e tento não balançar, mas sua outra mão ergueu minha camisa o suficiente para que seus lábios pressionem minha barriga. É demais para mim.

Agora, as duas mãos estão dentro da minha calça, indo para trás. Ele a empurra para baixo lentamente até que fique na altura do joelho. Sua língua toca minha barriga, e minhas mãos se perdem em seu cabelo.

Quando o jeans finalmente chega aos meus tornozelos, tiro-o junto com os sapatos. As mãos dele sobem pelas minhas coxas de novo, indo até a cintura. Ele me puxa para que eu sente no colo dele, ajusta minhas pernas ao lado do corpo, apalpa meu bumbum e me puxa direto. Solto um arquejo.

Não sei por que está parecendo que eu sou a inexperiente aqui. Não esperava mesmo que ele fosse assumir tanto o comando, mas não estou reclamando.

Nem um pouco.

Ergo os braços para ele, que tenta tirar minha camisa. Joga-a no chão atrás de mim, e seus lábios reconectam-se aos meus enquanto suas mãos cuidam do fecho do meu sutiã.

Não é justo. Estou prestes a ficar com apenas uma peça de roupa, e ele ainda não tirou nada.

— Você é tão linda — sussurra ele, puxando o sutiã para tirá-lo.

Os dedos vão para debaixo das alças, e ele começa a deslizá-lo pelos meus braços. Estou prendendo a respiração, esperando que o tire. Quero tanto que sua boca venha para mim que não consigo pensar direito. Depois que o sutiã é abaixado, deixando tudo de mim à mostra, ele expira.

— Uau! — exclama, ofegante.

Joga o sutiã no chão e olha para mim. Sorri e pressiona brevemente os lábios nos meus, beijando-os delicadamente. Ao se afastar, ergue as mãos até minhas bochechas e me olha nos olhos.

— Está se divertindo?

Mordo o lábio inferior para não sorrir tanto quanto quero nesse momento. Ele inclina-se para a frente e prende meu lábio com a boca, puxando-o para longe dos meus dentes, o beija por alguns segundos e depois o solta.

— Não morda o lábio de novo. Gosto de vê-la sorrir.

É óbvio que sorrio novamente.

Minhas mãos estão nos seus ombros, então desço-as pelas costas e começo a puxar sua camisa. Ele solta meu rosto e ergue os braços para me ajudar. Inclino-me para trás e fico observando-o, assim como ele está me observando nesse momento. Passo as mãos no seu peito, traçando o contorno de todos os músculos.

— Você também é lindo.

Ele pressiona as palmas nas minhas costas, incentivando-me a ficar sentada. Assim que o faço, ele abaixa a boca até meu peito e desliza delicadamente a língua pelo mamilo. Solto um gemido, e ele o cobre completamente com a boca.

Uma de suas mãos vai até meu quadril e desliza para debaixo da costura da calcinha.

— Quero você deitada — sussurra ele.

Ele deixa a mão nas minhas costas enquanto muda nossas posições sem dificuldade, puxando-me do seu colo para a cama. Agora, está encurvado por cima de mim, puxando a calcinha para baixo enquanto a língua mergulha na minha boca. Minhas mãos lançam-se imediatamente para o botão de seu jeans, e o desabotoo, mas ele se afasta rapidamente. — Eu não faria isso ainda — alerta. — Senão tudo vai acabar antes mesmo de começar.

Não me importo com a duração. Só quero tirar logo a roupa dele.

Ele começa a tirar minha calcinha. Dobra minha perna e a tira pelo meu pé, e depois faz o mesmo com o outro. Definitivamente, não está mais me olhando nos olhos.

Ele deixa minhas pernas caírem de volta na cama enquanto se levanta e se afasta meio metro de mim.

— Uau — sussurra, me encarando.

Está parado, ainda no conforto de sua calça, encarando-me deitada ali, nua.

— Isso não me parece muito justo — protesto.

Ele balança a cabeça e empurra o punho contra a boca, mordendo os nós dos dedos. Fica de costas e respira fundo com calma. Em seguida, se vira de novo, subindo o olhar pelo meu corpo até encontrar meus olhos.

— É demais para mim, Tate.

Sinto o desapontamento se infiltrar por suas palavras. Ele ainda está balançando a cabeça, mas vai até à mesa de cabeceira, pega a caixa de camisinhas e a abre, depois tira uma e a coloca entre os dentes, rasgando a embalagem.

— Desculpe — diz ele, tirando alvoroçadamente a calça. — Queria que fosse gostoso para você. Queria que fosse memorável, no mínimo. — Agora, já está sem calça. Olha-me nos olhos, mas estou achando difícil manter o contato visual, porque agora sua cueca também já era. — Mas, se não estiver dentro de você em dois segundos, isso vai terminar sendo extremamente vergonhoso para mim.

Ele vem rapidamente para perto de mim e consegue, de alguma maneira, colocar a camisinha enquanto separa meus joelhos com a outra mão.

— Farei isso valer a pena para você daqui a alguns minutos. Prometo — afirma, parando no meio das minhas pernas, esperando autorização.

— Miles, não me importo com nada disso. Tudo que quero é você dentro de mim.

— Graças a Deus.

Ele suspira. Segura minha perna por trás do joelho com a mão direita, e seus lábios encontram os meus. Então penetra em mim com força e rapidez tão inesperadas que praticamente grito dentro de sua boca. Ele não faz uma pausa para me perguntar se está doendo. Nem desacelera. Entra mais fundo, com mais força, até não existir nenhuma maneira de ficarmos mais perto um do outro.

Está doendo, sim, mas da melhor forma possível.

Estou gemendo dentro de sua boca, e ele está gemendo contra o meu pescoço, e seus lábios estão por todos os cantos, assim como as mãos. É selvagem. É lascivo e pesado e quente, e nem um pouco silencioso. É rápido, e, pelo jeito como suas costas estão se contraindo sob minhas mãos, ele tinha razão. Não vai demorar muito.

— Tate — sussurra. — *Meu Deus*, Tate.

Os músculos de sua perna contraem-se, e ele começa a tremer.

— *Porra* — geme.

Seus lábios pressionam-se nos meus com força, e ele se mantém parado, apesar dos tremores que percorrem suas pernas e costas. Afasta os lábios dos meus e exala fortemente, descendo a testa para o lado da minha cabeça.

— Meu Deus, *caralho* — exclama, ainda tenso. Ainda tremendo. Ainda bem dentro de mim.

No segundo em que sai de dentro de mim, seus lábios estão no meu pescoço, movendo-se para baixo até encontrarem meus seios. Ele os beija por um instante e volta para a minha boca.

— Quero sentir seu gosto. Posso?

Faço que sim.

Faço que sim enfaticamente.

Ele afasta-se da cama, joga a camisinha fora e volta para seu lugar perto de mim. Fico observando-o o tempo inteiro pois, por mais que ele tenha dito que não queria saber há quanto tempo não fico com ninguém, já faz quase um ano. Não é nada em comparação a seis anos, mas é o suficiente para que eu queira ficar de olhos abertos e curtir o momento. Especialmente agora que posso encarar abertamente o *V* sem ter que ficar com vergonha por não conseguir desviar o olhar.

Agora está olhando para meu corpo com o mesmo fascínio, enquanto sua mão desliza pela minha barriga e desce até chegar nas coxas. Ele afasta minhas pernas enquanto observa o que está fazendo comigo com tanto encantamento que preciso ficar de olhos abertos para observá-lo me observando. Ver o efeito que tenho nele já me excita muito, mesmo sem que ele me toque.

Dois de seus dedos deslizam para dentro de mim, e, de repente, fica bem mais difícil continuar olhando para ele. Seu polegar continua do lado de fora, provocando todos os locais em que consegue encostar. Solto um gemido e deixo as mãos caírem na cama, acima da minha cabeça, enquanto fecho os olhos.

Rezo para que ele não pare. Não quero que pare.

Sua boca encontra a minha, e ele me beija delicadamente, com seus lábios contrastando bastante com a pressão da sua mão. A boca começa lentamente a descer, explorando o meu queixo até chegar ao pescoço e à reentrância da minha garganta, seguindo pelo seio, cobrindo o mamilo, descendo pela barriga, descendo, descendo, *puta merda*, descendo.

Ele se acomoda entre minhas pernas, deixando os dedos dentro de mim enquanto sua língua toca minha pele, me separando, fazendo minhas costas se arquearem e minha mente se entregar.

Simplesmente me entrego.

Não me importo se estou gemendo tão alto que provavelmente acabei de acordar o andar inteiro.

Não me importo se estou enterrando os calcanhares no colchão, tentando me afastar dele porque não estou aguentando.

Não me importo se os dedos saem de dentro de mim para agarrar meus quadris e me segurar contra a boca, impedindo que meu corpo suba e se afaste dele, *graças a Deus*.

Não me importo se é bem provável que eu o esteja machucando, puxando seu cabelo, puxando-o para dentro de mim, fazendo tudo o que posso para chegar a um lugar tão intenso ao qual tenho quase certeza de que nunca cheguei.

Minhas pernas começam a tremer, e seus dedos voltam para dentro de mim, e tenho certeza de que estou tentando me sufocar com o travesseiro, pois não quero que ele seja expulso do prédio por eu gritar tanto quanto preciso agora.

De repente, sinto como se estivesse no ar, voando. Sinto como se pudesse olhar para baixo e ver o sol nascendo sob mim. Sinto como se estivesse pairando.

Estou...
Ah, meu Deus.
Estou...
Minha nossa.
Estou... *isso... ele.*
Estou caindo.
Estou flutuando.
Uau.
Uau, uau, uau.
Nunca mais quero voltar para o chão.

Depois de me derreter completamente na cama, ele sobe avidamente a boca pelo meu corpo, tira o travesseiro do meu rosto e o joga para o lado, e depois me beija rapidamente.

— Mais uma vez — diz ele.

Sai da cama, volta numa questão de segundos e me penetra novamente, mas desta vez nem tento abrir os olhos. Meus braços esparramam-se acima da cabeça, e seus dedos se entrelaçam nos meus, e ele está empurrando, entrando, vivendo dentro de mim. Nossas bochechas se pressionam, e sua testa está no travesseiro, e não sobrou nenhuma energia para conseguirmos fazer algum barulho.

Ele inclina a cabeça, seus lábios encontram o meu ouvido, e ele desacelera até entrar num ritmo suave, empurrando-se para dentro de mim e depois saindo completamente. Fica parado, depois empurra-se para dentro de mim de novo, e depois sai completamente. Repete isso várias vezes, e tudo que posso fazer é ficar deitada e senti-lo.

— Tate — sussurra, com os lábios próximos do meu ouvido. Sai de mim e fica parado mais uma vez. — Já tenho 100% de certeza de uma coisa.

Ele me penetra de novo.

— Essa é.

Sai e repete o movimento de novo.

— A melhor.
De novo.
— Sensação.
De novo.
— Da
De novo.
— Minha.
De novo.
— Vida.

Ele fica parado, ofegando no meu ouvido, agarrando minhas mãos com tanta força que dói, mas não faz nenhum barulho ao gozar pela segunda vez.

Não nos mexemos.

Não nos mexemos por um bom tempo.

Não consigo tirar esse sorriso exausto do rosto. Tenho certeza de que vai ficar ali para sempre.

Miles afasta-se e olha para mim. Sorri ao ver o meu rosto, e olhar para ele me faz perceber que em nenhum momento ele fez contato visual comigo enquanto estava dentro de mim. Fico me perguntando se foi intencional ou mera coincidência.

— Comentários? — brinca. — Sugestões?

Dou risada.

— Desculpe. É que... não consigo... palavras...

Balanço a cabeça, indicando que ainda preciso de um tempinho antes de conseguir falar.

— Sem palavras. Melhor ainda.

Beija minha bochecha, levanta-se e vai até o banheiro. Fecho os olhos e me pergunto como é que essa coisa entre nós pode terminar bem.

Não pode.

Já tenho certeza, porque nunca mais quero fazer isso com outra pessoa.

Só com Miles.

Ele volta para o quarto e abaixa-se para pegar a cueca samba-canção. Também pega minha calcinha e meu jeans, e os coloca ao meu lado na cama.

Acho que está insinuando que é para eu me vestir, não?

Sento-me e fico olhando enquanto ele pega meu sutiã e minha camisa e os entrega para mim. Toda vez que seus olhos encontram os meus, ele sorri, mas está sendo difícil retribuir o sorriso.

Depois que me visto, ele me puxa para perto, me beija e me abraça.

— Mudei de ideia. Depois disso, tenho certeza de que os próximos nove dias serão pura tortura.

Mordo o lábio, mas ele não percebe, pois ainda estou cercada pelos seus braços.

— Pois é.

Ele me beija na testa.

— Pode trancar a porta ao sair?

Engulo minha decepção e consigo, de alguma maneira, encontrar forças para sorrir quando me solta.

— Posso sim.

Ando na direção da porta do quarto, e o escuto cair na cama.

Vou embora sem saber o que sentir. Ele não me prometeu nada além do que o que acabou de acontecer entre nós. Fiz o que topei voluntariamente: transar.

Só não estava esperando essa sensação avassaladora de vergonha. Não por causa da forma como ele me dispensou imediatamente após transarmos, mas pela maneira como me senti depois que me dispensou. Achei que queria tanto quanto ele que fosse só sexo, mas, com base na surra que meu coração levou nos últimos dois minutos, acho que não consigo manter algo tão simples assim com ele.

Tem uma voz no fundo da minha cabeça me dizendo baixinho que pule fora dessa situação antes que as coisas fiquem complicadas demais. Infelizmente, tem uma voz dizendo bem mais alto que devo simplesmente me deixar levar; que mereço um pouco de diversão porque trabalho demais.

Só de pensar no quanto gostei da noite, já aceito e até apoio o jeito casual de Miles depois daquilo tudo. Talvez, com um pouco de prática, eu até consiga desenvolvê-lo em mim.

Vou até a porta do meu apartamento, mas paro ao escutar a voz de alguém. Pressiono o ouvido na madeira e fico escutando. Ouço apenas o lado de Corbin da conversa, então deve estar ao celular.

Não posso entrar agora. Ele acha que estou dormindo.

Olho de novo para a porta do apartamento de Miles, mas não pretendo bater nela. Não só seria constrangedor, mas também significaria que ele dormiria menos ainda do que já vai dormir.

Vou até o elevador e decido passar meia hora na portaria, na esperança de que Corbin volte logo para o quarto.

Até o fato de achar que preciso esconder isso de Corbin é ridículo, mas a última coisa que quero é que fique chateado com Miles. E é exatamente o que aconteceria.

Desço para a portaria e saio do elevador, sem saber exatamente o que estou fazendo. Acho que posso ficar esperando no carro.

— Está perdida?

Olho para Cap, que está sentado no lugar de sempre, apesar de ser quase meia-noite. Ele dá um tapinha na cadeira vazia ao seu lado.

— Sente-se.

Passo por ele e vou para a cadeira vazia.

— Não trouxe comida dessa vez. Desculpe.

Ele balança a cabeça em negativa.

— Não é por causa da comida que gosto de você, Tate. Você não cozinha muito bem.

Rio, e é bom rir. Tudo tem sido tão intenso nos últimos dois dias.

— Como foi o dia de Ação de Graças? O garoto se divertiu?

Olho para ele e inclino a cabeça, confusa.

— O garoto?

Ele assente.

— O Sr. Archer. Ele não passou o feriado com você e seu irmão?

Faço que sim com a cabeça, finalmente entendendo a pergunta.

— Sim. — Queria acrescentar que tenho certeza de que o Sr. Archer acabou de ter o melhor dia de Ação de Graças dos últimos seis anos, mas não o faço. — Acho que o Sr. Archer gostou muito.

— E que sorriso é esse?

Faço desaparecer imediatamente o sorriso que surgiu no meu rosto sem que eu percebesse, então enrugo o nariz.

— Que sorriso?

Cap ri.

— Ai, diabos! — exclama. — Você e o garoto? Está se apaixonando, Tate?

Balanço a cabeça.

— Não — respondo, imediatamente. — Não é nada do tipo.

— Então como é?

Desvio o olhar assim que sinto a vergonha subindo sorrateiramente pelo pescoço. Cap ri ao ver minhas bochechas ficarem tão vermelhas quanto as cadeiras em que estamos sentados.

— Talvez eu seja velho, mas isso não significa que não saiba mais ler a linguagem corporal das pessoas. Isso significa que você e o garoto estão... qual o termo que é usado hoje em dia? Ficando? Se pegando?

Inclino-me para a frente e enterro o rosto nas mãos. Não acredito que estou tendo essa conversa com um homem de 80 anos.

Balanço a cabeça rapidamente.

— Não vou responder isso.

— Entendo — diz Cap, assentindo, e então ficamos em silêncio por um instante, enquanto digerimos o que mais ou menos acabei de contar para ele. — Bem, isso é ótimo. Talvez agora aquele garoto sorria de vez em quando.

Faço que sim, concordando completamente. Com certeza, gostaria de vê-lo sorrindo mais.

— Podemos mudar de assunto agora?

Cap vira a cabeça lentamente para mim e ergue a sobrancelha peluda e grisalha.

—Já contei da vez em que achei um cadáver no terceiro andar?

Balanço a cabeça, aliviada por ter mudado de assunto, mas também um pouco confusa por perceber que falar de um cadáver me trouxe alívio.

Sou tão mórbida quanto Cap.

capítulo catorze
MILES

Seis anos antes

— Acha que gostamos tanto disso porque é algo que não devíamos estar fazendo? — pergunta Rachel.
Está se referindo a me beijar.
Fazemos muito isso.
Toda vez que surge a oportunidade, e até mesmo quando não surge.
— Quando diz *não devíamos*, é por que nossos pais estão juntos?
Ela responde sim. Sua voz está ofegante, porque nesse momento estou subindo pelo seu pescoço com beijos.
Gosto de deixá-la sem ar.
— Lembra a primeira vez em que a vi, Rachel?
Ela solta um gemido que significa sim.

— E lembra de quando a acompanhei até a aula do Sr. Clayton?
Ela me dá mais um sim sem dizer nada.
— Eu queria beijá-la naquele dia. — Subo de volta para a boca e a olho nos olhos. — Você queria me beijar?
Ela assente, e vejo pelos seus olhos que está pensando naquele dia.
No dia em que se
Tornou
O
Meu
Tudo.
— Naquele dia, não sabíamos dos nossos pais — explico.
— Mas queríamos fazer isso mesmo assim. Então não, acho que não é por causa disso que gostamos tanto.
Ela sorri.
— Está vendo? — sussurro, roçando os lábios delicadamente nos seus para mostrar a ela o quanto a sensação é gostosa.
Ela se levanta do travesseiro e se apoia no cotovelo.
— E se simplesmente gostarmos de beijar em geral? E se não tiver nada a ver comigo ou com você especificamente?
Ela sempre faz isso. Digo que devia ser advogada, porque adora fazer o papel de advogada do diabo. Mas amo quando faz isso, então sempre entro no jogo.
— É verdade — concordo. — Gosto de beijar. Não conheço ninguém que *não* goste. Mas tem uma diferença entre *isso* e simplesmente gostar de beijar.
Ela olha para mim curiosamente.
— E qual é a diferença?
Levo a boca até a sua mais uma vez.
— *Você* — sussurro. — Gosto de beijar *você*.
Isso responde à sua pergunta, pois ela se cala e leva a boca de volta para a minha.
Gosto do fato de Rachel questionar tudo.
Assim, enxergo as coisas de um jeito diferente.

Sempre gostei de beijar as garotas que beijei
no passado, mas só porque sentia atração. Não
tinha nada a ver com elas em particular.
Quando beijei todas as outras garotas, senti prazer. É por
isso que as pessoas gostam de beijar, porque é gostoso.
Mas, quando você beija alguém por causa de quem a
pessoa é, a diferença não se encontra no prazer.
A diferença se encontra na dor que você sente
quando *não* está beijando aquela pessoa.
Não dói quando não estou beijando nenhuma
das outras garotas que já beijei.
Só dói quando não estou beijando Rachel.
Talvez isso explique por que se apaixonar dói pra caramba.
Gosto de beijá-la, Rachel.

capítulo quinze
TATE

Miles: Está ocupada?
Eu: Sempre ocupada. E aí?
Miles: Preciso da sua ajuda. Não vai demorar.
Eu: Chego em cinco minutos.

Eu deveria ter dito dez minutos em vez de cinco, porque não tomei banho hoje. Depois de um turno de dez horas na noite anterior, tenho certeza de que estou precisando de um. Se soubesse que estava em casa, o banho teria sido minha prioridade número um, mas achava que ele só iria voltar amanhã.

Prendo o cabelo num coque frouxo e troco a parte de baixo do pijama por uma calça jeans. Ainda não é meio-dia, mas tenho vergonha de admitir que ainda estava na cama.

Bato à porta, e ele pede, com um grito, para que eu entre, então a empurro. Ele está em pé numa cadeira ao lado de uma das janelas da sala. Olha para mim e aponta a cabeça para a outra.

— Pegue aquela cadeira e a empurre até aqui — pediu ele, apontando para um local a alguns metros dele. — Estou tentando medir isso aqui, mas nunca comprei cortinas antes. Não sei se é para medir a moldura de fora ou a própria janela.

Quem diria. Ele vai comprar uma cortina.

Empurro a cadeira para o outro lado da janela e subo nela. Ele me entrega uma extremidade da fita métrica e começa a puxar.

— Depende do tipo de cortina que você quer, então é melhor medir as duas coisas — sugiro.

Veste roupas casuais mais uma vez, com uma calça jeans e uma camiseta azul-escura. Por alguma razão, o tom escuro da camisa deixa seus olhos menos azuis. Eles ficam parecendo límpidos. Quase transparentes, mas sei que é impossível. Não são nada transparentes, considerando a muralha por trás deles.

Miles anota a medida no celular, e depois fazemos uma segunda medição. Após registrar as duas, descemos e recolocamos as cadeiras no lugar.

— E um tapete? — pergunta, encarando o chão debaixo da mesa. — Acha que deveria comprar um tapete?

Dou de ombros.

— Depende do que você gosta.

Ele faz que sim lentamente com a cabeça, ainda encarando o chão nu.

— Não sei mais do que gosto — confessa, baixinho, então joga a fita métrica no sofá e olha para mim. — Quer vir comigo?

Contenho-me para não concordar imediatamente.

— Para onde?

Ele afasta o cabelo da testa e pega o casaco jogado no encosto do sofá.

— Onde quer que as pessoas comprem cortinas.

Eu deveria dizer não. Escolher cortina é algo que casais fazem. Escolher cortina é algo que amigos fazem. Escolher cortina não é algo que Miles e Tate deveriam fazer se querem seguir as regras, mas tenho certeza total e absoluta de que não quero fazer nenhuma outra coisa.

Dou de ombros para que minha resposta pareça mais casual do que é.

— Pode ser. Vou só trancar minha porta.

* * *

— Qual sua cor preferida? — pergunto, enquanto estamos no elevador.

Estou tentando focar na missão atual, mas não dá para negar o desejo que sinto de que estenda a mão e me toque. Um beijo, um abraço... qualquer coisa. No entanto, estamos parados em lados opostos do elevador. Não nos tocamos desde a noite em que transamos pela primeira vez. Também não nos falamos desde então.

— Preto? — diz ele, duvidando da própria resposta. — Gosto de preto.

Balanço a cabeça.

— Não pode colocar uma cortina preta. Precisa de cor. Talvez algo parecido com preto, mas não preto.

— Azul-marinho?

Percebo que seus olhos não estão mais focados nos meus. Eles descem lentamente do meu pescoço até os pés. Em todo lugar que se fixam, posso senti-los.

— Azul-marinho talvez dê certo — digo, baixinho.

Tenho certeza de que essa conversa só está acontecendo para que alguma conversa aconteça. Dá para ver pela maneira como ele está me olhando que nesse momento nenhum de nós está pensando em cores, cortinas ou tapetes.

— Você trabalha hoje à noite, Tate?

Assinto. Gosto do fato de estar pensando em hoje à noite, e adoro como termina a maioria das perguntas com meu nome. Adoro como diz meu nome. Eu deveria obrigá-lo a dizê-lo toda vez que fala comigo.

— Só preciso chegar lá às dez.

Chegamos ao térreo, e vamos até a porta ao mesmo tempo. Sua mão encosta na minha lombar, e a corrente que percorre o meu corpo é inegável. Já fiquei a fim de outros rapazes antes, e, nossa, já até me *apaixonei* por outros rapazes, mas nenhum deles conseguia me afetar desse jeito, só com o toque.

Assim que saio do elevador, a mão se afasta das minhas costas. Percebo mais a ausência do seu toque agora do que antes de ele tocar em mim. A cada pouco que recebo, fico desejando muito mais.

Cap não está em seu lugar de sempre, mas aquilo não é nenhuma surpresa, pois ainda é meio-dia. Ele não é de acordar cedo. Talvez seja por isso que nos damos tão bem.

— Está a fim de andar? — pergunta Miles.

Digo que sim, apesar de estar frio lá fora. Prefiro andar, e estamos perto de várias lojas apropriadas para o que ele quer. Sugiro uma pela qual passei algumas semanas atrás, que fica a apenas dois quarteirões daqui.

— Você primeiro — diz ele, segurando a porta para mim.

Saio do prédio e aproximo o casaco do corpo. Duvido mesmo que Miles seja o tipo de cara que segura a mão de alguém em público, então nem me preocupo em deixá-las disponíveis para ele. Abraço meu próprio corpo para me aquecer, e começamos a andar um ao lado do outro.

Ficamos em silêncio por boa parte do caminho, mas não vejo nenhum problema nisso. Não sou o tipo de pessoa que sente necessidade de conversar o tempo inteiro, e estou aprendendo que ele talvez também seja assim.

— Fica bem aqui — aviso, apontando para a direita ao chegarmos numa faixa de pedestres.

Olho para um idoso sentado na calçada, todo empacotado com um casaco fino e esfarrapado. Seus olhos estão fechados, e as luvas em suas mãos trêmulas estão cheias de buracos.

Sempre me compadeci de pessoas que não têm nada, nem lugar para onde ir. Corbin odeia o fato de que nunca consigo passar por mendigos sem dar comida ou dinheiro. Ele diz que a maioria deles mora na rua por ser viciada e que, quando dou dinheiro, só estou estimulando o vício.

Sinceramente, não estou nem aí se isso é verdade. Se alguém mora na rua por necessitar mais de certa coisa do que de uma casa, isso não me desestimula nem um pouco. Talvez seja por ser enfermeira, mas não acredito que o vício seja uma escolha. Vício é doença, e sofro ao ver pessoas que são obrigadas a viver assim por não conseguirem se ajudar.

Daria dinheiro a ele se tivesse trazido minha bolsa.

Percebo que não estou mais andando quando sinto Miles lançar um rápido olhar na minha direção. Está olhando para mim enquanto observo o idoso, então acelero o passo e o alcanço. Não digo nada para defender a expressão preocupada no meu rosto. Não adianta. Já passei por isso o suficiente com Corbin para saber que não tenho vontade de tentar mudar a opinião de todos que discordam de mim.

— É aqui — digo, parando na frente da loja.

Miles para de andar e observa a vitrine da loja.

— Gosta daquilo? — pergunta ele, apontando lá para dentro.

Chego mais perto e olho também. É um quarto, mas tem características que ele está procurando. O tapete no chão é cinza, com várias formas geométricas em diversos tons de azul e preto. Parece mesmo algo do qual ele gostaria.

As cortinas, no entanto, não são azul-marinho. São de um tom de cinza-ardósia, com uma única linha branca vertical do lado esquerdo.

— Gosto.

Ele se move para a minha frente e abre a porta para que eu entre primeiro. Uma vendedora aproxima-se antes mesmo que a porta se feche, e pergunta se pode ajudar em alguma coisa. Miles aponta para a vitrine.

— Quero aquela cortina. Quatro delas. E o tapete.

A vendedora sorri e gesticula para que a acompanhemos.

— Qual a altura e a largura de que precisa?

Miles pega o celular e lê as medidas para ela, que o ajuda a escolher suportes para as cortinas e depois diz que volta num instante. Ela vai para os fundos da loja e nos deixa a sós perto do caixa. Olho ao redor, sentindo uma vontade repentina de escolher coisas para decorar o meu próprio apartamento. Planejo ficar com Corbin por mais uns dois meses, mas não faria mal ter uma ideia do que vou querer para a minha casa quando finalmente sair de lá. Espero que ache tão fácil decidir o que comprar quanto Miles achou hoje.

— Nunca vi ninguém fazer compras tão rápido — comento.

— Ficou decepcionada?

Balanço a cabeça rapidamente. Se tem uma coisa de menina que não sei fazer bem é compras. Estou até aliviada por ele só ter demorado um minuto.

— Acha que devia ter procurado mais?

Agora ele está encostado no balcão, observando-me. Gosto da maneira como olha para mim, como se eu fosse a coisa mais interessante da loja.

— Se gosta do que escolheu, por que continuar procurando? Quando a pessoa sabe, ela sabe.

Olho nos seus olhos, e, no instante em que faço isso, minha boca fica seca. Ele está focado em mim, e o olhar sério no seu rosto faz com que eu me sinta constrangida e nervosa e interessante, tudo ao mesmo tempo. Ele se afasta do balcão e dá um passo para perto de mim.

— Vem aqui.

Seus dedos vão para baixo e cercam os meus, e ele começa a me puxar atrás dele.

Minha pulsação está ridícula. É até triste.

São apenas dedos, Tate. Não deixe isso mexer tanto assim com você.

Ele continua andando até chegar a um biombo de madeira, decorado com algo escrito em alguma língua asiática. É o tipo de biombo que as pessoas colocam nos cantos dos quartos. Nunca entendi a função deles. Minha mãe tem um, e duvido que já tenha trocado de roupa atrás dele alguma vez.

— O que está fazendo?

Ele vira-se para mim, ainda segurando minha mão. Sorri e vai para trás do biombo, puxando-me junto, a fim de que fiquemos isolados do resto da loja. Não consigo deixar de rir, porque parece que estamos no colégio, nos escondendo do professor.

Seus dedos encostam nos meus lábios.

— Shh — sussurra, sorrindo para mim enquanto encara minha boca.

Paro de rir imediatamente, mas não por não estar mais achando graça. Paro de rir porque assim que o dedo dele pressiona meus lábios, esqueço-me de como é que se ri.

Esqueço-me de tudo.

A única coisa em que consigo pensar nesse momento é no dedo que desliza lentamente pela minha boca e meu queixo. Seus olhos acompanham a ponta do dedo que continua se movendo, descendo delicadamente pela garganta até chegar ao meu peito, descendo, descendo e descendo até minha barriga.

Parece que esse único dedo está me tocando com a sensação de mil mãos. Meus pulmões e a incapacidade deles de manter o ritmo são sinais disso.

Os olhos estão fixados no dedo que para em cima do botão da minha calça jeans. Ele nem está tocando minha pele, mas não daria para perceber isso com base na rápida reação dos meus batimentos. Agora, a mão inteira entra em ação, percorrendo suavemente minha barriga, por cima da camisa, até encontrar a cintura. Suas duas mãos agarram meus quadris e me puxam para a frente, prendendo-me contra ele.

Seus olhos fecham-se por um instante, e, ao abri-los novamente, ele não está mais olhando para baixo. Está olhando diretamente para mim.

— Quero beijá-la desde que entrou no meu apartamento mais cedo — diz ele.

A confissão me faz sorrir.

— Você tem uma paciência incrível.

A mão direita dele deixa meu quadril e sobe para a lateral da minha cabeça, tocando o meu cabelo com o máximo de delicadeza possível. Ele começa a balançar a cabeça, discordando lentamente.

— Se eu tivesse uma paciência incrível, você não estaria comigo agora.

Agarro-me a essa frase e tento imediatamente descobrir seu significado, mas no segundo em que seus lábios encostam nos meus, perco o interesse pelas palavras que saíram da sua boca. Só estou interessada nela e no que sinto quando ela invade a minha.

O beijo é lento e calmo; o oposto da minha pulsação. Sua mão direita vai até a parte de trás da minha cabeça, e a esquerda desliza até minha lombar. Ele explora minha boca pacientemente, como se planejasse me manter atrás dessa divisória pelo resto do dia.

Estou reunindo toda a força de vontade que me restou para me conter e não lançar pernas e braços ao redor dele. Estou tentando encontrar a paciência que ele demonstra, mas é difícil quando seus dedos e mãos e lábios conseguem arrancar essas reações físicas de mim.

A porta do cômodo dos fundos se abre, e escutamos o barulho do salto da mulher no chão. Miles para de me beijar, e meu coração grita. Por sorte, não dá para escutar esse grito, apenas senti-lo.

Em vez de me puxar na direção do balcão, ele leva as mãos para o meu rosto e me segura enquanto fica me olhando em silêncio por vários segundos. Seus dedos acariciam o meu maxilar com leveza, e ele exala suavemente. Franze as sobrancelhas e fecha os olhos. Pressiona a testa na minha, ainda segurando meu rosto, e eu consigo sentir seu conflito interno.

— Tate.

Ele diz meu nome tão baixinho que sinto seu arrependimento nas palavras que ainda não disse.

— Eu gosto... — Ele abre os olhos e me encara. — Gosto de beijar você, Tate.

Não sei por que achou tão difícil dizer essa frase, mas sua voz diminuiu de volume perto do fim, como se estivesse tentando se impedir de completá-la.

Assim que a frase deixa sua boca, ele me solta e sai rapidamente de trás da divisória, como se estivesse tentando escapar da própria confissão.

Gosto de beijar você, Tate.

Apesar do arrependimento que sente por ter dito essas palavras, tenho certeza de que vou passar o resto do dia repetindo-as silenciosamente.

Fico uns dez minutos inteiros olhando a loja distraidamente, pensando sem parar naquele elogio enquanto espero ele terminar a compra. Quando chego ao balcão, Miles está dando seu cartão de crédito para a vendedora.

— A entrega será feita em no máximo uma hora — afirma ela.

Ela devolve o cartão e começa a tirar as sacolas do balcão e colocá-las atrás de si. Miles pega uma delas no momento em que a mulher a levanta.

— Vou levar essa daqui — diz ele.

Ele vira-se para mim.

— Está pronta?

Saímos da loja, e, por alguma razão, parece que a temperatura caiu uns dez graus desde que estivemos aqui fora. Pode ser somente porque ele fez as coisas parecerem bem mais quentes *lá dentro*.

Chegamos na esquina, e começo a caminhar na direção do prédio, mas percebo que ele parou de andar. Eu me viro, e ele está tirando alguma coisa da sacola em suas mãos. Arranca a etiqueta, e um cobertor se desdobra.

Não acredito.

Ele estende o cobertor para o idoso que ainda está ali na calçada, encolhido. O homem olha para ele e pega o cobertor. Nenhum dos dois diz uma palavra.

Miles vai até uma lixeira próxima e joga a sacola vazia nela, e em seguida volta na minha direção enquanto encara o chão. Ele não faz contato visual comigo quando começamos a andar na direção do prédio.

Quero agradecer, mas não o faço. Se fizer, vai parecer que estou presumindo que ele fez aquilo por mim.

Sei que não fez por mim.

Fez pelo homem que estava com frio.

* * *

Miles pediu para que eu fosse para casa assim que chegamos. Disse que só queria que eu visse o apartamento quando toda a decoração estivesse pronta, o que foi bom, pois tinha muito dever de casa para fazer de todo jeito. Não tinha separado um tempo na minha agenda para pendurar cortinas, então achei bom que não tivesse contado com minha ajuda.

Ele parecia um pouco empolgado com essa coisa de pendurar as cortinas. Empolgado para o padrão Miles, pelo menos.

Agora, já se passaram várias horas. Preciso chegar ao trabalho em menos de três horas e, assim que começo a me perguntar se ele sequer vai me convidar para voltar para lá, recebo uma mensagem.

Miles: Já comeu?
Eu: Sim.

De repente, fico chateada por já ter jantado. Mas cansei de esperar por ele, que não tinha dito nada a respeito de jantarmos juntos.

Eu: Corbin fez bolo de carne ontem à noite antes de viajar. Quer que eu leve um prato pra você?
Miles: Adoraria. Estou faminto. Pode vir ver agora.

Preparo um prato e o cubro com papel-alumínio antes de atravessar o corredor. Ele abre a porta antes mesmo que eu possa bater, e pega o prato nas minhas mãos.

— Espere aqui — diz ele, então entra no apartamento e volta segundos depois sem a comida. — Pronta?

Não faço ideia de como sei que está empolgado, pois não está sorrindo. Mas dá para perceber pela voz. Tem uma leve mudança nela, e saber que algo tão simples como pendurar cortinas o deixa feliz me faz sorrir. Não sei a razão para isso, mas parece que não tem muita coisa na vida dele que o deixa feliz, então gostei de ver que isso o deixou assim.

Ele abre completamente a porta, e dou alguns passos para dentro do apartamento. As cortinas estão penduradas, e, apesar de ser uma pequena mudança, parece gigantesca. Saber que morou aqui por quatro anos e só agora colocou cortinas dá ao apartamento inteiro um clima diferente.

— Você escolheu bem — digo a ele, admirando o quanto as cortinas combinam com o pouco que sei de sua personalidade.

Olho para o tapete, e ele vê a confusão surgir no meu rosto.

— Sei que era para ficar debaixo da mesa — afirma, olhando para o tapete. — E vai ficar. Depois.

Está posicionado num local estranho. Não está no centro da sala, nem na frente do sofá. Fico sem saber por que o colocou ali, se sabia onde ficaria melhor.

— Deixei ele ali porque queria batizá-lo primeiro.

Olho para ele, e vejo no seu rosto uma deliciosa expressão cheia de esperança que me faz sorrir.

— Gostei da ideia — concordo, olhando de volta para o tapete.

Surge um longo silêncio entre nós. Não sei se quer batizar o tapete agora ou se quer comer primeiro. Para mim tanto faz. Contanto que o plano dele se encaixe nas três horas que tenho.

Ainda estamos encarando o tapete quando ele fala novamente.

— Posso comer depois — conclui, respondendo à pergunta que passava silenciosamente pela minha cabeça.

Ele tira a camisa, eu tiro os sapatos, e o resto de nossas roupas acaba se amontoando ao lado do tapete.

capítulo dezesseis
MILES

Seis anos antes

Tudo é melhor agora que tenho Rachel.
Adormecer é melhor agora que sei que Rachel está
adormecendo do outro lado do corredor.
Acordar de manhã é muito melhor agora que sei que
Rachel está acordando do outro lado do corredor.
Ir para o colégio é melhor agora que vamos juntos.
— Vamos matar aula hoje — sugiro a Rachel, quando
chegamos ao estacionamento do colégio.
*Tenho certeza de que matar aula fica
ainda melhor com Rachel.*
— E se formos pegos?
Ela não parece estar realmente preocupada
com essa possibilidade.

— Eu *espero* que nos peguem — confesso. — Assim ficaríamos de castigo. Juntos. Na mesma casa.
Minhas palavras fazem Rachel sorrir. Ela inclina-se por cima do banco e desliza a mão ao redor do meu pescoço. Adoro quando faz isso.
— Ficar de castigo com você parece bem divertido. Vamos, então.
Ela se inclina para a frente e me dá um selinho. Os beijos simples ficam melhores quando são de Rachel.
— Você faz tudo ficar melhor — digo a ela. — Minha vida. Ela fica melhor com você.
Aquelas palavras fazem Rachel sorrir mais uma vez. Ela não sabe disso, mas todas as palavras são ditas só por essa razão. *Para fazê-la sorrir.*
Saio do estacionamento e digo a Rachel que vamos para a praia. Ela diz que quer seu biquíni, então passamos em casa primeiro e pegamos nossas roupas de banho. Também levamos algo para almoçar e um cobertor.
Nós vamos para a praia.
Rachel quer se bronzear enquanto lê.
Quero ficar vendo Rachel se bronzear enquanto lê.
Está deitada de bruços, apoiando-se nos cotovelos.
Encosto a cabeça nos braços e fico olhando para ela.
Meus olhos acompanham as curvas delicadas dos seus ombros... o arco das costas... a maneira como os joelhos estão dobrados e as pernas estão no ar, com os pés cruzados na altura dos tornozelos.
Rachel está feliz.
Eu faço Rachel feliz.
Faço a vida de Rachel ficar melhor.
A vida dela fica melhor comigo.
— Rachel — sussurro.
Ela põe o marcador dentro do livro e o fecha, mas não olha para mim.

— Quero que saiba de uma coisa.
Ela assente, mas fecha os olhos como se quisesse se concentrar na minha voz, e somente nela.
— Quando minha mãe morreu, parei de acreditar em Deus.
Ela encosta a cabeça nos braços e mantém os olhos fechados.
— Achava que Deus não faria uma pessoa sentir tanta dor física. Achava que Deus não faria alguém sofrer como ela sofreu. Que não seria capaz de fazer alguém passar por algo tão feio.
Uma lágrima cai dos olhos fechados de Rachel.
— Mas então conheci você, e todos os dias depois disso, me perguntei como uma pessoa tão bonita poderia existir se não houvesse um Deus. Eu me perguntei como uma pessoa poderia me deixar tão feliz se Deus não existisse. E percebi... bem agora... que Deus nos dá a parte feia para que possamos dar valor à parte bonita da vida.
Minhas palavras não fazem Rachel sorrir.
Minhas palavras fazem Rachel franzir a testa.
Minhas palavras fazem Rachel chorar.
— Miles — sussurra ela.
Ela diz meu nome tão baixinho que é como se não quisesse que eu o escutasse.
Olha para mim, e percebo que esse não é um dos momentos bonitos para ela. Não como é para mim.
— Miles... minha menstruação está atrasada.

capítulo dezessete
TATE

Corbin: Quer jantar? Que horas vai sair do trabalho?
Eu: Em dez minutos. Onde?
Corbin: Nós estamos aqui perto. Encontramos você lá na
frente.

Nós?
Não dá para ignorar o entusiasmo que a mensagem me trouxe. Certamente, Corbin se referia a ele e Miles. Não consigo pensar em nenhuma outra pessoa que estaria com ele, e sei que Miles voltou ontem à noite.

Termino o resto da papelada e paro no banheiro para conferir o cabelo (odeio me importar com isso) antes de sair para encontrá-los.

Os três estão parados perto da entrada quando saio do hospital. Ian e Miles estão com Corbin. E Ian sorri ao me ver, pois é o único virado para mim. Corbin vira-se depois que chego até eles.

— Está pronta? Vamos ao Jack's.

Formam um trio e tanto. Todos bonitos de suas próprias maneiras, mas ainda mais quando estão de uniforme de piloto e andando em grupo assim. Não dá para negar que me sinto um tanto desarrumada ao andar ao lado deles em meu jaleco médico.

— Vamos. Estou faminta.

Olho para Miles, que faz que sim com a cabeça sutilmente, mas não sorri. As mãos estão firmemente guardadas nos bolsos da jaqueta, e ele desvia o olhar quando todos começamos a andar. Fica à minha frente o tempo inteiro, então caminho ao lado de Corbin.

— Qual o motivo do jantar? — pergunto, enquanto vamos para o restaurante. — Estamos comemorando o fato de vocês três estarem de folga na mesma noite?

Uma conversa silenciosa surge ao meu redor. Ian olha para Miles. Corbin olha para Ian. Miles não olha para ninguém, fica apenas olhando para a frente, focado na calçada à nossa frente.

— Lembra quando éramos crianças e nossos pais nos levaram ao La Caprese? — instiga Corbin.

Lembro-me daquela noite. Nunca vi meus pais tão felizes. Eu devia ter 5 ou 6 anos, mas é uma das poucas memórias que tenho da infância. Foi o dia em que meu pai virou capitão na companhia aérea.

Paro de andar e olho imediatamente para Corbin.

— Você virou capitão? Não pode virar capitão. É jovem demais.

Sei o quanto é difícil virar capitão e quantas horas um piloto precisa voar para ser considerado para a promoção. A maioria dos pilotos na casa dos vinte são copilotos.

Corbin balança a cabeça.

— Não virei capitão. Mudei muito de companhias aéreas. — Ele lança um olhar para Miles. — Mas o Sr. Pode-Me-Dar-Mais-
-Horas-de-Voo aqui ganhou uma bela promoção hoje. Quebrou o recorde da companhia.

Olho para Miles, que está balançando a cabeça para Corbin. Sei que está envergonhado por Corbin ter falado disso, porém sua modéstia é apenas mais uma das coisas que acho atraente nele. Tenho a impressão de que, se Dillon fosse promovido a capitão, subiria no balcão de um bar qualquer e anunciaria o fato para o mundo inteiro com um megafone.

— Não é nada de mais — diz Miles. — É uma companhia aérea regional. Não tem tanta gente para ser promovida.

Ian balança a cabeça.

— *Eu* não fui promovido. *Corbin* não foi promovido. *Dillon* não foi promovido. Você é piloto há um ano a menos do que todos nós, sem falar que só tem 24 anos. — Ele vira-se e caminha para trás, ficando de frente para nós três. — Deixe a modéstia de lado dessa vez, cara. Esfregue isso na nossa cara um pouco. É o que faríamos no seu lugar.

Não sei há quanto tempo Miles e ele são amigos, mas gosto de Ian. Dá para perceber que os dois são próximos, pois Ian está genuinamente orgulhoso de Miles e nem um pouco com inveja. Gosto de ver que esses são os amigos de Corbin. Fico feliz por ter esse apoio. Sempre o imaginei morando aqui, trabalhando demais e passando todo o tempo sozinho e longe de casa. Mas não sei por quê. Nosso pai era piloto e passava muito tempo em casa, então eu não devia ter imaginado essas coisas erradas sobre a vida de Corbin como piloto.

Acho que Corbin não é o único que se preocupa desnecessariamente nessa nossa relação.

Chegamos ao restaurante, e Corbin segura a porta para nós. Ian entra primeiro, e Miles dá um passo atrás, deixando que eu passe na frente dele.

— Vou ao banheiro — diz Ian. — Encontro vocês depois.

Corbin vai falar com a hostess, e Miles e eu o seguimos. Lanço um olhar na direção de Miles.

— Parabéns, capitão.

Digo, baixinho, mas não sei por quê. Não é como se Corbin fosse suspeitar de algo se me escutasse parabenizando Miles. Vai ver acho que, dizendo numa altura que só Miles escute, a palavra adquira um significado a mais.

Miles desvia o olhar para mim, sorri e olha para Corbin. Ao ver que meu irmão ainda está de costas para nós, ele inclina-se e dá um rápido beijo na lateral da minha cabeça.

Eu deveria ter vergonha da minha fraqueza. Um homem não deveria ser capaz de fazer com que eu sinta o que esse beijo roubado me fez sentir. É como se, de repente, eu estivesse flutuando ou afundando ou voando. Qualquer coisa que não requeira apoio das pernas, pois elas acabaram de se tornar inúteis para mim.

— Obrigado — sussurra, ainda com aquele sorriso maravilhoso e modesto ao mesmo tempo. Empurra meu ombro com o seu e olha para os pés. — Você está bonita, Tate.

Quero colar essas quatro palavras num outdoor e me obrigar a passar por ele todos os dias no caminho para o trabalho. Nunca passaria outro dia sem trabalhar.

Por mais que eu queria acreditar na sinceridade daquele elogio, olho para o uniforme que estou usando há mais de 12 horas e franzo a testa.

— Estou de jaleco da Minnie Mouse.

Ele se inclina para perto de mim mais uma vez, até que nossos ombros se encostem.

— Sempre tive um fraco pela Minnie — afirma, baixinho.

Corbin vira-se, então faço o sorriso desaparecer do rosto imediatamente.

— Cabine ou mesa?

Miles e eu damos de ombros.

— Tanto faz — responde para Corbin.

Ian volta do banheiro no instante em que a hostess começa a nos levar para nossos lugares. Corbin e ele vão na frente, e Miles está logo atrás de mim. *Bem perto* de mim. As mãos seguram minha cintura enquanto ele se inclina na direção do meu ouvido.

— Meio que tenho um fraco por enfermeiras também — provoca.

Ergo o ombro para massagear o ouvido em que ele acabou de sussurrar a confissão, pois agora meu pescoço inteiro está arrepiado. Ele solta minha cintura e se distancia de mim ao chegarmos à cabine. Corbin e Ian entram, cada um de um lado. Miles senta-se ao lado de Ian, então eu me sento ao lado de Corbin, bem na frente de Miles.

Ele e eu pedimos refrigerantes, enquanto Ian e Corbin pedem cervejas. Sua escolha de bebida é apenas mais um assunto sobre o qual vou refletir. Várias semanas atrás, Miles admitiu que não costuma beber, mas, considerando que estava mais do que embriagado na noite em que o conheci, imaginei que fosse tomar pelo menos alguma coisinha naquele dia. Ele definitivamente tem o que comemorar. Quando as bebidas chegam à mesa, Ian ergue o copo.

— Por nos humilhar — diz ele.

— De novo.

— Por trabalhar o dobro de horas de vocês — diz Miles, na defensiva, em tom de brincadeira.

— Corbin e eu temos vidas sexuais que interferem em nossas horas extras — responde Ian.

Corbin balança a cabeça.

— Não vou discutir minha vida sexual na frente da minha irmã.

— Por que não? — contesto. — Até parece que não percebo as várias noites aleatórias que você dorme fora quando está de folga.

Meu irmão solta um grunhido.

— É sério. Vamos mudar de assunto.

Atendo ao pedido dele com alegria.

— Há quanto tempo vocês três se conhecem? — pergunto para ninguém em particular, embora só me importe com as respostas que envolvem Miles.

— Miles e eu conhecemos seu irmão na escola de aviação alguns anos atrás. Conheço Miles desde que tinha uns 9 ou 10 anos — explica Ian.

— Onze — corrige Miles. — Nos conhecemos no quinto ano.

Nem sei se essa conversa está quebrando a regra número um, de não perguntar sobre o passado, mas Miles não parece constrangido com o assunto.

A garçonete nos traz um cesto de pães de cortesia, mas ninguém sequer abriu o cardápio ainda, então ela diz que volta depois para anotar nossos pedidos.

— Ainda não consigo acreditar que você não é gay — comenta Corbin para Miles, mudando completamente de assunto mais uma vez enquanto abre o menu.

Miles lança a ele um olhar por cima do cardápio.

— Achei que não fôssemos discutir vida sexual.

— Não — retruca Corbin. — Falei que não iríamos discutir a *minha* vida sexual. Além disso, você nem mesmo tem o que discutir. — Corbin põe o cardápio na mesa e aborda Miles diretamente: — Mas sério mesmo. Por que você nunca namora ninguém?

Miles dá de ombros, mais interessado na bebida nas mãos do que em ficar encarando meu irmão.

— Na minha opinião, os relacionamentos não valem o resultado final.

Alguma coisa no meu coração se parte, e começo a me preocupar, achando que um dos rapazes pode até escutá-lo se fragmentando por cima do silêncio. Corbin recosta-se.

— Caramba. Ela deve ter sido uma escrota mesmo.

Meus olhos de repente grudam-se em Miles, esperando sua reação a uma possível revelação sobre o seu passado. Ele balança de leve a cabeça, negando silenciosamente a suposição de Corbin. Ian limpa a garganta, baixinho, e sua expressão muda, o sorriso que normalmente está no seu rosto desaparece. Pela reação, é óbvio que sabe quais são os problemas do passado de Miles.

Ian endireita a postura e ergue o copo, colocando um sorriso forçado nos lábios.

— Miles não tem tempo para garotas. Está ocupado demais quebrando os recordes da companhia e se tornando o capitão mais jovem do quadro de funcionários.

Aceitamos a interrupção de Ian e erguemos nossos copos, então brindamos e damos um gole.

O olhar de agradecimento que Miles lança na direção de Ian não me passa despercebido, mas Corbin parece não notar nada. Agora, estou ainda mais curiosa sobre Miles. E igualmente preocupada por achar que estou numa situação complicada, pois quanto mais tempo passo com ele, mais quero saber tudo o que for possível sobre seu passado.

— A gente devia comemorar — sugere Corbin.

Miles abaixa o cardápio.

— Achei que fosse isso que estávamos fazendo.

— Quis dizer *depois* daqui. Vamos sair hoje. Precisamos encontrar uma garota para acabar com essa sua seca — diz Corbin.

Quase cuspo minha bebida, mas ainda bem que consigo segurar a risada. Miles percebe minha reação e bate no meu tornozelo com o pé por debaixo da mesa, deixando o pé bem ao lado do meu.

— Estou bem assim. Além disso, o capitão precisa descansar.

Todas as letras do cardápio começam a se embaçar enquanto minha mente as substitui por palavras como *acabar* e *seca* e *descansar.*

Ian olha para Corbin e assente.

— Eu topo. Vamos deixar o capitão voltar para casa para curar a bebedeira de refrigerante.

Miles me prende com o olhar e ajusta a posição para que nossos joelhos encostem, então põe o pé na parte de trás do meu tornozelo.

— Quero mesmo dormir.

Ele troca o meu olhar pelo cardápio à sua frente.

— Vamos pedir logo para que eu possa voltar para casa e dormir. Parece que não durmo até tarde há nove dias, e não consigo pensar em mais nada além disso.

Minhas bochechas estão pegando fogo, assim como muitas outras partes do corpo.

— Na verdade, meio que estou com vontade de pegar no sono bem agora — continua Miles, desviando o olhar para encontrar o meu. — Bem aqui na mesa.

Agora, a temperatura no resto do meu corpo se igualou ao calor das bochechas.

— Nossa, como você é trouxa — brinca Corbin. — Deveríamos ter trazido Dillon no seu lugar.

— Não *mesmo* — retruca Ian, imediatamente, revirando os olhos de um jeito exagerado.

— Qual é a do Dillon? — pergunto. — Por que vocês todos o odeiam tanto?

Corbin dá de ombros.

— Não é que a gente o odeie, é que a gente não o suporta, e só percebemos isso depois que já tínhamos o convidado para nossas noites de jogo. Ele é um canalha. — Corbin me fulmina com o olhar de um jeito bem familiar. — E não quero nunca você sozinha com ele. Ser casado não o impede de ser babaca.

Aí está ele: o amor fraterno possessivo de que senti falta durante todos esses anos.

— Ele é perigoso?

— Não — diz Corbin. — Mas sei como trata o próprio casamento, e não quero que você se envolva com isso. Já deixei evidente pra ele que é proibido encostar em você.

Dou risada do absurdo.

— Eu tenho 23 anos, Corbin. Já pode parar de se comportar como papai.

Seu rosto se contrai, e, por um instante, ele até fica parecido com nosso pai.

— Nem morto — protesta Corbin, grunhindo. — Você é minha irmã caçula. Seus namorados têm que atender a certos requisitos, e Dillon não atende a nenhum deles.

Não mudou nem um pouco. Por mais que isso tenha sido irritante durante o colégio, e ainda seja um pouco, eu amo o fato de ele desejar o melhor para mim. Só temo que sua percepção do que é melhor para mim talvez não exista.

— Corbin, ninguém nunca vai chegar perto de atender a esses requisitos que você tem.

Ele assente, sentindo-se o dono da razão.

— Não mesmo.

Se ele avisou a Dillon para ficar longe de mim, será que não fez o mesmo com Miles e Ian? Pensando bem, Corbin achava que Miles fosse gay, então provavelmente não via nenhuma possibilidade de algo acontecer entre nós.

Será que Miles atenderia aos requisitos de Corbin?

Meus olhos estão mais do que ávidos para olhar para Miles, mas tenho medo de ser óbvia demais. Em vez disso, forço um sorriso e balanço a cabeça.

— Por que não nasci primeiro?

— Não ia fazer nenhuma diferença — responde Corbin.

* * *

Ian sorri para a garçonete e faz o sinal da conta.

— Deixem comigo.

Ele põe dinheiro suficiente na mesa para a conta e a gorjeta, e todos nós nos levantamos e nos espreguiçamos.

— Então, quem vai pra onde? — pergunta Miles.

— Bar — responde Corbin, imediatamente, como se não quisesse perder a vez.

— Acabei de completar um turno de 12 horas — digo. — Estou acabada.

— Posso pegar carona com você? — pede Miles, enquanto todos nos encaminhamos para a saída. — Não estou a fim de sair hoje. Tudo que quero é *dormir*.

Gosto do fato de ele não disfarçar a ênfase na palavra *dormir* na frente de Corbin. É como se quisesse garantir que eu perceba que ele não tem a mínima intenção de dormir de verdade.

— Pode, meu carro está no hospital — afirmo, apontando mais ou menos na direção do trabalho.

— Está bem — diz Corbin, unindo as mãos. — Vocês, trouxas, podem ir dormir. Ian e eu vamos sair. — Corbin dá meia-volta, e eles partem na outra direção, sem perder tempo. Então Corbin vira-se para nós outra vez, andando de costas no mesmo ritmo de Ian. — Vamos virar uma dose em sua homenagem, El Capitán!

Miles e eu continuamos parados, cercados por um círculo de luz que provém de um poste enquanto observamos eles se afastarem. Olho para o chão da calçada e levo um dos meus sapatos até a borda do círculo de luz, vendo-o desaparecer na escuridão. Ergo o olhar para o poste, perguntando-me por que está nos iluminando com a intensidade de um holofote.

— Parece que estamos num palco — digo, ainda olhando para a luz estranha.

Ele inclina a cabeça para trás e junta-se a mim na minha inspeção da luz estranha.

— *O Paciente Inglês* — diz ele, ao que respondo com um olhar interrogativo. Ele aponta para o poste. — Se estivéssemos num palco, provavelmente seria numa produção de *O Paciente Inglês*. — Então, aponta para nós dois. — Já estamos com as roupas dos personagens. Uma enfermeira e um piloto.

Fico pensando no que ele disse, talvez um pouco demais. Sei que disse que é o piloto, mas, se realmente estivéssemos no palco encenando *O Paciente Inglês*, acho que ele estaria mais para o soldado. O soldado é o personagem que se envolve sexualmente com a enfermeira. Não o piloto.

Mas quem tem o passado de segredos é o piloto...

— Foi por causa desse filme que virei enfermeira — conto, com o rosto sério.

Ele põe as mãos de volta no bolso, desviando o olhar do poste para mim.

— Sério?

Deixo escapar uma risada.

— Não.

Miles sorri.

Nós dois nos viramos ao mesmo tempo para voltarmos ao hospital. Percebo que estou aproveitando o instante de calma na nossa conversa para construir um poema terrível na minha cabeça.

Miles não sorri
Para ti
Miles só sorri
Para mim

— Por que o sorriso? — pergunta.

Porque estou recitando versos vergonhosos sobre você, típicos de uma menina do terceiro ano.

Fecho a boca, obrigando o sorriso a desaparecer. Após ter certeza de que realmente sumiu, respondo.

— Só estava pensando no meu cansaço. Estou ansiosa por uma boa noite de... — lanço-lhe um olhar — *sono*.

Agora é ele quem está sorrindo.

— Entendo. Acho que nunca me senti tão cansado. Poderia até dormir assim que entrássemos no carro.

Seria ótimo.

Sorrio, mas me retiro da conversa regada a metáforas. O dia foi longo e estou realmente cansada. Andamos em silêncio, mas não consigo deixar de perceber que suas mãos estão enfiadas nos bolsos da jaqueta com bastante firmeza, como se estivesse me protegendo delas. Ou talvez esteja *as* protegendo de *mim*.

Estamos a apenas um quarteirão do estacionamento quando seus passos desaceleram e, depois, param de vez. Naturalmente, paro de andar e me viro para ver o que chamou sua atenção. Ele está olhando para o céu, e meus olhos focam-se na cicatriz que percorre seu maxilar. Quero perguntar a ele sobre aquela cicatriz. Quero perguntar sobre tudo. Quero perguntar um milhão de coisas, começando com quando é seu aniversário e como foi seu primeiro beijo. Depois, quero perguntar sobre seus pais e toda a infância, e seu primeiro amor.

Quero perguntar sobre Rachel. Quero saber o que aconteceu entre eles dois e por que o que quer que tenha acontecido fez com que ele quisesse evitar qualquer forma de intimidade por mais de seis anos.

Mais do que tudo, quero saber o que ele viu em mim para finalmente ter vontade de acabar com essa fase.

— Miles — digo, com as perguntas querendo saltar da ponta da minha língua.

— Senti uma gota de chuva.

Antes que ele complete a frase, também sinto uma gota. Agora, ambos estamos olhando para o céu, e engulo todas as perguntas com o nó na garganta. As gotas começam a cair com mais rapidez, mas continuamos parados com os rostos virados para o céu. Os pingos esporádicos transformam-se em chuvisco, e depois em chuva pesada, mas nenhum de nós se mexeu. Nenhum de nós saiu correndo na direção do carro. A chuva está escorrendo pela minha pele, meu pescoço, entrando no meu cabelo e encharcando minha camisa. Meu rosto ainda se inclina na direção do céu, mas agora os olhos estão fechados.

Não existe nada no mundo comparável à sensação e ao cheiro de uma chuva recém-caída.

Assim que esse pensamento me passa pela cabeça, mãos quentes encontram minhas bochechas e deslizam até a base do meu pescoço, roubando a força dos meus joelhos e o ar dos pulmões. Agora, a altura dele está me protegendo de boa parte da chuva, mas fico de olhos fechados e rosto virado para o céu. Seus lábios descem delicadamente até cobrirem os meus, e percebo que estou comparando a sensação e o cheiro de chuva nova com o beijo dele.

O beijo dele é muito, *muito* melhor.

Seus lábios estão molhados de chuva e um pouco frios, algo que compensa com o carinho quente de sua língua contra a minha. A chuva caindo, a escuridão nos cercando e ser beijada assim me faz sentir como se realmente estivéssemos num palco e nossa história tivesse acabado de chegar ao clímax. Parece que meu coração e minha barriga e minha alma estão todos tentando sair de mim e entrar nele. Se todos os meus 23 anos formassem um gráfico, esse momento estaria no topo da curva.

Eu provavelmente deveria ficar um pouco triste e desapontada com isso. Já tive alguns namoros sérios no passado, mas não me lembro de nenhum beijo que tenha me feito sentir tanta coisa. O fato de nem estar namorando Miles e, mesmo assim, ele mexer tanto comigo devia significar alguma coisa, mas estou focada demais na sua boca para analisar esse pensamento.

A chuva ficou torrencial, mas, pelo jeito, não nos incomodamos com isso. Suas mãos descem até minha lombar, e cerro o punho ao redor de sua camisa, puxando-o para perto. A boca se encaixa na minha como duas peças do mesmo quebra-cabeça.

A única coisa capaz de me separar dele nesse momento seria um raio.

Ou o fato de que está chovendo tanto que não consigo respirar. Minhas roupas estão grudadas em partes do corpo onde eu nem sabia que era possível grudar tecido. Meu cabelo já saturou e não consegue absorver nem mais uma gota d'água.

Empurro-o até ele soltar a boca da minha, e em seguida enterro a cabeça debaixo do seu queixo e olho para baixo para poder respirar sem me afogar. Ele põe o braço ao redor dos meus ombros e me acompanha até o estacionamento, erguendo a jaqueta por cima da minha cabeça, então acelera o ritmo, e acompanho seus passos até estarmos ambos correndo.

Finalmente chegamos ao carro, e ele se aproxima da porta do motorista comigo, ainda me protegendo da chuva. Após eu entrar, ele corre para o lado do passageiro. Então nós dois fechamos as portas e o silêncio dentro do carro amplia a intensidade da nossa respiração ofegante. Ponho as mãos atrás da cabeça, junto o cabelo e o torço para tirar o excesso de água, que escorre pelo meu pescoço, minhas costas e meu banco. É a primeira vez que me sinto aliviada por ter bancos de couro na Califórnia.

Abaixo a cabeça e suspiro fortemente, em seguida lanço um olhar em sua direção.

— Acho que nunca fiquei tão molhada na vida.

Vejo um sorriso surgir lentamente no rosto dele. Fica óbvio que seus pensamentos sórdidos falaram mais alto diante dessa frase.

— Tarado — sussurro, em tom de brincadeira.

Ele ergue a sobrancelha e abre um sorriso malicioso.

— Culpa sua.

Miles estende o braço por cima do banco e cerca meu punho com os dedos, me puxando na sua direção.

— Vem aqui.

Faço um rápido inventário dos nossos arredores, mas a chuva está caindo com tanta força que nem consigo enxergar o que tem lá fora. O que significa que ninguém consegue enxergar o que tem *aqui dentro*.

Posiciono-me em cima dele e fico sentada no seu colo enquanto ele reclina o banco o máximo possível. No entanto, ele não me beija. Suas mãos descem pelos meus braços e param nos quadris.

— Nunca transei dentro de um carro — diz ele, com um pouco de esperança na confissão.

— Nunca transei com um *capitão* antes — respondo.

Ele passa as mãos por debaixo da camisa do meu uniforme, subindo-as pela barriga até encontrar meu sutiã. Segura meus seios, inclina-se para a frente e me beija, mas não dura muito, pois ele se separa para falar novamente.

— Nunca transei *sendo* capitão.

Sorrio.

— Eu nunca transei de jaleco.

As mãos deslizam até minhas costas, e ele as mergulha dentro do elástico da cintura e puxa meus quadris para perto no mesmo instante em que se ergue só um pouquinho, imediatamente fazendo com que eu segure seus ombros com mais força e ofegue pelos lábios. Sua boca move-se até meu ouvido enquanto as mãos recriam o ritmo sensual entre nós ao puxar meus quadris para a frente mais uma vez.

— Por mais que fique sexy com esse uniforme, vou achar bem melhor transar com você pelada.

Fico envergonhada ao ver com que facilidade suas palavras me fazem gemer. Também fico envergonhada ao ver com que rapidez sua voz acaba comigo, a ponto de provavelmente querer que minhas roupas desapareçam mais do que ele.

— Por favor, me diga que veio preparado — suplico, com a voz já tomada pelo desejo.

Ele balança a cabeça.

— Só porque sabia que ia vê-la hoje, não significa que vim com expectativas.

Fico desapontada imediatamente. Ele ergue-se do assento e desliza a mão para dentro do bolso de trás.

— Mas vim com esperança pra caramba.

Ele tira a camisinha da carteira sorrindo, e nós dois entramos em ação imediatamente. Minhas mãos prendem-se ao botão da sua calça com mais rapidez do que nossas bocas se encontram. Ele sobe as mãos por debaixo da minha camisa e começa a abrir meu sutiã, mas eu balanço a cabeça.

— Pode deixar assim — digo, ofegante.

Quanto menos roupas tirarmos, mais rápido nos vestiremos caso alguém nos pegue no flagra.

Ele continua abrindo-o, apesar do meu aviso.

— Só quero ficar dentro de você se puder sentir seu corpo contra o meu.

Uau. Tá bom então.

Depois de abri-lo, ele tira minha camisa pela cabeça, e os dedos deslizam por debaixo das alças do sutiã. Ele puxa-as pelos meus braços até tirá-lo, então joga-o no banco de trás e depois tira a própria camisa. Uma vez que esta se junta ao meu sutiã no banco de trás, ele põe os braços ao meu redor e me puxa contra o corpo até nossos peitos encostarem.

Imediatamente, inspiramos com rapidez. O calor do corpo dele cria uma sensação da qual não quero me afastar. Ele começa a descer pelo meu pescoço com beijos, sua respiração fazendo ondas selvagens contra minha pele.

— Você não faz ideia do efeito que tem em mim — sussurra contra minha garganta.

Sorrio, pois acabei de pensar a mesma coisa.

— Ah, acho que faço sim — respondo.

Sua mão esquerda apalpa um dos meus seios, e ele geme enquanto a mão direita entra na minha calça.

— Tire — ordena, simplesmente, puxando o elástico.

Não precisa pedir duas vezes. Sento de volta no meu banco vazio e começo a tirar o resto da roupa enquanto o vejo abrir o zíper da calça jeans.

Seus olhos estão por todo o meu corpo enquanto ele rasga a embalagem da camisinha com os dentes. Quando a única peça de roupa entre nós é a sua calça desabotoada, aproximo-me dele.

Sinto-me ridiculamente constrangida por estar pelada dentro do meu carro, no estacionamento do meu trabalho. Nunca fiz nada parecido com isso antes. Nunca *quis* fazer nada parecido com isso antes. Adoro o desespero que sentimos um pelo outro nesse momento, mas também sei que nunca tive esse tipo de química com ninguém antes.

Ponho as mãos em seus ombros e começo a sentar nele enquanto ele coloca a camisinha.

— Não faça barulho — brinca. — Seria péssimo se você fosse demitida por minha causa.

Olho para a janela, ainda sem conseguir enxergar o exterior.

— Está chovendo forte demais para que alguém nos escute. Além disso, foi você quem fez mais barulho da última vez.

Ele nega com uma risada rápida e começa a me beijar novamente. Suas mãos agarram meus quadris e me puxam para perto, posicionando-se contra mim. Normalmente essa posição me faria gemer, mas estou me sentindo teimosa em relação aos meus barulhos agora que ele tocou no assunto.

— Não fiz mais barulho que você de jeito nenhum — diz ele, com os lábios ainda tocando os meus. — No máximo, empatamos.

Balanço a cabeça.

— Não acredito em terminar as coisas com empate. É apenas uma fuga para as pessoas que têm medo demais de perder.

Suas mãos encontram meus quadris, e ele está posicionado contra mim de tal maneira que tudo que basta para que ele penetre em mim é que eu permita. No entanto, estou me recusando a aproximar meu corpo do dele simplesmente por gostar de competições, pois sinto que tem uma prestes a começar.

Ele ergue os quadris, obviamente pronto para começar. Minhas pernas contraem-se, e eu me afasto apenas o suficiente.

Miles ri da minha resistência.

— O que foi, Tate? Ficou com medo agora? De que vejamos quem é o barulhento depois que eu meter em você?

Há um brilho desafiador nos seus olhos. Não aceito verbalmente o desafio. Em vez disso, mantenho o olhar fixo no seu enquanto desço lentamente sobre seu corpo. Arquejamos ao mesmo tempo, mas é o único som que há entre nós.

Assim que ele está totalmente dentro de mim, suas mãos vão para minhas costas, e ele me puxa. Nossos únicos barulhos são fortes suspiros e ofegadas ainda mais intensas. A chuva que golpeia as janelas e o teto amplia o silêncio dentro do carro.

A força que precisamos para nos conter está ligada à necessidade de nos agarrar com mais desespero. Seus braços estão ao redor da minha cintura, segurando-me com tanta força que é difícil me mexer. Meus braços cercam seu pescoço, e os olhos estão fechados. Nesse momento, mal estamos nos movendo, devido ao tanto que estamos nos agarrando um contra o outro, mas gosto disso. Gosto do nosso ritmo lento e constante enquanto focamos em continuar reprimindo os gemidos presos na garganta.

Continuamos do mesmo jeito por vários minutos, movendo nossos corpos apenas o suficiente, mas, ao mesmo tempo, parece *completamente* longe de ser o bastante. Acho que estamos ambos com medo de realizar algum movimento repentino e intenso que faça algum de nós perder.

Uma de suas mãos desliza até minha lombar, e a outra vai para a parte de trás da minha cabeça. Ele segura um tanto do meu cabelo e dá uma leve puxada, até minha garganta ficar exposta à sua boca. Contraio-me no instante em que seus lábios tocam meu pescoço, pois ficar quieta está sendo bem mais desafiador do que eu imaginava. Especialmente considerando que ele está em vantagem devido à nossa posição. Suas mãos estão livres para perambular por onde quiserem, e é exatamente o que estão fazendo.

Perambulando, acariciando, descendo pela minha barriga até conseguir tocar no único local capaz de me fazer conceder a ele a vitória.

Fico com a sensação de que está trapaceando.

Assim que os dedos encontram o local exato que normalmente me faria gritar seu nome, seguro seus ombros com mais força e reposiciono os joelhos para ter mais controle sobre meus movimentos. Quero que ele seja tão torturado nas minhas mãos quanto estou sendo nas dele.

Assim que me reposiciono e consigo descer mais ainda o corpo sobre o dele, o ritmo lento e constante desaparece. Sua boca encontra a minha num beijo descontrolado... com mais desejo e força do que qualquer beijo de antes. É como se estivéssemos fazendo aquilo para nos livrar do desejo natural de verbalizar o quanto está sendo gostoso.

De repente, sou atingida por uma sensação que se espalha por todo o meu corpo, e preciso sair de cima dele e ficar parada para não perder o controle. Apesar da minha necessidade de desacelerar as coisas, ele faz o oposto e me pressiona mais com a mão. Enterro o rosto contra seu pescoço e mordo seu ombro delicadamente para não gemer o nome dele.

No instante em que meus dentes encostam na sua pele, escuto a respiração parar, e sinto suas pernas enrijecerem.

Ele quase perde.

Quase.

Se ele penetrar um único centímetro mais fundo enquanto me toca dessa forma, vai ganhar. Não quero que ele ganhe.

Ao mesmo tempo, meio que *quero* que ele ganhe, e estou achando que ele *quer* ganhar pela maneira como está respirando contra o meu pescoço, abaixando-me delicadamente sobre seu corpo mais uma vez.

Miles, Miles, Miles.

Estou sentindo que isso não vai terminar em empate, então ele me pressiona mais com os dedos ao mesmo tempo em que sua língua encosta na minha orelha.

Ah, uau.

Estou prestes a perder.

A qualquer segundo.

Ai, meu Deus.

Ele ergue os quadris enquanto me puxa contra si, obrigando um *Miles!* involuntário a sair da minha boca, junto a um arquejo e um gemido. Saio de cima dele, mas, assim que percebo que ele acabou de vencer, ele exala fortemente e me puxa de novo contra seu corpo, com ainda mais força.

— Finalmente — exclama, ofegante, no meu pescoço. — Acho que não aguentaria nem mais um segundo.

Agora que a competição acabou, ambos nos entregamos completamente, até fazermos tanto barulho que precisamos nos beijar de novo, só para abafar os sons. Os corpos movimentam-se em sintonia, acelerando, esmagando-se um contra o outro. Continuamos no nosso ritmo frenético por mais alguns minutos, aumentando a intensidade até que eu tenha certeza de que não aguento nem mais um segundo dele.

— Tate — diz ele contra a minha boca, desacelerando meus quadris com as mãos. — Quero gozar com você.

Ah, puta merda.

Se quer que eu demore mais, não pode dizer coisas desse tipo. Faço que sim, incapaz de responder de maneira coerente.

— Você está quase lá? — pergunta ele.

Faço que sim com a cabeça e me esforço ao máximo para conseguir falar desta vez, mas a única coisa que sai é outro gemido.

— Isso é um sim?

Seus lábios pararam de beijar os meus, e ele agora está focado na minha resposta. Levo minhas mãos até a parte de trás de suas costas e pressiono minha bochecha na sua.

— Sim — murmuro, de alguma maneira. — Sim, Miles. *Sim.*

Sinto-me contrair o corpo na mesma hora em que ele inspira fortemente.

Achei que estávamos nos segurando muito antes, mas aquilo nem se compara ao nosso estado agora. Parece que todos os nossos sentidos se fundiram como mágica, e estamos tendo exatamente as mesmas sensações, fazendo exatamente os mesmos barulhos, sentindo exatamente a mesma intensidade e compartilhando exatamente a mesma reação.

O ritmo começa a diminuir aos poucos, junto ao tremor do nosso corpo. Deixamos de nos segurar com tanta força. Ele enterra o rosto no meu cabelo e expira intensamente.

— Perdedora — murmura.

Dou risada e me mexo para morder seu pescoço de brincadeira.

— Você trapaceou — digo. — Colocou um reforço ilegal no jogo quando começou a usar as mãos.

Ele ri, balançando a cabeça.

— Usar a mão é justo. Mas, se acha que trapaceei, talvez devêssemos ter uma revanche.

Ergo a sobrancelha.

— Melhor de três?

Ele me ergue pela cintura e começa a me empurrar contra a porta do passageiro enquanto tenta ir para trás do volante. Devolve minhas roupas, veste a camisa e abotoa a calça jeans. Depois que se ajeita, eu me ajusto no banco do passageiro e termino de me vestir enquanto ele liga o carro, engata a marcha à ré e começa a sair da vaga.

— Aperte o cinto — diz ele, com uma piscadela.

* * *

Mal conseguimos sair do elevador, e foi pior ainda para chegar na cama dele. Quase me comeu no próprio corredor. O mais triste é que eu não teria me incomodado.

Ele ganhou de novo. Estou começando a perceber que competir para ver quem faz menos barulho não é uma boa ideia quando o meu oponente é a pessoa mais naturalmente quieta que já conheci.

No round três, pego ele. Mas agora não, porque é bem provável que Corbin chegue em casa em breve.

Miles está me encarando, deitado de barriga para baixo, com as mãos dobradas no travesseiro e a cabeça apoiada nos braços. Estou me vestindo, pois quero chegar em casa antes de Corbin para não ter que mentir sobre onde estava.

Miles me segue com os olhos pelo quarto enquanto me visto.

— Acho que seu sutiã ainda está no corredor — avisa ele, rindo. — É melhor ir lá pegar antes que Corbin o encontre.

Enrugo o nariz só de pensar nisso.

— Boa ideia.

Ajoelho-me na cama e o beijo na bochecha, mas ele põe o braço ao redor da minha cintura e me puxa enquanto deita de costas. Ele me dá um beijo ainda melhor do que o que eu estava dando nele.

— Posso fazer uma pergunta?

Ele faz que sim, mas de uma maneira forçada. Fica nervoso com as minhas perguntas.

— Por que nunca faz contato visual quando estamos transando?

Aquilo o pega de surpresa. Ele me olha por vários instantes de silêncio, até que me afasto e sento ao lado dele na cama, esperando a resposta.

Ele se senta e se encosta na cabeceira, olhando para as próprias mãos.

—As pessoas ficam vulneráveis durante o sexo — afirma, dando de ombros. — É fácil achar que sentimentos e emoções são algo que não são, especialmente quando envolve contato visual. — Ele ergue os olhos até os meus. — Isso incomoda você?

Estou balançando a cabeça, dizendo que não, mas meu coração está gritando: *sim!*

— Acho que vou me acostumar. Só estava curiosa.

Adoro ficar com ele, mas, a cada nova mentira que sai dos meus lábios, me odeio mais.

Ele sorri e me puxa para sua boca mais uma vez, beijando-me com jeito de despedida.

— Boa noite, Tate.

Afasto-me e saio do quarto, sentindo seus olhos em mim o tempo inteiro. É engraçado como se recusa a fazer contato visual durante o sexo, mas não consegue tirar os olhos de mim no resto do tempo.

Não estou a fim de voltar ao apartamento ainda, então, depois de pegar meu sutiã, vou ao elevador e desço até a portaria para ver se Cap ainda está por lá. Mal deu para acenar para ele mais cedo, com Miles me empurrando para o elevador e me atacando.

Obviamente, Cap ainda está enraizado na cadeira, apesar de passar das dez.

— Você não dorme nunca? — pergunto, enquanto vou até a cadeira ao seu lado.

— As pessoas são mais interessantes à noite. Gosto de dormir até tarde. Evito todos aqueles tolos que saem apressados de manhã.

Suspiro bem mais alto do que queria ao encostar a cabeça na cadeira. Cap percebe e olha para mim.

— Ah, não. Problemas com o garoto? Vocês dois pareciam estar se dando muito bem algumas horas atrás. Acho que até vi um sorriso se insinuando no rosto dele quando chegaram.

— Está tudo bem. — Paro por alguns segundos, organizando os pensamentos. — Já se apaixonou alguma vez, Cap?

Um sorriso espalha-se lentamente pelo seu rosto.

— Ah, sim — diz ele. — O nome dela era Wanda.

— Por quanto tempo ficaram casados?

Ele olha para mim e ergue a sobrancelha.

— Nunca me casei. Mas acho que o casamento de Wanda durou uns quarenta anos antes que ela falecesse.

Inclino a cabeça, tentando entender o que está dizendo.

— Você precisa me contar mais do que isso.

Ele endireita a postura na cadeira, com o sorriso ainda no rosto.

— Ela morava num dos prédios onde eu cuidava da manutenção. Era casada com um filho da mãe que só passava duas semanas por mês em casa. Eu me apaixonei por ela quando tinha uns 30 anos. Ela estava com uns 25. As pessoas simplesmente não se divorciavam naquela época. Especialmente mulheres como ela, que vinham de uma família como a dela. Então passei os vinte e cinco anos seguintes amando-a o máximo possível durante duas semanas de cada mês.

Fico encarando-o, sem saber como responder. Não é a história de amor típica que as pessoas costumam contar. Nem sei se isso pode ser *considerado* uma história de amor.

— Sei o que está pensando. Parece deprimente. Parece mais uma tragédia.

Faço que sim, confirmando sua suposição.

— O amor nem sempre é bonito, Tate. Às vezes você passa o tempo inteiro desejando que um dia ele mude. Que melhore. E aí, antes que perceba, você já voltou para a estaca zero e perdeu o seu coração em algum lugar no meio do caminho.

Paro de olhar para ele e viro para a frente. Não quero que veja minha testa franzindo e não consigo parar de fazer isso.

Será que é isso que estou fazendo? Esperando que as coisas com Miles fiquem diferentes? Melhores? Fico pensando nas palavras dele por tempo demais. Por tanto tempo que até escuto um ronco. Lanço um olhar na direção de Cap, que está com o queixo encostado no peito. Sua boca está escancarada, e ele apagou.

capítulo dezoito
MILES

Seis anos antes

Massageio suas costas para tranquilizá-la.
— Mais dois minutos — digo.
Ela faz que sim, mas fica com o rosto pressionado
nas palmas das mãos. Não quer olhar.
Não digo a ela que, na verdade, não precisamos dos dois
minutos. Não digo que o resultado já apareceu, bem nítido.
Não digo a Rachel ainda que ela está grávida, pois
ela ainda tem dois minutos de esperança.
Continuo massageando suas costas. Quando o timer apita, ela
não se mexe. Não se vira para ver o resultado. Abaixo a cabeça
até o lado da sua, deixando a boca perto do seu ouvido.
— Sinto muito, Rachel — sussurro. —
Sinto muito, muito mesmo.

Ela cai aos prantos.
Meu coração se despedaça ao ouvi-la.
É culpa minha. A culpa é toda minha.
A única coisa em que consigo pensar nesse momento é em como corrigir a situação.
Viro-me para ela e a abraço.
— Vou dizer a eles que você não está se sentindo bem e que não pode ir ao colégio hoje. Quero que fique aqui até eu voltar.
Ela nem assente. Continua chorando, então pego-a no colo e a carrego até a cama. Volto para o banheiro, guardo o teste e o escondo debaixo da pia, lá atrás.
Corro até meu quarto e troco de roupa.
Vou embora.
Passo boa parte do dia fora.
Corrigindo a situação.
Quando finalmente paro o carro na frente de casa, ainda falta quase uma hora para que meu pai e Lisa retornem. Pego tudo no banco da frente e corro lá para dentro para ver como ela está. Esqueci o telefone em casa quando saí apressado de manhã, então não tive mesmo como falar com ela antes, e estaria mentindo se dissesse que isso não me deixou arrasado.
Entro.
Vou até a porta dela.
Tento abrir, mas está trancada.
Bato.
— Rachel?
Escuto algum movimento. Alguma coisa esbarra na porta, e pulo para trás. Quando percebo o que aconteceu, dou outro passo para a frente e bato à porta com força.
— Rachel! — grito, frenético. — Abra a porta!
Escuto-a chorando.
— Vá embora!
Dou dois passos para trás, me jogo para a frente e bato o ombro na porta com o máximo de força. Ela se escancara, e eu corro

para dentro do quarto. Rachel está em posição fetal contra a cabeceira da cama, chorando nas próprias mãos. Vou até ela.

Ela me afasta.

Volto para perto dela.

Ela me dá um tapa e sai da cama. Levanta-se, empurrando-me para trás, pressionando as palmas da mão no meu peito.

— Odeio você! — grita, em meio às lágrimas.

Agarro suas mãos e tento acalmá-la. Ela fica mais zangada ainda. — Vá logo embora! — exclama. — Se não quer nada comigo, vá embora e pronto!

Fico chocado com as palavras dela.

— Rachel, pare — imploro. — Estou aqui. Não vou a lugar algum.

Agora, as lágrimas estão mais intensas. Ela grita comigo. Diz que eu a abandonei. Que a coloquei na cama de manhã e fui embora porque não sabia enfrentar a situação. Que estava decepcionado com ela.

Amo você, Rachel. Mais do que me amo.

— Amor, não — digo a ela, puxando-a para perto.

— Não abandonei você. Falei que ia voltar.

Odeio que ela não tenha entendido por que saí.

Odeio o fato de não ter explicado para ela.

Acompanho-a de volta até a cama e a encosto na cabeceira.

— Rachel — digo, tocando sua bochecha manchada de lágrimas —, não estou decepcionado com você. Nem um pouco. Estou decepcionado comigo mesmo. E é por isso que quero fazer tudo que puder para mudar essa situação para você. Para *nós*. Foi o que fiz hoje. Estava tentando achar uma maneira de melhorar as coisas para nós.

Eu me levanto, pego as pastas e as espalho na cama. Mostro tudo para ela. Mostro os panfletos sobre alojamento familiar que peguei no campus. Mostro os formulários que precisamos preencher para a creche gratuita do campus. Mostro os panfletos de ajuda financeira e aulas noturnas e as avaliações

dos cursos on-line e a lista de orientadores acadêmicos e como tudo se encaixa com os meus horários da escola de aviação. Todas as possibilidades estão na frente dela, e quero que veja que, apesar de não termos desejado isso, apesar de não termos planejado isso... nós *vamos conseguir*.
— Sei que vai ser bem mais difícil com um bebê, Rachel. *Sei* disso. Mas não é impossível.
Ela fica encarando tudo o que coloquei na sua frente. Fico observando-a em silêncio até seus ombros começarem a tremer e ela cobrir a boca com a mão. Seu olhar encontra o meu enquanto lágrimas gigantes escorrem. Ela engatinha para a frente e joga os braços ao redor do meu pescoço.
Diz que me ama.
Você me ama tanto, Rachel.
Ela me beija sem parar.
— Vamos conseguir, Miles — sussurra no meu ouvido.
Faço que sim e retribuo o abraço.
— Vamos conseguir, Rachel.

capítulo dezenove
TATE

É quinta-feira.

Noite de jogo.

Normalmente, o barulho do jogo deles me irrita. Nesse instante, é música para meus ouvidos, pois sei que Miles deve estar na minha casa. Não faço ideia do que esperar dele, nem desse acordo que temos. Não troco mensagens ou falo com ele há cinco dias, desde que viajou.

Sei que não deveria estar fazendo isso, pois tenho pensado demais nele. Para algo que deveria ser casual, o que sinto não parece nada casual. Para mim, tem sido extremamente envolvente. Até mesmo intenso. Praticamente, tudo o que tenho feito é pensar nele desde aquela noite na chuva, e é bem ridículo estender o braço para a maçaneta do meu próprio apartamento e ver que a porcaria da minha mão está tremendo só porque ele pode estar lá dentro.

Abro a porta, e Corbin é o primeiro a olhar para cima. Ele me cumprimenta com a cabeça, mas sequer diz oi. Ian acena do sofá e depois olha de volta para a TV.

Os olhos de Dillon percorrem meu corpo inteiro, e faço o máximo para não revirar os meus.

Miles não faz nada, porque Miles não está aqui.

Meu corpo inteiro suspira, desapontado. Solto a bolsa na cadeira vazia da sala e digo para mim mesma que é bom que ele não esteja aqui, pois, de qualquer forma, tenho dever de casa demais para fazer.

— Tem pizza na geladeira — avisa Corbin.

— Legal.

Entro na cozinha e abro o armário para pegar um prato. Escuto passos aproximando-se de mim, e meu coração acelera.

Sinto um toque na minha lombar, e imediatamente sorrio e me viro para ver Miles.

Mas não é Miles. É Dillon.

— Oi, Tate — diz ele, estendendo o braço ao meu redor na direção do armário. A mão que tocou minha lombar ainda está no meu corpo, mas, agora que me virei para ele, foi para a cintura. Ele mantém o olhar fixo no meu enquanto abre o armário. — Só preciso de um copo para minha cerveja — diz, justificando o fato de estar aqui. Me *tocando*. Com o rosto a meros centímetros do meu.

Odeio o fato de ter me visto sorrindo quando me virei. Acabo de passar a impressão errada.

— Bem, no meu bolso não tem copo nenhum — repreendo, tirando a mão dele de mim.

Desvio o olhar de Dillon no instante em que Miles entra na cozinha. Seus olhos estão perfurando a parte do meu corpo em que Dillon estava tocando.

Miles viu a mão de Dillon em mim.

Miles está olhando para Dillon como se ele tivesse acabado de cometer um assassinato.

— Desde quando você toma cerveja em copo? — questiona Miles.

Dillon vira-se, olha para Miles e depois para mim, dando um sorriso descarado e sedutor.

— Desde que Tate estava perto do armário.

Merda. Não está nem tentando disfarçar. Acha que estou a fim dele.

Miles vai até a geladeira e a abre.

— E aí, Dillon? Como está sua *esposa*?

Miles não tira nada da geladeira. Está parado, encarando-a, com os dedos segurando o puxador. Acho que nunca foi segurado com tanta força.

Dillon ainda olha fixamente para mim.

— Está no trabalho. Por pelo menos mais quatro horas.

Miles bate a porta da geladeira e dá dois passos rápidos na direção de Dillon, que se empertiga. Imediatamente, eu me afasto alguns passos dele.

— Corbin disse especificamente que você não encostasse na irmã dele. Respeita ele, porra!

A mandíbula de Dillon contrai-se, e ele não se afasta nem desvia o olhar. Na verdade, dá um passo para perto de Miles, sem deixar nenhum espaço entre os dois.

— Estou achando que isso aqui não é por causa de *Corbin* — provoca Dillon, fervendo de raiva.

Meu coração dispara. Estou me sentindo culpada por ter passado a impressão errada para Dillon, e ainda mais culpada por estarem discutindo sobre isso agora. Mas, caramba, adoro ver que Miles o odeia tanto. Só queria saber se é porque não gosta de ver Dillon dando em cima de alguém quando tem uma esposa em casa ou se não gosta de ver Dillon dando em cima de *mim*.

E agora Corbin está na porta.

Merda.

— O *que* não é por minha causa? — pergunta Corbin, observando o impasse entre os dois.

Miles dá um passo para trás e se vira para ficar na direção de Dillon e Corbin ao mesmo tempo. Seus olhos continuam bem firmes nos de Dillon.

— Ele está tentando comer sua irmã.

Meu Deus, Miles. Já ouviu falar em eufemismo?
Corbin sequer esboça uma careta.
— Vá para casa atrás da sua esposa, Dillon — manda, com firmeza.

Por mais vergonhoso que isso seja, não faço nada para defender Dillon, pois tenho a impressão de que Miles e Corbin estavam procurando uma desculpa para acabar a amizade com ele havia tempos. Além disso, nunca defenderia um homem que não respeita o próprio casamento. Dillon fica encarando Corbin por vários segundos particularmente longos e, em seguida, se vira para mim, ficando de costas para Miles e Corbin.

Esse garoto quer mesmo morrer.
— Moro no 1012 — sussurra, piscando para mim. — Passe lá quando quiser. Ela trabalha de segunda à sexta durante a noite. — Vira-se e passa entre Corbin e Miles. — Vocês dois podem ir se foder.

Corbin vira-se de punhos cerrados e começa a seguir Dillon, mas Miles agarra seu braço e o puxa de volta para a cozinha. Ele solta o braço de Corbin somente quando a porta do apartamento se fecha.

Corbin vira-se para mim, e parece tão zangado que fico surpresa por não ter fumaça saindo dos seus ouvidos. O rosto está vermelho, e ele está estalando os nós dos dedos. Havia me esquecido de quão superprotetor ele é comigo. Parece que tenho 15 anos de novo, mas agora tenho *dois* irmãos superprotetores.

— Apague esse número da mente, Tate — manda Corbin.

Balanço a cabeça, um tanto decepcionada por ele sequer achar que iria querer decorar o apartamento de Dillon.

— Tenho critérios, Corbin.

Ele assente, mas ainda está tentando se acalmar. Inspira profundamente, estala o maxilar e volta para a sala.

Miles está encostado no balcão, encarando os próprios pés. Observo-o silenciosamente até que finalmente ergue o olhar para mim. Ele dá uma conferida na sala, afasta-se do balcão e se aproxima. A cada passo dele, pressiono-me mais contra a bancada atrás de mim, tentando me afastar da intensidade em seus olhos, apesar de não ter para onde ir.

Ele me alcança.

Está com um cheiro bom. Parece maçã. *O fruto proibido.*

— Me peça para estudar lá em casa — sussurra.

Faço que sim com a cabeça, me perguntando por que diabos ele pediria algo tão sem sentido depois de tudo que acabou de acontecer. Mas obedeço mesmo assim.

— Posso estudar na sua casa?

Miles abre um sorriso e encosta a testa na lateral da minha cabeça para que seus lábios cubram diretamente o meu ouvido.

— Estava dizendo para você me pedir na frente do seu irmão — explica, rindo baixinho. — Assim, tenho uma desculpa para levá-la até lá.

Ah, isso não foi nada vergonhoso.

Agora ele sabe o quanto não sou Tate quando estou perto dele. Sou apenas líquido. Me adaptando. Fazendo o que pede, fazendo o que manda, fazendo o que quiser que eu faça.

— Ah! — exclamo, baixinho, enquanto vejo-o se afastar de mim. — Isso faz bem mais sentido.

Ele ainda está sorrindo, e eu não tinha percebido o quanto senti falta de ver esse sorriso. Devia sorrir o tempo inteiro. Para sempre. *Para mim.*

Ele sai da cozinha e volta para a sala, então vou para o quarto e tomo banho em tempo recorde.

* * *

Não sabia que atuava tão bem.

Mas ensaiei. Tive cinco minutos de ensaio. Fiquei parada no quarto, tentando pensar na frase mais casual possível para entrar na sala e pedir a chave de Miles. Decidi esperar algum momento particularmente barulhento do jogo e saí furiosa em direção à sala, gritando com todos eles.

— Ou colocam a maldita TV no mudo ou vão ver o jogo em outro apartamento, pois estou tentando estudar!

Miles olhou para mim e tentou esconder o sorriso. Ian me encarou de um jeito suspeito, e Corbin revirou os olhos.

— Vai *você* para outro apartamento — disse Corbin. — Estamos vendo o jogo. — Ele olhou para Miles. — Ela pode usar seu apartamento, né?

Miles levantou-se imediatamente e disse:

— Lógico. Vou abrir a porta para ela.

Peguei minhas coisas, segui-o até o corredor, e, agora, aqui estamos.

Miles abre a porta do apartamento para mim, apesar de não estar trancada. Corbin não sabe disso, porém. Ele entra, e eu o sigo. Fecha a porta, e nos viramos um para o outro.

— Tenho mesmo dever de casa para fazer.

Não sei o que está esperando que aconteça nesse segundo, mas sinto que preciso demonstrar que ele não é minha prioridade só por ter aparecido depois passar de alguns dias longe.

Apesar de, na verdade, ser sim.

— Tenho mesmo um jogo para ver — diz ele, apontando para o meu apartamento por cima do ombro, mas se aproximando de mim ao mesmo tempo.

Ele tira os livros das minhas mãos e os coloca na mesa. Começa a voltar para perto de mim, e só para quando seus lábios tocam os meus e não podemos mais recuar um passo sequer, porque minhas costas estão encostadas na porta do apartamento.

Suas mãos agarram minha cintura, e as minhas agarram seus ombros. A língua desliza entre meus lábios e entra na minha boca, e a aceito sem nenhum problema. Ele geme e pressiona-se contra mim enquanto minhas mãos sobem por seu pescoço e por seu cabelo. Ele afasta-se com a mesma rapidez e recua vários metros.

Está me olhando como se, de alguma maneira, fosse culpa minha o fato de ter que ir embora. Passa as palmas da mão no rosto, frustrado, e expira profundamente.

— Você não conseguiu comer mais cedo — diz ele. — Vou trazer um pouco de pizza pra você.

Ele volta para perto de mim, e dou um passo para o lado, sem responder. Então, Miles abre a porta e desaparece.

Ele é tão estranho.

Vou até a mesa e começo a organizar minhas coisas para estudar. Estou puxando a cadeira para sentar quando a porta do apartamento se escancara novamente. Viro-me para olhar, e ele está indo até a cozinha com um prato nas mãos. Põe a pizza no micro-ondas, aperta alguns botões e o liga, depois vem diretamente até mim. Está com aquele jeito intimidante que faz com que me afaste naturalmente, mas a mesa está logo atrás de mim, e não posso ir a lugar algum.

Ele chega até mim e pressiona depressa os lábios nos meus.

— Preciso voltar pra lá. Você está bem?

Faço que sim.

— Precisa de alguma coisa?

Balanço a cabeça.

— Tem suco e água na geladeira.

— Obrigada.

Beija-me rapidamente mais uma vez antes de me soltar e sair pela porta.

Deixo-me cair na cadeira.

Ele é tão *gentil*.

Eu poderia me acostumar com isso.

Ponho o caderno na minha frente e começo a estudar. Depois de meia hora, recebo uma mensagem dele.

Miles: Como está o dever de casa?

Estou lendo a mensagem no celular, sorrindo como uma idiota. O cara passa nove dias sem me ver ou falar comigo, e agora manda uma mensagem a 5 metros de distância.

Eu: Ótimo. Como está o jogo?
Miles: Intervalo. Estamos perdendo.
Eu: Que pena.
Miles: Você sabe que não tenho TV a cabo.
Eu: ???
Miles: Mais cedo, quando gritou conosco. Mandou que víssemos o jogo no meu apartamento, mas sabe que não tenho TV a cabo. Acho que agora Ian está desconfiado.
Eu: Ah, não. Não pensei nisso.
Miles: Tranquilo. Ele só está olhando pra mim de vez em quando, como se soubesse que tem alguma coisa acontecendo. Sinceramente, não me importo que ele saiba. Ele sabe todo o resto sobre mim.
Eu: Fico surpresa por ainda não ter contado. Os caras não sempre saem contando por aí com quem transaram?
Miles: Eu não, Tate.
Eu: Acho que você é a exceção. Agora me deixe em paz, preciso estudar.
Miles: Só volte depois que eu aparecer aí para avisar que o jogo acabou.

Ponho o telefone na mesa, sem conseguir tirar o sorriso do rosto.

* * *

Uma hora depois, a porta do apartamento dele se abre. Olho para cima, e ele entra, fecha a porta e se encosta casualmente nela.

— O jogo acabou.

Solto a caneta.

— Bem na hora. Acabei de terminar o dever.

Os olhos focam nos meus livros espalhados pela mesa.

— Corbin provavelmente está esperando que volte.

Não sei se essa é sua maneira de me dizer que devo ir embora, ou se está apenas puxando papo. De qualquer maneira, levanto-me e começo a juntar os livros, tentando não demonstrar que estou desapontada.

Ele vem até mim e tira os livros das minhas mãos, então afasta-os, deslizando-os por uns 30 centímetros, agarra minha cintura e me empurra para cima da mesa.

— Isso não significa que quero que vá embora — afirma, olhando-me fixamente nos olhos.

Desta vez, não sorrio, pois ele acabou de me deixar nervosa mais uma vez. Sempre que me olha com tanta intensidade, fico nervosa.

Ele me desliza até a beirada da mesa e para no meio das minhas pernas. Suas mãos ainda estão na minha cintura, mas agora os lábios estão no meu maxilar.

— Eu estava pensando... — comenta, baixinho, com a respiração acariciando meu pescoço, deixando-me toda arrepiada — na noite de hoje e em como você teve aula o dia inteiro. — Ele desliza as mãos por debaixo do meu corpo, erguendo-me da mesa. — E em como trabalha o fim de semana inteiro, todos os fins de semana.

Agora, minhas pernas estão ao redor do seu corpo. Ele está me carregando para o quarto.

Agora, está me deitando na cama.

Agora, está em cima de mim, afastando meu cabelo com a mão e me encarando.

— E percebi que nunca tem um dia de folga. — A boca está no meu maxilar novamente, beijando-o com delicadeza entre cada frase. — Você não tira folga desde o dia de Ação de Graças, não é?

Balanço a cabeça, sem entender por que ele está falando tanto, mas adorando aquilo tudo. Ele sobe a mão por dentro da minha blusa, e a palma toca minha barriga, subindo até encostar no meu seio.

— Você deve estar bem cansada, Tate.

Balanço a cabeça.

— Na verdade, não.

É mentira.

Estou exausta.

Os lábios deixam meu pescoço, e ele me olha nos olhos.

— Está mentindo — diz, roçando o polegar por cima do fino tecido do sutiã que cobre meu mamilo. — Dá para perceber que está cansada. — Ele abaixa a boca até pressioná-la contra a minha, tão suavemente que mal a sinto. — Só quero beijá-la por alguns minutos, tudo bem? Depois você vai embora e descansa. Não quero que ache que estou esperando algo só porque ambos estamos em casa.

Sua boca encosta na minha mais uma vez, porém o que os lábios fazem não se compara ao que suas palavras fazem comigo. Nunca achei que consideração pudesse ser tão excitante.

Mas, *meu Deus*. Que tesão.

Sua mão desliza por dentro do meu sutiã, e sua boca me invade. Toda vez que sua boca acaricia a minha, fico com a cabeça rodando. Será que vou me cansar disso em algum momento?

Sei que ele disse que queria apenas me beijar por alguns minutos, mas sua definição de *beijo* e minha definição de *beijo* estão escritas em duas línguas diferentes. A boca dele está por toda parte.

Assim como as mãos.

Levanta minha camisa e puxa um lado do sutiã para baixo até que meu seio fique exposto. Ele me provoca com a língua, olhando para mim. A boca está quente, e a língua, ainda mais, fazendo gemidos escaparem baixinho da minha.

Ele passa a mão na minha barriga e se afasta um pouco do meu corpo, apoiando o próprio peso no cotovelo. A mão percorre minha calça até chegar ao interior das minhas coxas. Ele roça os dedos contra o tecido entre minhas pernas, e deixo a cabeça cair para trás e fecho os olhos.

Meu Deus, amo a versão dele de beijo.

Miles começa a esfregar a mão em mim, pressionando firmemente contra a calça até que meu corpo esteja implorando silenciosamente por ele. A boca não está mais no meu peito, mas no pescoço, e ele está beijando, mordiscando, chupando, tudo no mesmo lugar, como se estivesse tentando deixar uma marca em mim.

Estou tentando não fazer barulho, mas é impossível, quando ele faz essa fricção incrível entre nós. Mas tudo bem, porque ele também não está quieto. Toda vez que solto um gemido, ele grunhe ou suspira ou sussurra meu nome. E é por isso que estou fazendo tanto barulho: porque amo os sons que Miles faz.

Amo.

Sua mão move-se rapidamente até o botão da minha calça, e ele o desabotoa, mas não muda de posição nem se afasta do meu pescoço. Ele abaixa o zíper e desliza a mão por cima da minha calcinha, então volta a fazer os mesmos movimentos, mas, dessa vez, são um milhão de vezes mais intensos, e percebo imediatamente que não vai precisar fazê-los por muito tempo.

Minhas costas arqueiam-se para cima, e preciso de todas as minhas forças para não me afastar de sua mão. É como se ele soubesse exatamente onde deve me tocar para que produza algum efeito.

— Meu Deus, Tate. Você está tão molhada. — Dois de seus dedos puxam minha calcinha para o lado. — Quero senti-la.

E é o fim.

Eu já era.

Seus dedos deslizam para dentro de mim, mas o polegar continua do lado de fora, arrancando gemidos e alguns *ai, meu Deus* e alguns *não pare* como se eu fosse um disco arranhado. Ele me beija, engolindo todos os meus sons enquanto meu corpo começa a tremer debaixo de sua mão.

A sensação demora tanto e é tão intensa que tenho medo de soltá-lo quando acabar. Não quero que ele pare de me tocar. Quero dormir assim.

Estou completamente estática, mas nós dois estamos tão ofegantes que não conseguimos nos mexer. Sua boca ainda está na minha, e nossos olhos estão fechados, mas ele não está me beijando. Após alguns instantes, finalmente tira a mão da minha calça, sobe o zíper e a abotoa. Quando abro os olhos, ele está tirando os dedos da boca lentamente, sorrindo.

Puta merda.

Ainda bem que eu não estava em pé agora, pois ver isso teria me feito cair no chão.

— Nossa — suspiro, enquanto exalo. — Você é muito bom nisso.

Ele sorri ainda mais.

— Ah, obrigado. — Então inclina-se para a frente e beija minha testa. — Agora vá pra casa e durma um pouco, garota.

Ele começa a se erguer da cama, e eu agarro seus braços e o puxo de volta.

— Espere. — Empurro-o para que se deite de costas e subo nele. — Isso não é muito justo com você.

— Não estou contando pontos — diz ele, fazendo com que eu me deite. — Corbin deve estar se perguntando por que você ainda está aqui.

Ele se levanta e agarra meus pulsos para que eu me erga com ele, então me puxa e, a essa distância, posso perceber que ele ainda não está nem um pouco pronto para que eu vá embora.

— Se Corbin comentar alguma coisa, digo que só queria voltar quando terminasse o dever.

Miles balança a cabeça.

— Você precisa voltar, Tate. Ele me agradeceu por ter protegido você de Dillon mais cedo. Como acha que vai ficar se descobrir que só fiz aquilo porque estava sendo egoísta e queria você só pra mim?

Balanço a cabeça.

— Não importa como ele vai ficar. Não é da conta dele.

Miles leva as mãos até minhas bochechas.

— *Eu* me importo. Ele é meu amigo. Não quero que descubra o quanto sou hipócrita.

Ele beija minha testa e me puxa para fora do quarto antes que eu possa responder. Junta meus livros e os entrega para mim quando chego na porta do apartamento, mas, antes que eu saia, ele agarra meu cotovelo e me para. Está me encarando, mas desta vez tem algo a mais em sua expressão.

Tem algo no seu olhar, e não é desejo nem carência nem decepção nem intimidação. É algo não dito. Algo que quer me falar, e que tem medo demais para fazê-lo.

Suas mãos seguram minhas bochechas, e ele pressiona a boca na minha com tanta força que bato na porta atrás de mim.

Ele me beija de maneira tão possessiva e desesperada que eu até ficaria triste se não estivesse gostando tanto daquilo. Inspira fundo e se afasta, expirando com calma, encarando-me com firmeza nos olhos. Solta a mão e dá um passo para trás, esperando que eu vá para o corredor antes de fechar a porta.

Não faço ideia do que foi isso, mas preciso de mais.

De alguma maneira, consigo fazer minhas pernas se moverem e entro no apartamento de Corbin. Ele não está na sala, então coloco os livros no balcão.

Escuto o chuveiro de Corbin.

Corbin está tomando banho.

Imediatamente, saio do apartamento, atravesso o corredor e bato à porta, que se escancara tão rapidamente que parecia que ele ainda estava parado no mesmo lugar. Ele olha para o meu apartamento atrás de mim.

— Corbin está no banho.

Miles olha de volta para mim e, antes mesmo de ter tempo de digerir aquelas palavras, me puxa para dentro. Bate a porta e me empurra contra ela, e, mais uma vez, sua boca está por todo canto.

Não perco tempo e desabotoo sua calça, puxando-a para baixo. Suas mãos assumem o controle e baixam totalmente meu jeans, junto à calcinha. Assim que tira meus pés da roupa, ele me leva para a mesa da cozinha e me vira, posicionando-me de bruços na mesa.

Ele põe a mão entre minhas pernas, afastando-as mais enquanto se livra da calça. As duas mãos movem-se até minha cintura e a seguram com firmeza. Ele posiciona-se contra mim e, depois, me penetra com cuidado.

— Ah, *meu Deus* — geme ele.

Pressiono as palmas na mesa. Não tenho o que segurar, e estou querendo muito segurar em alguma coisa.

Ele se inclina para a frente, pressionando o peito contra minhas costas. Sua respiração está forte e quente e colidindo na minha pele.

— Preciso pegar uma camisinha.

— Está bem — exalo.

Mas ele ainda não se afastou, e naturalmente meu corpo quer que ele entre por completo em mim. Pressiono-me contra ele, empurrando-o mais para dentro, fazendo com que enterre os dedos com tanta força nos meus quadris que faço uma careta.

— *Não*, Tate.

A voz dele está me alertando.

Ou me desafiando.

Faço de novo, e ele geme, saindo completamente de mim com rapidez. Suas mãos ainda estão enterradas no meu quadril, e ele ainda está pressionando-se contra mim. Só não está mais dentro de mim.

— Estou tomando pílula — sussurro.

Ele não se mexe.

Fecho os olhos, precisando que faça alguma coisa. Qualquer coisa. Estou morrendo aqui.

— Tate — murmura.

Ele não diz mais nada. Ficamos parados em silêncio, com ele na mesma posição, a postos e bem perto de mim.

— Droga. — Ele solta minha cintura e encontra minhas mãos espalmadas na mesa. Desliza os dedos entre os meus e os aperta, em seguida enterra o rosto na parte de trás do meu pescoço. — Prepare-se.

Ele se lança para dentro de mim tão inesperadamente que eu grito. Uma de suas mãos solta a minha, e ele a leva até minha boca e a cobre.

— Shh.

Ele fica parado, me dando um instante para que eu me ajuste a ele dentro de mim.

Sai com um gemido e penetra novamente, fazendo-me gritar de novo. Dessa vez, sua mão abafa meus barulhos.

Ele repete os movimentos.

Com mais força.

Mais rápido.

Grunhe a cada estocada, e faço barulhos que nem sabia que era capaz de fazer. Nunca passei por nada assim na vida.

Não sabia que podia ser tão intenso. Tão bruto. Tão animalesco.

Abaixo o rosto e pressiono a bochecha na mesa.

Fecho os olhos com força.

Deixo ele me foder.

* * *

Silêncio.

O silêncio é tanto que não sei se é porque fizemos barulho demais alguns segundos atrás ou se é só porque ele precisa de um instante para se recuperar.

Miles ainda está dentro de mim, mas já terminou. Só não está se movendo. Uma das mãos ainda cobre minha boca, a outra ainda aperta meus dedos. Seu rosto ainda está enterrado no meu pescoço.

Mas ele está tão incrivelmente imóvel que tenho medo de me mexer. Não estou sentindo nem sua respiração.

A primeira coisa a se mover é a mão dele, afastando-se da minha boca. Ele desentrelaça os dedos dos meus e os endireita, separando-os dos meus lentamente. Pressiona as palmas contra a mesa e ergue o rosto do meu pescoço. Sai de mim sem fazer nenhum barulho.

O silêncio continua tão grande que não me mexo.

Escuto-o colocar a calça e fechar o zíper.

Escuto seus passos enquanto ele vai embora.

Ele está indo embora.

A porta de seu quarto bate, e faço uma careta. Minha bochecha e minhas palmas e minha barriga ainda estão na mesa, mas agora minhas lágrimas também estão.

Estão caindo.

Caindo, caindo, caindo, e não consigo contê-las.

Estou envergonhada. Constrangida. Realmente não sei o que diabos ele tem de errado, mas há orgulho demais e coragem de menos para ir até lá descobrir.

Isso pareceu um fim. Não sei se eu estava pronta para que esse fosse o fim. Não sei se eu estava pronta para que *houvesse* um fim, e me odeio por ter deixado meus sentimentos chegarem a esse ponto.

Também estou furiosa porque aqui estou eu, no meio do apartamento dele, procurando minha calça, tentando parar de chorar essas lágrimas ridículas, ainda sentindo o que sobrou dele escorrer pela minha perna, e não sei por que diabos ele precisou arruinar tudo.

Me arruinar.

Termino de me vestir e vou embora.

capítulo vinte

MILES

— Seu umbigo está ficando para fora — digo. Passo os dedos por sua barriga e a beijo. — Que bonitinho.
Pressiono a orelha na pele dela e fecho os olhos.
— Aposto que ele está se sentindo sozinho aí dentro — digo. — Está se sentindo sozinho aí, camarada?
Rachel ri.
— Você só o chama de menino. E se for uma menina?
Digo a Rachel que vou amar do mesmo jeito, menino ou menina. *Já* o amo.
Ou *a amo*.
Nossos pais estão viajando. Estamos brincando de casinha de novo, mas desta vez não é só brincadeira. É meio que sério.
— E o que vai acontecer se ele realmente a pedir em casamento desta vez? — pergunta ela.
Digo-lhe que não se preocupe. Digo que não vai pedi-la em casamento. Ele falaria comigo antes de fazer isso. Isso, ao menos, sei a respeito dele.

— Precisamos contar pra eles — digo.
Ela faz que sim. Sabe que precisamos contar. Já se passaram três meses. Vamos nos formar em dois. A barriga está começando a aparecer. O umbigo dela está ficando para fora. É bonitinho.
— Devíamos contar amanhã — sugiro.
Ela concorda.
Afasto-me da barriga dela e deito-me ao seu lado, puxando-a. Toco seu rosto.
— Amo você, Rachel.
Agora ela não está mais com tanto medo.
Diz que também me ama.
— Você está se saindo bem — digo. Ela não sabe a que estou me referindo, então sorrio e toco na sua barriga. — Está se saindo bem nisso de cuidar do bebê. Tenho certeza de que vai ser o bebê mais bem cuidado da história.
Ela ri da minha tolice.
Você me ama tanto, Rachel.
Olho para ela — a garota a quem dei meu coração — e me pergunto como pude ter tanta sorte.
Pergunto-me por que ela me ama tanto quanto a amo.
Pergunto-me o que meu pai vai dizer quando descobrir sobre nós dois.
Pergunto-me se Lisa vai me odiar. Se vai querer levar Rachel de volta para Phoenix.
Pergunto-me como posso convencê-los de que conseguiremos dar conta disso.
— Qual vai ser o nome? — pergunto.
Ela fica animada quando pergunto isso. Gosta de discutir nomes. Diz que, se for menina, quer dar o nome de Claire. Em homenagem à avó.
Digo que queria conhecer sua avó. Quero conhecer a mulher que será homenageada com o nome da minha filha. Ela me diz que sua avó teria me adorado. Digo que adoro o nome Claire.

— E se for menino?

— Pode escolher o nome se for menino — diz ela.

Digo que isso é muita pressão. Digo que ele vai precisar conviver com aquele nome pelo resto da vida. Ela retruca:

— Então é melhor escolher bem.

É melhor escolher bem.

— Um nome que tenha algum significado pra você — acrescenta.

Um nome que tenha algum significado para mim.

Digo que já sei o nome perfeito.

Ela quer saber qual é. Digo que não vou contar.

Que só conto quando acontecer.

Só depois que ele nascer.

Ela me diz que sou louco. Que se recusa a dar à luz o nosso bebê antes de saber seu nome.

Eu rio. Digo que ela não tem escolha.

Ela diz que sou louco.

Você ama isso, Rachel.

capítulo vinte e um
TATE

Passei o fim de semana trabalhando, então não vejo nem falo com Miles desde quinta à noite. Fico dizendo a mim mesma que é melhor assim, apesar de realmente não ser o que parece, pela maneira como aquilo tem me corroído. É segunda-feira, e é o primeiro de três dias em que Corbin não vai estar em casa, mas Miles *sim*. Sei que ele está ciente de que Corbin viajou, porém, considerando a maneira como deixou a situação na quinta-feira, duvido que se importe muito. Eu meio que esperava que ele fosse acabar me explicando se fiz algo de errado ou que pelo menos me contasse por que ficou tão chateado, mas a última reação que obtive de Miles foi ele se afastar de mim e bater a porta do quarto.

Dá para perceber por que não namora havia seis anos. Está na cara que não faz ideia de como tratar uma garota, o que me surpreende, pois tenho a sensação de que, na verdade, é um cara decente. No entanto, suas ações pós-sexo parecem contradizer seu caráter. É como se pedaços de quem ele era transbordassem por cima de quem está tentando ser.

Se algum outro homem me tratasse daquela maneira, eu acabaria tudo na hora. Não aturo certas coisas que já vi muitas amigas aturarem. No entanto, percebo que não paro de criar desculpas para ele, como se algo realmente fosse capaz de justificar o que fez na semana passada.

Estou começando a temer que, talvez, eu não seja tão durona assim.

O medo confirma-se imediatamente quando meu coração para assim que saio do elevador. Tem um bilhete colado na porta do meu apartamento, então corro até ele e o puxo. É apenas uma folha de papel dobrada, sem nada escrito no exterior. Abro-a: *Preciso resolver uma coisa. Passo aí às 19h se quiser ir comigo.* Leio o bilhete várias vezes. Está na cara que é dele, e está na cara que é para mim, mas o bilhete é tão incrivelmente casual que, por um segundo, começo a me perguntar se a quinta-feira aconteceu de verdade.

Mas ele esteve aqui. Sabe como a noite terminou entre nós. Sabe que devo estar chateada ou zangada, mas nada no bilhete indica isso.

Destranco a porta e entro antes que me irrite a ponto de bater à porta dele e começar a berrar.

Solto minhas coisas após entrar no apartamento e leio o bilhete mais uma vez, examinando tudo, desde a letra até a escolha de palavras. Amasso-o e o jogo na direção da cozinha, completamente furiosa.

Estou furiosa porque já sei que vou com ele.

Não sei como *não* ir.

* * *

Escuto uma leve batida à porta exatamente às 19h. A pontualidade me irrita, sem nenhum motivo. Não tenho nada contra pontualidade. Tenho a sensação de que tudo que Miles fizer naquele dia vai me irritar.

Vou até a porta e a abro.

Ele está parado no corredor, a vários metros de distância. Deve até estar mais perto da sua porta do que da minha. Encara os próprios pés quando abro a porta, mas, após um tempo, ergue o olhar e me encara. Suas mãos estão dentro dos bolsos da jaqueta mais uma vez, e ele não levanta completamente a cabeça. É algo que interpreto como um sinal de submissão, apesar de muito provavelmente não ser.

— Quer vir?

Sua voz me invade. Me enfraquece. Me liquefaz mais uma vez. Faço que sim enquanto saio para o corredor e fecho a porta atrás de mim. Tranco-a e me viro para ele, que aponta a cabeça na direção dos elevadores, dizendo-me silenciosamente que virá atrás de mim. Tento interpretar a expressão nos seus olhos apesar de já saber que não adianta.

Vou até o elevador e aperto o botão para descer.

Ele para ao meu lado, mas nenhum dos dois diz nada. O elevador parece demorar anos para chegar até nós. Quando finalmente se abre, nós dois suspiramos aliviados em silêncio, mas assim que entramos e as portas se fecham, ficamos sem conseguir respirar mais uma vez.

Consigo sentir que ele está me olhando, mas não correspondo. *Não consigo.*

Estou me sentindo uma idiota. Quero chorar de novo. Agora que estou com ele e que não faço ideia de para onde vamos, me sinto como uma tola por ter permitido que me trouxesse até mesmo até aqui.

— Desculpe.

A voz dele é fraca, mas também surpreendentemente sincera.

Não olho para ele. Nem respondo.

Ele dá três passos pelo elevador e estende o braço ao meu lado, então aperta o botão de emergência. O dedo demora no botão enquanto ele me observa, mas continuo olhando para baixo. Meu rosto está na altura do seu peito, mas meu maxilar está tenso, e não vou olhar para ele.

Não vou.

— Tate, desculpe — repete.

Ainda não me toca, mas está me invadindo novamente. Está tão perto de mim que consigo sentir sua respiração e ele próprio e o quanto está arrependido, mas nem sei pelo que devo perdoá-lo. Miles nunca me prometeu nada além de sexo, e foi exatamente o que me deu.

Sexo.

Nada menos e, com certeza, nada mais.

— Desculpe — diz, novamente. — Você não merecia aquilo.

Desta vez, toca no meu queixo, erguendo meu olhar até o seu. Sentir seus dedos no meu rosto deixa meu maxilar ainda mais tenso. Estou fazendo o máximo para manter a armadura erguida, pois está sendo difícil conter as lágrimas.

Vejo de novo a mesma coisa que vi nos seus olhos quando me beijou na porta de casa na quinta à noite. Algo não dito que ele queria conseguir dizer, mas as únicas palavras são suas desculpas.

Ele se contrai como se estivesse sentindo uma dor realmente física, e pressiona a testa na minha.

— Me *desculpe.*

Miles pressiona as palmas da mão contra a parede do elevador e se inclina para perto de mim até nossos peitos se tocarem. Meus braços estão ao lado do corpo, e meus olhos se fecharam, e, por mais que agora eu esteja com vontade de chorar, recuso-me a fazê-lo na frente dele. Ainda não sei pelo que exatamente ele está se desculpando, mas não importa, pois parece que está se desculpando por *tudo*. Por iniciar algo que sabíamos que não terminaria bem. Por não ser capaz de falar sobre o passado. Por não ser capaz de falar sobre o futuro. Por me arruinar quando entrou no quarto e bateu a porta.

Uma de suas mãos envolve a lateral da minha cabeça, e ele me puxa. A outra desce até minhas costas, e ele me aperta, pressionando sua bochecha contra o topo da minha cabeça.

— Não sei o que é isso, Tate — confessa. — Mas juro que não queria magoá-la. Só não sei o que diabos estou fazendo.

O arrependimento na sua voz é suficiente para que meus braços queiram abraçá-lo. Ergo-os e seguro as mangas de sua camisa, então pressiono o rosto em seu peito. Ficamos vários minutos assim, completamente perdidos. Completamente novos nessa situação.

Completamente confusos.

Após um tempo, ele me solta e aperta o botão do térreo. Ainda não disse nada, pois nem sei que palavras usar nessa situação. Quando a porta do elevador se abre, ele segura minha mão e continua assim até chegarmos no seu carro. Ele abre a porta para mim, espera até eu entrar, fecha-a e vai para o outro lado.

Nunca entrei no carro dele antes.

Fico surpresa ao ver o quanto é simples. Sei que Corbin ganha bem e que normalmente gosta de gastar em coisas boas.

Esse carro é discreto, assim como Miles.

Ele sai do estacionamento, e seguimos em silêncio por vários quilômetros. Fico cansada do silêncio e cansada da curiosidade, então a primeira coisa que digo desde que ele me arruinou é:

— Para onde estamos indo?

Parece que minha voz faz o constrangimento desintegrar completamente, pois ele suspira como se fosse um alívio escutá-la.

— Para o aeroporto — explica. — Mas não para trabalhar. Vou até lá às vezes para ver os aviões decolarem.

Ele põe a mão em cima do console e segura a minha. É algo que me tranquiliza e me assusta ao mesmo tempo. Suas mãos estão quentes, o que me faz querer que ele segure meu corpo inteiro com elas, mas fico assustada ao perceber o quanto quero isso.

Ficamos em total silêncio até chegarmos ao aeroporto. Há placas de acesso restrito, mas ele passa por elas como se soubesse exatamente para onde está indo. Finalmente, paramos o carro num estacionamento de frente para a pista.

Há várias aeronaves enfileiradas, esperando para decolar. Ele aponta para a esquerda, e olho bem na hora em que um dos aviões começa a acelerar. O carro dele enche-se com o som dos motores quando a aeronave passa por nós como um raio. Ficamos assistindo à decolagem até que o trem de pouso desaparecesse e o avião fosse engolido pela noite.

— Você vem sempre aqui? — pergunto, enquanto continuo olhando pela minha janela.

Ele ri, então, naturalmente, viro-me em sua direção.

— Pareceu uma cantada — brinca, sorrindo.

Seu sorriso me faz sorrir. Os olhos descem até minha boca, e meu sorriso faz o seu desaparecer.

— Sim, venho — confessa, enquanto olha pela janela mais uma vez para ver o próximo avião se preparar para a decolagem.

Nesse momento, percebo que as coisas não são mais as mesmas entre nós. Aconteceu alguma mudança gigantesca, e não sei se é boa ou ruim. Ele me trouxe até aqui porque quer conversar.

Só não sei sobre o quê.

— Miles — digo, querendo que ele olhe para mim novamente.

Ele não o faz.

— Não é divertido — sussurra. — Isso que estamos fazendo.

Não gostei dessa frase. Quero que a retire, porque parece que está me ferindo. Mas ele tem razão.

— Eu sei — admito.

— Se não pararmos agora, só vai piorar.

Não concordo verbalmente com ele dessa vez. Sei que tem razão, mas não quero parar. Sinto um vazio na barriga só de pensar em não ficar com ele.

— O que eu fiz para deixá-lo tão chateado?

Ele volta seus olhos para os meus, e mal os reconheço devido ao gelo que se acumulou por trás deles.

— Aquilo foi tudo coisa minha, Tate — diz, com firmeza. — Não quero que pense nem por um segundo que meus problemas são por causa de algo que fez ou não fez.

Sinto um leve alívio com a resposta, mas ainda não faço ideia do que aconteceu com ele. Ficamos nos olhando, um esperando que o outro preencha o silêncio.

Não faço ideia das dificuldades do passado dele, mas deve ter sido bem complicado se ainda não as superou seis anos depois.

— Você age como se gostarmos um do outro fosse ruim.

— Talvez seja.

Eu meio que quero que ele pare de falar, porque tudo que diz só me causa mais sofrimento e me deixa ainda mais confusa.

— Então me trouxe aqui para terminar tudo?

Ele suspira fortemente.

— Eu só queria que nos divertíssemos, mas... acho que talvez você esteja esperando algo diferente. Não quero magoá-la, e se continuarmos fazendo isso... *vou* magoá-la.

Ele olha pela janela mais uma vez.

Quero bater em alguma coisa, mas, em vez disso, passo duas mãos frustradas no rosto e deixo o peso cair com força no banco. Nunca conheci alguém que dissesse tão pouco com as palavras. Ele definitivamente é mestre na arte de ser evasivo.

— Você precisa me dizer mais do que isso, Miles. Talvez uma explicação simples. O que diabos aconteceu com você?

A mesma firmeza das suas mãos no volante surge no seu maxilar.

— Eu pedi duas coisas a você. Não pergunte sobre o meu passado e nunca espere um futuro comigo. Está fazendo as duas.

Faço que sim.

— Sim, Miles. Você tem razão. Estou. Porque gosto de você, e sei que gosta de mim, e, quando estamos juntos, é fantástico, então é isso o que as pessoas normais fazem. Quando encontram alguém com quem se dão bem, elas contam coisas uma para a outra. Elas permitem que o outro se aproxime. Elas querem ficar juntas. Elas não fodem alguém na mesa da cozinha e depois vão embora, deixando a pessoa se sentindo uma merda.

Nada.

Ele não revela nada para mim.

Nem uma mínima reação.

Ele vira-se para a frente e liga o carro.

— Você tinha razão — comenta, enquanto põe o carro na ré e prepara-se para sair do estacionamento. — Ainda bem que não éramos amigos. Isso teria sido bem mais difícil.

Viro para o outro lado porque estou com vergonha da raiva que essas palavras me fizeram sentir. Vergonha por estar doendo tanto, mas tudo com Miles dói. Porque sei o quanto nossos momentos bons são bons, e sei que os momentos ruins desapareceriam com facilidade se ele simplesmente parasse de tentar lutar contra isso.

— Tate — diz ele, com remorso.

Quero arrancar a voz da garganta dele.

Sua mão encosta no meu ombro, e o carro não está mais se movendo.

— Tate, não foi o que eu quis dizer.

Afasto a mão dele.

— Não — digo. — Ou admite que quer algo além de sexo comigo ou me leva para casa.

Ele fica em silêncio. Talvez esteja refletindo sobre meu ultimato.

Admita, Miles. Admita. Por favor.

O carro começa a se mover novamente.

* * *

— O que esperava que fosse acontecer? — pergunta Cap, entregando-me outro lenço.

Quando Miles e eu chegamos no prédio, não aguentei subir no elevador com ele, então sentei ao lado de Cap e deixei que

Miles subisse sozinho. Ao contrário da aparência forte que tento demonstrar para ele, perco completamente o controle enquanto desembucho todos os detalhes para Cap, quer ele queira escutá-los ou não.

Limpo o nariz mais uma vez e solto o lenço, juntando-o à pilha ao meu lado no chão.

— Eu estava me iludindo — admito. — Falei para mim mesma que aceitaria se ele nunca quisesse mais nada comigo. Acho que pensei que, se esperasse as coisas acontecerem no seu tempo, ele terminaria mudando de ideia.

Cap estende o braço para pegar uma lixeira do seu lado e a coloca entre nós, para que eu tenha onde jogar fora os lenços.

— Se aquele garoto não consegue enxergar que ficar com você seria uma coisa boa, então não vale a pena perder tempo com ele.

Faço que sim. Tenho coisas bem mais importantes a fazer com meu tempo, mas, por alguma razão, sinto que Miles enxerga *sim* que seria bom se ficássemos juntos. Sinto que quer que isso dê certo, mas tem algo maior do que ele ou do que eu ou do que nós que o impede de tentar. Queria apenas saber o que é.

— Já lhe contei minha piada preferida? — pergunta Cap.

Balanço a cabeça e pego outro lenço na caixa nas mãos deles, aliviada com a mudança de assunto.

— Toc, toc.

Não esperava que a piada preferida dele fosse uma piada "toc, toc", mas entro na brincadeira.

— Quem é?

— A vaca que interrompe — continua.

— A vaca que...

— MUU! — grita ele, me interrompendo.

Fico encarando-o.

E depois dou risada.

Faz um tempão que não rio tanto.

capítulo vinte e dois
MILES

Seis anos antes

Meu pai fala que precisa conversar conosco.
Ele pede que chame Rachel e encontre com ele
e Lisa na mesa de jantar. Digo que sim, e que
também precisamos conversar com eles.
A curiosidade surge em seus olhos, mas apenas por um rápido
segundo. Ele pensa em Lisa novamente e deixa de ficar curioso.
O tudo dele é Lisa.
Vou até o quarto de Rachel e digo ao *meu*
tudo que eles querem falar conosco.
Todos nos sentamos à mesa de jantar.
Sei o que vai dizer. Vai contar que a pediu em casamento.
Não queria me importar com isso, mas me importo. Me
pergunto por que ele não me contou primeiro. É algo

que me deixa triste, mas só um pouco. Nada disso vai importar depois que falarmos o que temos pra contar.

— Eu pedi Lisa em casamento — diz ele.

Lisa sorri para ele. Ele sorri para ela.

Rachel e eu não sorrimos.

— Então nos casamos — diz Lisa, mostrando o anel.

Então.

Nos.

Casamos.

Rachel arqueja baixinho.

Eles já estão casados.

Parecem felizes.

Estão nos olhando, esperando alguma reação.

Lisa está preocupada. Não gosta de ver Rachel tão chateada.

— Querida, foi algo espontâneo. Estávamos em Las Vegas. Nenhum de nós queria uma festa grande. Por favor, não fique com raiva.

Rachel cobre o rosto com as mãos e começa a chorar. Abraço-a e quero consolá-la. Quero beijá-la para tranquilizá-la, mas meu pai e Lisa não compreenderiam.

Preciso contar para eles.

Meu pai parece confuso por Rachel estar tão chateada.

— Achei que não ligariam — diz ele. — Vocês dois vão para a faculdade daqui a alguns meses.

Ele acha que estamos com raiva deles.

— Pai? — começo, mantendo o braço ao redor de Rachel. — Lisa?

Olho para os dois.

Arruíno o dia deles.

Arruíno.

— Rachel está grávida.

Silêncio.

Silêncio.

Silêncio.

SILÊNCIO ENSURDECEDOR.
Lisa está chocada.
Meu pai está consolando Lisa. Seu braço está ao redor dela, e ele está massageando suas costas.

— Você nem tem namorado — exclama Lisa, exaltada.

Rachel olha para mim.

Meu pai se levanta. Agora ele está com raiva.

— Quem é o responsável? — grita. Olha para mim. — Me conte quem é, Miles. Que tipo de rapaz engravida uma garota e não tem a coragem de estar ao lado dela quando ela dá a notícia para a própria mãe? Que tipo de rapaz deixa o irmão da garota dar a notícia?

— Não sou *irmão* dela — protesto.

Não sou.

Ele ignora meu comentário. Agora, está andando de um lado para o outro na cozinha. Odeia a pessoa que fez isso com Rachel.

— Pai .

Levanto-me.

Ele para de andar. Vira-se e olha para mim.

— Pai...

De repente, não me sinto mais tão confiante quanto estava quando me sentei aqui.

Eu consigo.

— Pai, fui eu. Fui eu que a engravidei.

Ele está achando difícil digerir minhas palavras. Lisa está olhando para Rachel e para mim. Ela também não consegue assimilar o que estou dizendo.

— Não é possível — exclama meu pai, tentando afastar todos os pensamentos que dizem que *é* possível.

Espero a ficha cair.

Sua expressão muda de confusão para raiva. Olha para mim como se eu nem fosse seu filho. Olha como se eu fosse o rapaz que engravidou sua nova enteada.

Ele me odeia.

Ele me odeia.

Ele *realmente* me odeia.

— Saia dessa casa.

Olho para Rachel. Ela agarra minha mão e balança a cabeça, implorando silenciosamente para que eu não vá.

— Saia — repete.

Ele me odeia.

Digo a Rachel que é melhor que eu vá.

— É por pouco tempo.

Ela implora para que eu não vá. Meu pai dá a volta na mesa e me empurra. Ele me empurra na direção da porta. Solto a mão de Rachel.

— Vou para a casa do Ian — digo para ela. — Amo você.

Está na cara que essas palavras são demais para o meu pai, pois seu punho se lança imediatamente para cima de mim. Ele afasta a mão e quase parece tão chocado quanto eu por ter acabado de me dar um soco.

Saio, e meu pai bate a porta.

Meu pai me odeia.

Vou até meu carro e abro a porta. Sento-me no banco do motorista, mas não ligo o motor. Olho no espelho. Meu lábio está sangrando.

Odeio meu pai.

Saio do carro e bato a porta. Volto para dentro de casa. Meu pai vem correndo até a porta. Estendo as palmas da mão. Não quero bater nele, mas bateria. Se ele encostar de novo em mim, eu bato nele.

Rachel não está mais à mesa.

Rachel está no quarto.

— Me desculpe — digo para os dois. — Não queríamos que acontecesse, mas aconteceu, e agora precisamos lidar com isso.

Lisa está chorando. Meu pai abraça-a. Olho para Lisa.

— Eu a amo — digo. — Estou apaixonado pela sua filha. Vou cuidar dos dois.
Vamos conseguir.
Lisa nem consegue me olhar.
Os dois me odeiam.
— Começou antes mesmo que eu conhecesse você, Lisa. Conheci Rachel antes de saber que você e meu pai estavam juntos, e tentamos parar.
Isso é meio que uma mentira.
Meu pai dá um passo à frente.
— O tempo inteiro? Isso estava acontecendo o tempo inteiro desde que ela se mudou pra cá?
Balanço a cabeça.
— Está acontecendo desde *antes* de ela se mudar para cá.
Agora, ele me odeia ainda mais. Quer me bater de novo, mas Lisa está o segurando. Fala para meu pai que eles vão pensar em alguma coisa. Diz que consegue "resolver" o assunto. Diz que tudo vai ficar bem.
— É tarde demais para isso — conto para Lisa.
— Ela já está grávida há tempo demais.
Não espero meu pai me bater novamente. Me lanço pelo corredor e vou até Rachel. Tranco a porta após entrar. Ela me encontra no meio do caminho, joga os braços ao redor do meu pescoço e chora na minha camisa.
— Bem — digo. — A parte mais difícil já passou.
Ela ri enquanto chora. Diz que a parte mais difícil ainda não passou. Diz que a parte mais difícil vai ser fazer o bebê sair.
Eu rio.
Eu amo tanto você, Rachel.
— Eu amo tanto você, Miles — sussurra.

capítulo vinte e três
TATE

Sinto tanta falta de você, Miles.

É por causa de pensamentos como esse que estou afogando as mágoas no chocolate. Faz três semanas que ele me trouxe para casa. Faz três semanas que não o vejo. O Natal chegou e foi embora, mas mal percebi, porque estava trabalhando. Duas quintas-feiras de jogo em que Miles não apareceu. O Ano-Novo chegou e foi embora. Mais um semestre de aulas começou.

E Tate ainda sente falta de Miles.

Pego as gotas de chocolate e o leite achocolatado e vou para a cozinha escondê-los da pessoa que está batendo à porta.

Já sei que não é Miles, porque são Chad e Tarryn. Os únicos amigos que fiz aqui de tão ocupada que estou, e só são meus amigos porque estamos no mesmo grupo de estudos.

E é por isso que estão batendo à minha porta agora.

Abro-a, e Chad está parado sem Tarryn.

— Onde está Tarryn?

— Foi chamada para cobrir um plantão. Não vai poder vir.

Abro mais a porta para que ele entre. Assim que dá um passo para dentro, Miles abre a porta do apartamento do outro lado do corredor. Ele congela quando nossos olhares se encontram.

Prende-me ao seu olhar por vários segundos até desviar os olhos por cima do meu ombro e parar em Chad.

Olho para Chad, que olha para mim e ergue a sobrancelha. Pelo jeito, percebeu que tem alguma coisa acontecendo, então se retira respeitosamente para o interior do apartamento.

— Vou para o seu quarto, Tate.

É muito gentil da parte de Chad... se oferecer para me dar privacidade com o rapaz do apartamento vizinho. No entanto, avisar que ia esperar no meu quarto provavelmente não foi o respeito que Miles queria ver, porque agora ele está entrando de volta em sua casa.

Seus olhos vão até o chão antes de ele fechar a porta.

A expressão que havia neles fez com que eu sentisse pontadas de culpa na barriga. Preciso lembrar a mim mesma de que foi ele quem escolheu isso. Não preciso sentir culpa de nada, mesmo que esteja interpretando mal a situação que acabou de ver ao abrir a porta de casa.

Fecho a porta e me junto a Chad no quarto. A conversa silenciosa que tive comigo mesma para me animar não diminuiu em nada a culpa. Sento-me na cama, e ele senta-se à mesa.

— Aquilo foi estranho — comenta, me olhando. — Agora estou com medo de sair daqui.

Balanço a cabeça.

— Não se preocupe com Miles. Ele tem problemas, mas eles não são mais meus.

Chad assente e não pergunta mais nada. Abre o guia de estudos e o põe no colo enquanto apoia os pés na cama.

— Tarryn já fez anotações para o capítulo dois, então, se você fizer para o capítulo três, posso fazer para o quatro.

— Combinado.

Recosto-me ao travesseiro e passo a próxima hora preparando as anotações do capítulo três, mas não faço ideia de como consigo me concentrar, pois a única coisa em que consigo pensar é no olhar no rosto de Miles logo antes de ele fechar a porta. Deu para perceber que o magoei.

Acho que agora estamos quites.

* * *

Depois que Chad e eu trocamos nossas anotações e respondemos às perguntas de estudo no final de cada capítulo, faço cópias na minha impressora. Percebo que três pessoas dividirem três capítulos e compartilharem suas respostas é trapacear, mas quem diabos se importa? Nunca disse que era perfeita.

Após terminarmos, acompanho Chad até lá fora. Dá para perceber que está um pouco nervoso depois de ter visto o olhar de Miles mais cedo, então espero até que entre no elevador antes de fechar a porta de casa. A verdade é que eu também estava um pouco nervosa por ele.

Vou até a cozinha e começo a preparar um prato com a comida que sobrou. Não faz sentido cozinhar, pois Corbin só vai chegar tarde da noite. Antes de terminar de colocar comida no meu prato, a porta da frente se abre com alguém batendo.

Miles é a única pessoa que abre a porta e bate ao mesmo tempo.

Acalme-se.

Acalme-se, acalme-se, acalme-se.

Acalma aí, Tate!

— Quem era aquele? — pergunta Miles, atrás de mim.

Nem me dou o trabalho de virar. Continuo preparando a comida como se o fato de ele estar aqui após semanas de silêncio não estivesse fazendo uma tempestade de emoções tomar conta de mim. Sendo raiva a mais forte de todas.

— Ele é da minha turma. Estávamos estudando.

Sinto a tensão dele diminuir, e sequer estou virada para ele.

— Durante três horas?

Eu me viro para ele, mas os palavrões que quero gritar ficam presos na garganta no instante em que o vejo. Miles está parado na porta da cozinha, segurando o batedor acima da cabeça. Dá para perceber que não trabalha faz alguns dias, pois há uma fina camada de barba por fazer no maxilar. Está descalço, e a camisa subiu com os braços, deixando à mostra aquele *V*.

Primeiramente, fico encarando-o.

Depois é que grito com ele.

— Se eu quiser passar três horas trepando com um cara no meu quarto, bom para mim! Você não tem o mínimo direito de opinar sobre o que acontece na minha vida. Você é um canalha e tem sérios problemas, e não quero mais fazer parte deles.

Estou mentindo. Quero muito fazer parte dos problemas dele. Quero mergulhar nos seus problemas e me *tornar* seus problemas, mas o certo é ser uma garota independente e determinada, que não cede só porque gosta de um cara.

Ele estreita os olhos, e sua respiração está rápida e intensa. Abaixa os braços e vem rapidamente até mim, agarrando meu rosto e me obrigando a olhar para ele.

Seus olhos estão agitados, e saber que ele está com medo de que eu tenha partido para outra é gostoso demais. Ele espera vários segundos antes de falar, deixando que o olhar percorra meu rosto. Os dedos encostam levemente nas minhas maçãs do rosto de um jeito protetor e bom, e odeio imensamente o fato de querer senti-los por todo canto nesse momento. Não gosto da pessoa em que me transformo quando estou com ele.

— Está dormindo com ele? — pergunta, enfim parando os olhos nos meus enquanto procuram a verdade.

Não é da sua conta mesmo, Miles.

— Não — digo, por fim.

— Você o beijou?

Continua não sendo da sua conta, Miles.

— Não.

Ele fecha os olhos e expira, aliviado. Abaixa as mãos até o balcão, nas laterais do corpo, e encosta a testa no meu ombro.

Não me pergunta mais nada.

Está sofrendo, mas não sei o que diabos fazer a respeito disso. Ele é o único que pode mudar as coisas entre nós e, pelo que sei, ainda não está disposto a fazer isso.

— Tate — sussurra, agonizando. Seu rosto move-se até meu pescoço, e uma das mãos agarra minha cintura. — *Que droga*, Tate. — A outra mão vai até a parte de trás da minha cabeça, e os lábios apoiam-se na pele do meu pescoço. — O que eu faço? — geme. — Que merda devo fazer?

Fecho os olhos com força, pois a confusão e a aflição na sua voz são insuportáveis. Balanço a cabeça. Balanço-a porque não sei responder a uma pergunta que sequer compreendo. Também balanço a cabeça porque não sei afastá-lo fisicamente.

Seus lábios encostam na área bem abaixo da minha orelha, e quero puxá-lo para perto e empurrá-lo para o mais longe possível. A boca continua movendo-se pela minha pele, e sinto meu pescoço se inclinar para que ele encontre ainda mais de mim para beijar. Os dedos emaranham-se no meu cabelo enquanto ele agarra a parte de trás da minha cabeça para me segurar contra a boca.

— Me obrigue a ir embora — implora, com o calor da voz na minha garganta. — Você não precisa disso. — Ele sobe pelo meu pescoço com beijos, parando para respirar apenas quando fala. — Eu simplesmente não sei como parar de querer você. Me mande embora que eu vou.

Não mando-o embora. Balanço a cabeça.

— Não consigo.

Viro o rosto em direção ao seu no instante em que alcança minha boca. Agarro sua camisa e o puxo para mim, sabendo exatamente o que estou fazendo comigo mesma. Sei que esta vez não vai terminar de um jeito mais bonito do que as outras, mas continuo querendo com a mesma intensidade. Senão com *mais*.

Ele para e me olha seriamente nos olhos.

— Não consigo dar a você mais do que isso — alerta, baixinho. — Simplesmente não consigo.

Odeio-o por dizer isso, mas também o respeito.

Reajo puxando-o até nossos lábios se encontrarem. Abrimos a boca na mesma hora e nos devoramos completamente. Estamos agitados, nos puxando, gemendo, agarrando a pele um do outro.

Sexo, lembro a mim mesma. É apenas sexo. Nada além disso. Ele não vai me entregar nenhuma outra parte dele.

Posso repetir isso para mim o quanto quiser, mas, ao mesmo tempo, agarro, agarro e agarro tudo o que for possível. Decifrando todos os sons que ele faz, todos os toques, tentando me convencer de que o que ele está me dando é muito mais do que provavelmente é.

Sou uma imbecil.

Pelo menos sei que sou uma imbecil.

Desabotoo sua calça, e ele abre meu sutiã, e, antes mesmo de chegarmos ao quarto, minha blusa já foi tirada. Nossas bocas não se separam enquanto ele fecha a porta e arranca meu sutiã. Empurra-me para a cama e tira minha calça, e depois fica em pé de novo para tirar a sua.

É uma corrida.

Somos Miles e eu contra todo o resto.

Estamos correndo contra nossas consciências, nossos orgulhos, nossos respeitos, contra a verdade. Ele está tentando entrar em mim antes que qualquer uma dessas coisas nos alcance.

Assim que volta para a cama, ele vem para cima de mim e mete em mim.

Vencemos.

Sua boca encontra a minha novamente, mas é tudo o que ela faz. Ele não me beija. Nossos lábios se tocam, e nossas respirações colidem uma contra a outra, e nossos olhos se encontram, mas não há nenhum beijo.

O que nossas bocas estão fazendo é muito mais do que isso. A cada estocada, seus lábios deslizam por cima dos meus, e os olhos ficam mais desejosos, mas ele não me beija nenhuma vez.

Um beijo é bem mais fácil do que o que estamos fazendo. Quando beijamos, fechamos os olhos. Dá para esquecer os próprios pensamentos beijando. Dá para esquecer a dor, a dúvida e a vergonha beijando. Quando fechamos os olhos e beijamos, nos protegemos da vulnerabilidade.

Não estamos nos protegendo.

Estamos nos confrontando. É uma disputa. É um duelo visual. É um desafio, de mim para Miles e de Miles para mim. *Eu desafio você a tentar parar*, gritamos, silenciosamente.

Os olhos continuam focados nos meus o tempo inteiro enquanto ele entra e sai. A cada investida, escuto as palavras de apenas algumas semanas atrás se repetirem na minha cabeça.

É fácil achar que sentimentos e emoções são algo que não são, especialmente quando tem contato visual no meio.

Agora compreendo completamente. Compreendo tão bem que quase queria que fechasse os olhos, porque é bem provável que ele não esteja sentindo o que eles estão mostrando para mim nesse momento.

— É tão gostoso sentir você — sussurra.

As palavras caem dentro da minha boca, forçando gemidos a saírem como resposta. Ele abaixa a mão direita entre nós, fazendo pressão em mim de maneira que normalmente faria minha cabeça cair para trás e os olhos se fecharem.

Desta vez, não. Não vou fugir deste confronto. Especialmente quando ele está olhando bem no fundo dos olhos, desafiando suas próprias palavras.

Apesar de me recusar a ceder, deixo-o saber o efeito que está tendo em mim. É inevitável, pois não tenho controle algum sobre minha voz neste momento. Ela foi possuída por uma garota que acha que quer exatamente isso dele.

— Não pare — digo, com um gemido, ficando mais possuída à medida que o tempo passa e ele continua.

— Não pretendo parar.

Ele faz mais pressão, tanto dentro quanto fora de mim. Agarra minha perna por trás do joelho e a puxa entre nós, encontrando um ângulo levemente diferente para me penetrar. Segura minha perna firmemente contra o ombro e consegue entrar ainda mais fundo.

— Miles. Ah, meu *Deus*.

Com um gemido, digo seu nome e o de Deus e grito até para Jesus algumas vezes. Começo a estremecer debaixo dele, e não sei qual de nós cedeu primeiro, mas agora estamos nos beijando. Estamos nos beijando com tanta força e intensidade quanto as estocadas que ele dá em mim.

Ele está fazendo barulho. *Estou fazendo mais ainda.*

Estou tremendo. *Ele está tremendo mais ainda.*

Ele está ofegante. *Estou inspirando o suficiente por nós dois.*

Ele investe uma última vez e pressiona seu peso firmemente contra o meu corpo, me prendendo no colchão.

— Tate — murmura meu nome contra minha boca, enquanto o corpo se recupera dos tremores. — *Porra*, Tate. — Ele sai lentamente de dentro de mim e pressiona a bochecha contra meu peito. — Puta merda! — exclama, baixinho. — É tão gostoso. Isso aqui. Nós dois. Gostoso pra cacete.

— Eu sei.

Ele rola para ficar de lado e mantém o braço em cima de mim. Ficamos deitados juntos, em silêncio.

Eu, sem querer admitir que acabei de deixar que me usasse mais uma vez.

Ele, sem querer admitir que não foi somente sexo.

Ambos mentindo para nós mesmos.

— Onde está Corbin? — pergunta.

— Vai chegar mais tarde.

Ele ergue a cabeça e olha para mim, franzindo a testa de preocupação.

— É melhor eu ir. — Rola para fora da cama e coloca a calça de novo. — Passa lá em casa mais tarde?

Faço que sim enquanto me levanto e visto minha própria calça.

— Pegue minha camisa na cozinha — peço.

Coloco o sutiã e prendo o fecho. Ele abre a porta do meu quarto, mas não sai. Fica parado na porta. Está olhando para alguém.

Merda.

Não preciso vê-lo para saber que Corbin está lá fora. Corro imediatamente até a porta para impedir o que quer que esteja prestes a acontecer. Após abri-la mais um pouco, vejo que está na porta do seu quarto do outro lado do corredor, fulminando Miles com o olhar.

Tomo a iniciativa.

— Corbin, antes que diga qualquer coisa...

Ele ergue a mão para que eu cale a boca. Por um instante, seus olhos descem até meu sutiã, e ele faz uma careta, como se estivesse esperando que o que escutou não tivesse mesmo acontecido. Ele desvia o olhar, e eu me cubro imediatamente, envergonhada por ele ter escutado tudo. Olha de novo para Miles, e nos seus olhos há uma mistura equilibrada de raiva e decepção.

— Há quanto tempo?

— Não responda isso, Miles — digo.

Só quero que ele vá embora. Corbin não tem o direito de questioná-lo assim. É ridículo.

— Um tempinho — admite Miles, envergonhado.

Corbin faz que sim lentamente com a cabeça, assimilando a resposta.

— Você a ama?

Miles e eu nos olhamos. Ele olha de volta para Corbin, como se estivesse decidindo a quem quer agradar com a resposta.

Tenho certeza de que vê-lo fazer que não com a cabeça não agrada a nenhum de nós.

— Mas pelo menos pretende amá-la? — questiona Corbin.

Continuo estudando Miles como se alguém estivesse perguntando para ele qual o sentido da vida. Acho que quero ouvir essa resposta mais do que Corbin.

Miles expira e balança a cabeça novamente.

— Não — sussurra ele.

Não.

Sequer *pretende* me amar.

Eu já sabia a resposta dele. Esperava por ela. Ainda assim, fiquei magoada pra cacete. O fato de Miles nem mesmo conseguir mentir para não desapontar Corbin prova que o que está fazendo não é um jogo.

É o próprio *Miles*. Ele não é capaz de amar. Não mais, pelo menos.

Corbin segura o batente da porta e pressiona a testa contra o braço, inspirando lenta e calmamente. Ele olha para Miles, e seus olhos parecem flechas mirando num alvo. Em toda a minha vida, nunca vi Corbin tão furioso.

— Você acabou de comer a minha *irmã?*

Estou esperando Miles cair para trás com o impacto das palavras de Corbin, mas ele dá um passo em sua direção.

— Corbin, ela é adulta.

Meu irmão dá um passo rápido na direção de Miles.

— Saia daqui.

Miles olha para mim com os olhos pesarosos e cheios de arrependimento. Não sei se é por minha causa ou por Corbin, mas ele faz o que Corbin pede.

Vai embora.

Ainda estou na porta do quarto, olhando para Corbin como se eu pudesse sair voando para o outro lado do corredor e bater nele.

Ele lança um olhar penetrante, tão firme quanto sua postura.

— Você não tem uma irmã, Tate. Nem se atreva a me dizer que não tenho o direito de ficar puto.

Ele volta para o quarto e bate a porta.

Pisco rapidamente, contendo lágrimas de raiva por causa de Corbin, de mágoa por causa de Miles e de vergonha por causa das escolhas egoístas que fiz para mim mesma. Recuso-me a chorar na frente de qualquer um deles.

Vou até a cozinha, pego minha camisa e a visto enquanto vou até a porta e atravesso o corredor. Bato à porta de Miles, e ele a abre imediatamente. Olha para trás de mim como se esperasse ver Corbin parado ali, e depois dá um passo para o lado, me deixando entrar.

— Ele vai superar — digo, depois que Miles fecha a porta.

— Eu sei — concorda, baixinho. — Mas não vai mais ser a mesma coisa.

Miles vai até a sala e senta-se no sofá, então o acompanho e me sento ao seu lado. Não tenho nenhum conselho para dar, pois ele tem razão. É muito provável que as coisas mudem entre os dois. Sinto-me um lixo por ser a causa disso.

Miles suspira enquanto puxa minha mão para o colo e entrelaça os dedos nos meus.

— Tate. Desculpe.

Olho para ele, e seus olhos sobem e encontram os meus.

— Pelo quê?

Não sei por que estou fingindo não saber sobre o que ele está falando. Sei exatamente sobre o que está falando.

— Quando Corbin me perguntou se eu tinha a intenção de amá-la — explica. — Me desculpe por não ter conseguido responder que sim. É que eu não queria mentir nem para você e nem para ele.

Balanço a cabeça.

— Você sempre foi honesto a respeito do que queria de mim, Miles. Não posso ficar com raiva por causa disso.

Ele inspira profundamente enquanto se levanta e começa a andar de um lado para o outro da sala. Continuo no sofá e o observo organizar os pensamentos. Miles acaba parando e juntando as mãos atrás da cabeça.

— Também não tinha o direito de questioná-la sobre aquele rapaz. Não deixo que questione a mim ou à minha vida, então não tenho o direito de fazer isso com você.

Não vou discutir com essa lógica.

— Só não sei lidar com essa nossa situação. — Ele aproxima-se de mim, e eu me levanto. Põe os braços ao redor dos meus ombros e me abraça. — Não sei qual a maneira fácil ou educada de dizer isso, mas o que falei para Corbin é a verdade. Nunca mais vou amar ninguém. Acho que não vale a pena. Mas não estou sendo justo com você. Sei que a estou confundindo, sei que a magoei e peço desculpas. É que gosto de ficar com você, mas toda vez que estamos juntos, fico com medo de que você esteja achando que o que temos é mais do que realmente é.

Sei que devia reagir de alguma forma a tudo que ele acabou de dizer, mas ainda estou digerindo suas palavras. Todas aquelas confissões deveriam servir de sinal vermelho, já que foram acompanhadas da dura verdade de que ele não tem a intenção de me amar ou de namorar comigo, mas o sinal vermelho não acende.

O que acende é o verde.

— Sou eu especificamente que não quer amar ou é o amor em geral que não quer sentir?

Ele me afasta do seu peito para me olhar enquanto responde:

— É o amor em geral que não quero, Tate. Nunca. E é você especificamente que apenas... *desejo.*

Eu me apaixono e desapaixono e reapaixono por essa resposta.

Estou tão ferrada. Era para tudo o que ele falou me fazer sair em disparada, mas, em vez disso, fico com vontade de jogar os braços ao seu redor e entregar tudo que estiver disposto a aceitar de mim. Estou mentindo para ele, estou mentindo para mim mesma e não estou fazendo bem a nenhum de nós, mas não consigo controlar minhas palavras.

— Consigo lidar com isso se for algo simples. Quando aprontou aquela merda algumas semanas atrás... de ir embora e bater a porta... aquilo não foi nada simples, Miles. São coisas daquele tipo que complicam a situação.

Ele assente, refletindo sobre o que eu disse.

— Simples — repete, sentindo a palavra na boca. — Se você topa o simples, eu topo o simples.

— Ótimo — concordo. — E, quando ficar difícil demais para algum de nós, terminamos de vez.

— Não tenho medo que isso fique difícil demais para mim. Estou preocupado que talvez fique difícil demais para *você*.

Também estou preocupada comigo, Miles. Mas minha vontade de ficar aqui e agora é bem maior do que a preocupação com o efeito que isso terá em mim no final.

Ao pensar isso, percebo repentinamente qual é a minha única regra. Desde o início, ele teve seus limites, protegendo-se da vulnerabilidade a que me sujeitei.

— Acho que finalmente criei minha regra — conto-lhe, e ele olha para mim, erguendo a sobrancelha e esperando. — Não me dê falsas esperanças sobre o futuro — digo. — Especialmente se seu coração diz que nunca teremos um.

Sua postura se enrijece imediatamente.

— Eu fiz isso? — pergunta, genuinamente preocupado. — Já dei falsas esperanças pra você?

Sim. Uns trinta minutos atrás, quando me olhou nos olhos durante todo o tempo em que estava dentro de mim.

— Não — nego, rapidamente. — Só tome cuidado para não fazer nem dizer nada que me faça achar outra coisa. Se não interpretarmos nada errado, acho que vamos ficar bem.

Ele fica me encarando em silêncio por um tempo, me analisando. Avaliando minhas palavras.

— Não sei se é muito madura para a sua idade ou se está se iludindo.

Dou de ombros, deixando minhas ilusões bem guardadas dentro do peito.

— Tenho certeza de que é uma mistura nada saudável das duas coisas.

Ele pressiona os lábios no lado da minha cabeça.

— É bem bizarro dizer isso em voz alta, mas prometo que nunca vou lhe dar esperança quanto a nós, Tate.

Meu coração se franze com essas palavras, mas o rosto força um sorriso.

— Ótimo. Você tem sérios problemas, e eles meio que me assustam, então vou preferir me apaixonar algum dia por um homem que seja emocionalmente estável.

Ele ri. Deve ser por saber que a probabilidade de encontrar alguém capaz de aturar esse tipo de relacionamento, se é que dá para chamar disso, é extremamente baixa. No entanto, de algum modo, a única garota que toparia acabou de se mudar para o apartamento vizinho. E ele até gosta dela.

Você gosta de mim, Miles Archer.

* * *

— Corbin descobriu — digo, enquanto sento-me no lugar de sempre ao lado de Cap.

— Xiii. O garoto ainda está vivo?

Faço que sim.

— Por enquanto. Mas não sei por quanto tempo.

A porta do prédio se abre, e vejo Dillon entrar. Ele tira o chapéu e sacode a chuva do corpo enquanto caminha na direção do elevador.

— Às vezes, eu queria que meus voos terminassem em acidentes — confessa Cap, olhando para Dillon.

Pelo jeito, Cap também não gosta dele. Estou começando a me sentir meio mal por Dillon.

Ele nos avista um pouco antes de chegar aos elevadores. Cap está se movendo na direção do botão para subir, mas Dillon o alcança antes dele.

— Consigo chamar meu próprio elevador, velhote — dispara.

Lembro-me vagamente de pensar em Dillon uns dez segundos atrás e de me sentir mal por ele. Agora, retiro o que pensei.

Dillon olha para mim e pisca.

— O que está fazendo, Tate?

— Lavando elefantes — digo, séria.

Dillon olha para mim confuso, completamente perdido com minha resposta sem sentido.

— Se não quer uma resposta sarcástica — diz Cap —, não faça uma pergunta estúpida.

A porta do elevador se abre, e Dillon revira os olhos para nós dois antes de entrar.

Cap lança um olhar para mim e sorri. Ele ergue a palma da mão, e dou um *high-five* nele.

capítulo vinte e quatro

MILES

Seis anos antes

— Por que tudo amarelo?
Meu pai está na porta do quarto de Rachel,
olhando para as poucas coisas que compramos
desde que descobrimos sobre a gravidez.
— Parece que o Garibaldo vomitou aqui.
Rachel ri. Está parada na frente do espelho do
banheiro, dando os toques finais na maquiagem.
Eu estava deitado na cama, olhando para ela.
— Não queremos saber se é menino ou menina,
então compramos coisas de cores neutras.
Rachel responde à pergunta do meu pai como se fosse
uma no meio de muitas, mas ambos sabemos que é a
primeira. Ele não perguntou nada sobre a gravidez. Não

faz nenhuma pergunta sobre nossos planos. Costuma sair do ambiente se Rachel e eu estamos presentes. Lisa também não está agindo muito diferente disso. Ela ainda não superou o desapontamento nem a tristeza, então não forçamos. Por mim, tudo bem esperar um pouco, então é o que Rachel e eu estamos fazendo. Neste momento, Rachel só pode conversar sobre o bebê comigo, e eu com ela, e, apesar de parecer pouco, é mais do que o suficiente para nós dois.

— Quanto tempo vai durar a cerimônia?

— pergunta meu pai para mim.

— No máximo duas horas.

Ele diz que devemos ir.

Digo que assim que Rachel estiver pronta, nós vamos.

Rachel diz que está pronta.

Nós vamos.

* * *

— Parabéns — digo para Rachel.

— Parabéns — repete para mim.

Ambos nos formamos três horas atrás. Agora, estamos deitados na minha cama, pensando no nosso próximo passo. Ou, pelo menos, *eu* estou fazendo isso.

— Vamos morar juntos — sugiro.

Ela ri.

— Nós já meio que moramos juntos, Miles.

Balanço a cabeça.

— Sabe o que quero dizer. Sei que já temos planos para depois que começarmos a universidade em agosto, mas acho que deveríamos fazer isso agora.

Ela se apoia no cotovelo e olha para mim, provavelmente tentando ver pela minha expressão se estou falando sério.

— Como? Para onde iríamos?

Estendo o braço para a mesa de cabeceira e abro a gaveta de cima. Tiro a carta e a entrego para ela.

Rachel começa a ler em voz alta.

Caro Sr. Archer,

Ela olha para mim de olhos arregalados.

Parabéns pela sua matrícula de verão. Estamos contentes em informar que seu pedido de domicílio familiar foi processado e aprovado.

Rachel sorri.

Em anexo, há um envelope já carimbado e os documentos finais que precisam ser enviados antes da data indicada no carimbo postal.

Rachel olha para o envelope e analisa rapidamente os documentos em anexo. Ela volta para a carta no topo da pilha.

Aguardamos ansiosamente os formulários preenchidos. Nossas informações para contato estão abaixo, caso tenha alguma pergunta.

Cordialmente,

Paige Donahue, Secretária Acadêmica

Rachel cobre o sorriso com a mão, joga a carta para o lado, inclina-se para a frente e me abraça.

— Podemos nos mudar agora? — exclama.

Amo o entusiasmo tão nítido na sua voz.

Digo que sim. Rachel está aliviada. Sabe tanto quanto eu que as próximas semanas seriam bastante constrangedoras se ficássemos na mesma casa que nossos pais.

— Já pediu para o seu pai?

Digo que ela se esqueceu de que agora somos adultos. Não precisamos mais pedir permissão. Só informar.

Rachel diz que quer informá-los agora.

Seguro a mão dela, vamos até a sala e informamos a nossos pais que vamos nos mudar.

Juntos.

capítulo vinte e cinco

TATE

Já se passaram algumas semanas desde que Corbin descobriu. Não aceitou a situação e ainda não falou com Miles, mas está começando a se adaptar. Sabe para onde vou nas noites em que saio sem dar explicação, voltando apenas algumas horas depois. Ele não pergunta nada.

Quanto às coisas com Miles, sou eu que estou me adaptando. Precisei me adaptar às regras dele, porque Miles não vai se adaptar de jeito nenhum se elas forem desobedecidas. Aprendi a parar de tentar entendê-lo e a parar de deixar as coisas entre nós ficarem tão tensas. Estamos fazendo exatamente o que topamos no começo, que foi transar.

Transar muito.

Transar no chuveiro. No quarto. No chão. Na mesa da cozinha.

Até agora, nunca dormi na casa dele, e ainda fico magoada ao ver o quanto ele se fecha logo depois que terminamos, mas ainda não descobri uma maneira de dizer não.

Sei que quero muito mais do que ele está me dando, e que ele quer muito menos do que quero dar a ele, mas estamos simplesmente aceitando o que temos agora. Tento não pensar no que vai acontecer no dia em que eu não conseguir mais fazer isso. Tento não pensar em todas as coisas que estou sacrificando por ainda estar envolvida com ele.

Tento não pensar nem um pouco nisso tudo, mas os pensamentos aparecem mesmo assim. Toda noite, antes de dormir, penso nisso. Toda vez que estou tomando banho, penso nisso. Quando estou na aula, na sala, na cozinha, no trabalho... penso no que vai acontecer quando algum de nós finalmente criar juízo.

— Tate é apelido para alguma coisa? — pergunta Miles.

Estamos na casa dele. Miles acabou de voltar, depois de quatro dias de trabalho, e, apesar de supostamente nosso acordo ser de apenas transarmos, ainda estamos completamente vestidos. Não estamos nos agarrando. Ele está apenas deitado comigo, fazendo perguntas pessoais sobre meu nome, algo que amo bem mais do que todos os outros dias que passamos juntos.

É a primeira vez que ele me faz uma pergunta semipessoal. Odeio que isso tenha me deixado cheia de sentimentos de esperança, e tudo o que ele fez foi me perguntar se Tate é um apelido.

— Tate é meu nome do meio — explico. — Era o sobrenome de solteira da minha avó.

— Qual seu primeiro nome?

— Elizabeth.

— Elizabeth Tate Collins — pronuncia, deixando a voz fazer amor com meu nome. Nunca soou tão bonito quanto agora, saindo da sua boca. — É quase o dobro de sílabas do meu nome. São muitas sílabas.

— Qual o seu nome do meio?

— Mikel. Mas a maioria das pessoas pronuncia errado: "Michael." É irritante.

— Miles Mikel Archer — digo. — Que nome marcante.

Miles apoia-se no cotovelo e olha para mim com uma expressão pacífica. Ele põe meu cabelo atrás da orelha enquanto os olhos percorrem meu rosto.

— Aconteceu alguma coisa interessante essa semana enquanto eu estava no trabalho, Elizabeth Tate Collins?

Há um certo tom brincalhão na voz dele que desconheço, mas é algo de que gosto. É algo de que gosto muito.

— Na verdade, não, Miles Mikel Archer — brinco, sorrindo. — Fiz muitas horas extra.

— Ainda gosta do seu trabalho?

Os dedos estão tocando meu rosto, deslizando pelos lábios, descendo pelo pescoço.

— Gosto sim — respondo. — Você gosta de ser capitão?

Apenas repito as perguntas que me faz. Imagino que, assim, não estou correndo nenhum risco, pois sei que ele só vai responder o tipo de pergunta que está disposto a fazer.

Miles acompanha a mão com os olhos enquanto solta o botão mais alto da minha camisa.

— Amo meu trabalho, Tate. — Os dedos ocupam-se do segundo botão da minha camisa. — Só não gosto de passar tanto tempo fora, especialmente quando sei que você está bem na frente do meu apartamento. Assim me dá vontade de ficar em casa o tempo inteiro.

Tento me conter, mas não consigo. Suas palavras me fazem arquejar, apesar de provavelmente ser o suspiro mais baixo que já passou pelos lábios de alguém.

Mas ele percebe.

Seus olhos encontram os meus rapidamente, e vejo que ele está querendo voltar atrás. Ele quer retirar o que acabou de dizer, porque havia esperança nessas palavras. Miles não diz coisas desse tipo. Sei que está prestes a pedir desculpas. Vai me lembrar de que ele não é capaz de me amar, de que não era sua intenção me dar falsas esperanças.

Não retire o que disse, Miles. Por favor, deixe-me ficar com isso.

Nossos olhares permanecem presos um ao outro por vários longos segundos. Continuo encarando-o, esperando que volte atrás. Seus dedos ainda estão no segundo botão da minha camisa, mas não tentam mais abri-lo.

Ele foca na minha boca, depois volta para os olhos e retorna para a boca.

— Tate — sussurra.

Pronuncia meu nome tão baixinho que acho que sua boca nem se mexe.

Nem sequer tenho tempo de responder. Sua mão solta o botão da minha camisa e desliza pelo meu cabelo no mesmo instante em que seus lábios encostam fortemente nos meus. Ele joga o corpo para cima do meu, e seu beijo imediatamente se torna intenso. Profundo. Dominador. O beijo está cheio de algo que nunca senti nele antes. Cheio de sentimento. Cheio de *esperança*.

Até esse momento, eu achava que um beijo não passava de um beijo. Não fazia ideia de que beijos podiam ter significados diferentes, nem de que podiam ser tão completamente opostos um do outro. Até agora, sempre senti paixão e desejo e luxúria... mas desta vez é diferente.

Esse beijo é um Miles diferente, e meu coração sabe que se trata do *verdadeiro* Miles. O Miles que costumava ser. O Miles sobre o qual não posso perguntar.

* * *

Ele sai de cima de mim após terminar.

Fico encarando o teto.

Minha cabeça está cheia de tantas perguntas. Meu coração está cheio de confusão. O que temos nunca foi fácil. Esperava que ficar só no sexo fosse a coisa mais simples do mundo, mas é algo que me faz questionar todas as minhas ações e qualquer palavra que sai da minha boca. Fico analisando cada olhar que ele me lança.

Nem sei o que devo fazer agora. Será que fico deitada aqui até que peça para que eu vá embora? Nunca dormi na casa dele antes. Será que devo rolar para o lado e colocar os braços ao redor dele, esperando que me abrace até pegarmos no sono? Tenho medo demais de ser rejeitada.

Sou uma idiota.

Sou uma garota muito, muito idiota.

Por que não pode ser só sexo para mim também? Por que não posso chegar aqui, dar a ele o que quer, receber o que eu quero e ir embora?

Rolo para o lado e me sento lentamente. Estendo o braço na direção das minhas roupas, levanto e me visto. Ele está me observando. Em silêncio.

Evito olhar para ele até estar completamente vestida e calçando os sapatos. Por mais que eu queira voltar para a cama com ele, vou até a porta. Não me viro ao dizer:

— Até amanhã, Miles.

Vou até a porta. Ele não diz nada. Não me retribui meu "até amanhã", nem me dá tchau.

Espero que seu silêncio seja uma prova de que ele não gostou do que se sente quando o outro simplesmente vira as costas e vai embora.

Abro a porta, atravesso o corredor e entro em casa. Corbin está sentado no sofá, vendo TV. Ele olha para a porta ao me escutar, e lança um olhar condescendente de desaprovação para mim.

— Relaxa — digo, enquanto entro e tiro os sapatos perto da porta. — Vai ter que superar isso algum dia.

Vejo-o balançar a cabeça, mas o ignoro e vou na direção do meu quarto.

— Ele estava transando com você pelas minhas costas e mentindo para mim — resmunga Corbin. — Não vou *superar* isso.

Viro-me novamente para a sala e vejo que Corbin está olhando para mim.

— Você esperava que ele fosse mais aberto sobre isso com você? Meu Deus, Corbin. Você expulsou Dillon daqui só porque o cara *olhou* para mim do jeito errado.

Corbin levanta-se, agora com raiva.

— Exatamente! — grita. — Achei que Miles estivesse protegendo você de Dillon, mas na verdade estava apenas marcando território! É um hipócrita de merda, e vou ficar furioso com ele o tempo que quiser, então *você* que supere isso!

Dou risada, pois Corbin não tem o menor direito de acusar ninguém.

— Está achando graça de quê, Tate? — explode.

Volto para a sala e paro bem na frente dele.

— Miles sempre foi honesto comigo sobre o que quer. Em momento algum veio com papinho furado pra cima de mim. Sou a única garota com quem ele ficou em seis anos, e você está dizendo que *ele* é hipócrita? — Nem tento mais me segurar para não levantar a voz. — É melhor dar uma olhada no espelho, Corbin. Com quantas garotas ficou desde que me mudei pra cá? Quantas delas não têm irmãos que adorariam lhe dar uma surra se descobrissem a seu respeito? Se tem alguém hipócrita aqui, esse alguém é você!

Corbin está com as mãos nos quadris, olhando para mim com uma expressão insensível. Após ver que ficou sem resposta, viro-me para voltar para o meu quarto, mas a porta do apartamento se abre ao mesmo tempo em que alguém bate nela.

Miles.

Corbin e eu nos viramos no instante em que ele coloca a cabeça para dentro.

— Está tudo bem aqui? — indaga, vindo para a sala.

Olho para Corbin, que me fulmina com o olhar. Ergo a sobrancelha, esperando que responda à pergunta de Miles, pois é ele quem está criando problema.

— Você está bem, Tate? — pergunta Miles, falando só comigo agora.

Olho para ele e assinto.

— Estou. Não sou eu que tenho expectativas irreais para o meu irmão.

Corbin grunhe ruidosamente, vira-se e chuta o sofá. Miles e eu o assistimos deslizar as mãos pelo cabelo e segurar firmemente a nuca. Então, vira-se para Miles mais uma vez e expira fortemente.

— Por que não você não podia simplesmente ser gay?

Miles olha para ele com uma concentração cautelosa. Estou esperando que algum deles reaja, para que eu saiba se posso ou não respirar.

Miles começa a balançar a cabeça assim que um sorriso aparece no seu rosto.

Corbin começa a rir, mas grunhe ao mesmo tempo, indicando que acabou de aceitar nosso acordo, apesar de ainda não concordar com ele.

Sorrio e saio silenciosamente do apartamento, esperando que estejam prestes a consertar o que quer que tenha sido destruído quando entrei em cena.

As portas do elevador se abrem na portaria, e estou pronta para sair, mas Cap está parado na frente delas como se estivesse prestes a entrar.

— Estava vindo atrás de mim?

Faço que sim e aponto para cima.

— Corbin e Miles estão se resolvendo lá em cima. Estou deixando que fiquem a sós por um instante.

Cap entra no elevador e pressiona o botão do vigésimo andar.

— Bem, acho que pode me acompanhar até em casa, então — sugere.

Ele segura as barras atrás de si para se apoiar. Fico ao seu lado e me recosto à parede atrás de mim.

— Posso fazer uma pergunta, Cap?

Ele me autoriza com um gesto de cabeça.

— Adoro que me façam perguntas tanto quanto adoro fazê-las.

Olho para meus sapatos, cruzando um pé em cima do outro.

— O que acha que faria um homem não querer amar nunca mais?

Cap não responde à minha pergunta por pelo menos cinco andares, até que ergo o olhar para ele, que me encara e estreita os olhos, fazendo ainda mais rugas surgirem entre eles.

— Acho que, se um homem vivenciasse o lado mais feio do amor, nunca mais iria querer senti-lo novamente.

Penso em sua resposta, mas ela não ajuda muito. Não sei como o amor pode ficar tão feio a ponto de que alguém queira se isolar completamente dele.

As portas do elevador abrem-se no vigésimo andar, e deixo que Cap saia primeiro. Acompanho-o até a porta do seu apartamento e espero ele abri-la.

— Tate. — Ele está de frente para a porta, e não se vira para terminar a frase. — Às vezes, o espírito de um homem simplesmente não é forte o suficiente para aguentar os fantasmas do passado. — Cap abre a porta do apartamento e entra. — Talvez aquele garoto tenha apenas perdido o espírito no meio do caminho.

Ele fecha a porta e me deixa tentando decifrar uma confusão ainda maior.

capítulo vinte e seis

MILES

Seis anos antes

Agora, meu quarto é o quarto de Rachel. O quarto de Rachel é o meu quarto.
Nós nos formamos. Estamos morando juntos. Estamos na universidade.
Está vendo só? Estamos conseguindo.
Ian traz a última caixa do carro.
— Onde coloco essa? — pergunta.
— O que tem nela? — questiona Rachel.
Ele diz que parece uma caixa cheia de calcinhas e sutiãs. Ela ri e pede que a coloque ao lado da minha cômoda. Ian obedece. Ian gosta de Rachel. Gosta do fato de não estar me impedindo de nada. Ian gosta que ela queira que eu me forme e conclua a escola de aviação.

Rachel quer que eu seja feliz. Digo a Rachel que
serei feliz enquanto ela estiver ao meu lado.
Ela me diz:
— Então vai ser feliz para sempre.
Meu pai ainda me odeia. Meu pai não quer me odiar.
Estão tentando aceitar a situação, mas é difícil. É difícil para
todos. Rachel não se importa com o que todo mundo pensa.
Ela só se importa com o que eu penso, e só penso em Rachel.
Estou aprendendo que não importa o quanto uma situação seja
complicada. As pessoas vão aprendendo a se adaptar. Talvez
meu pai e a mãe dela não aprovem, mas vão se adaptar.
Talvez Rachel não esteja pronta para ser mãe, e talvez eu não
esteja pronto para ser pai, mas estamos nos adaptando.
É o que precisa acontecer. É algo necessário quando
as pessoas querem ficar em paz com elas mesmas.
Vital, até.

* * *

— Miles.
Adoro quando meu nome sai de sua boca. Ela não
o desperdiça. Só o diz quando precisa de alguma
coisa. Só o diz quando algo precisa ser dito.
— Miles.
Ela o falou duas vezes.
Deve estar realmente precisando de alguma coisa.
Rolo para o lado, e ela está sentada na cama.
Olha para mim, de olhos arregalados.
— Miles. — *Três vezes.* — Miles. — *Quatro.* — Está doendo.
Merda.
Salto da cama e pego nossa bolsa. Ajudo Rachel
a trocar de roupa. Ajudo-a a ir até o carro.
Está com medo.
Talvez eu esteja com mais medo do que ela.

Seguro sua mão enquanto dirijo. Instruo-a a respirar.
Não sei por que digo isso. Lógico que ela sabe que
deve respirar. Não sei mais o que dizer para ela.
Sinto-me inútil.
Talvez queira sua mãe.
— Quer que eu ligue para eles?
Ela balança a cabeça.
— Ainda não. Depois.
Quer que sejamos apenas nós dois. Gosto disso.
Também quero que sejamos apenas nós.
Uma enfermeira a ajuda a sair do carro. Somos levados para
um quarto. Pego para Rachel tudo do que ela precisa.
— Precisa de gelo?
Pego para ela.
— Quer um pano frio?
Pego para ela.
— Quer que eu desligue a TV?
Desligo-a.
— Quer mais um cobertor, Rachel? Parece estar com frio.
Não pego um cobertor. Ela não está com frio.
— Quer mais gelo?
Ela não quer mais gelo.
Quer que eu cale a boca.
Calo a boca.
— Me dê sua mão, Miles.
Dou.
Quero minha mão de volta.
Ela está machucando-a.
Deixo-a ficar com ela mesmo assim.
Ela está em silêncio. Não faz nenhum barulho.
Apenas respira. Ela é incrível.
Estou chorando. Não sei por quê.
Amo você pra caralho, Rachel.
O médico diz que está quase no fim. Beijo-a na testa.

Então acontece.
Sou pai.
Ela é mãe.
— É um menino — diz o médico.
Ela o está segurando. Está segurando meu coração.
Ele para de chorar. Tenta abrir os olhos.
Rachel chora.
Rachel ri.
Rachel me agradece.
Rachel *me* agradece. Como se não tivesse
sido ela quem criou o bebê.
Rachel é maluca.
— Eu o amo tanto, Miles — diz, ainda
chorando. — Eu o amo tanto, tanto.
— Eu também o amo — digo para ela.
Toco nele. Quero segurá-lo, mas quero mais ainda
que ela o segure. Fica linda com ele no colo.
Rachel olha para mim.
— Pode me contar o nome dele agora, por favor?
Estava querendo que fosse um menino
para que eu tivesse esse momento.
Estava querendo ter a oportunidade de contar a ela
o nome de seu filho, porque sei que vai amar.
Espero que se lembre do momento em que

ela

se

tornou

meu

tudo.

Miles vai acompanhá-la até a sala do Sr. Clayton, Rachel.
— O nome dele é Clayton.
Ela cai aos prantos.
Ela se lembra.
— É perfeito — diz, com as palavras misturadas às lágrimas.

Agora, está chorando demais. Ela quer que eu o segure.
Sento na cama com ela e pego o bebê.
Estou segurando-o.
Estou segurando meu filho.
Rachel encosta a cabeça no meu braço,
e ficamos encarando o bebê.
Ficamos encarando-o por muito tempo. Digo para Rachel que ele tem o cabelo ruivo dela. Rachel diz que ele tem meus lábios. Digo para Rachel que espero que ele tenha a personalidade dela. Ela discorda e diz que espera que ele seja igual a mim.

— A vida fica bem melhor com ele — diz ela.

— Com certeza.

— Temos tanta sorte, Miles.

— Com certeza.

Rachel aperta minha mão.

— Vamos conseguir — sussurra Rachel.

— Vamos conseguir *mesmo*.

Clayton boceja, o que nos faz rir.
Desde quando um bocejo se tornou algo tão incrível?
Toco os dedinhos dele.
Nós amamos tanto você, Clayton.

capítulo vinte e sete
TATE

Sento-me na cadeira ao lado de Cap, ainda de uniforme médico dos pés à cabeça. Assim que cheguei do trabalho, passei duas horas estudando. Já são mais de dez da noite e ainda não jantei, e é por isso que agora estou ao lado de Cap, porque está começando a conhecer meus hábitos e pediu uma pizza para nós dois.

Entrego um pedaço a ele, pego um para mim, fecho a tampa e coloco a caixa no chão à minha frente. Dou uma mordida enorme na pizza, mas Cap está encarando o pedaço em sua mão.

— É muito triste quando a pizza chega na sua casa mais rápido do que a polícia — comenta. — Acabei de pedir isso faz dez minutos.

Ele dá uma mordida e fecha os olhos como se fosse a melhor coisa que já comeu.

Terminamos nossas fatias, e estendo o braço para pegar outra. Ele balança a cabeça quando ofereço-o uma segunda fatia, então a guardo de volta na caixa.

— E aí? Algum progresso entre o garoto e o amigo dele?

Acho engraçado ele se referir constantemente a Miles como *o garoto*. Assinto e respondo com a boca cheia.

— Mais ou menos. Eles tiveram uma noite de jogo bem-sucedida, mas acho que isso só aconteceu porque Miles ficou o tempo inteiro fingindo que eu não estava lá. Sei que está tentando respeitar Corbin, mas acabo me sentindo uma merda no meio da história, sabe?

Cap faz que sim como se compreendesse. Não sei se ele compreende mesmo, mas gosto do fato de sempre me escutar atentamente mesmo assim.

— É óbvio que me mandou mensagens sem parar enquanto estava na sala sentado ao lado de Corbin, então pelo menos é alguma coisa. Mas depois tem semanas como essa em que nem sequer estamos no mesmo estado, e é como se eu não existisse para ele. Nenhuma mensagem. Nenhuma ligação. Tenho certeza de que ele só pensa em mim quando estou a menos de 3 metros de distância.

Cap balança a cabeça.

— Duvido. Acho que aquele garoto pensa bem mais em você do que demonstra.

Até gostaria de acreditar nessas palavras, mas não tenho tanta certeza de que são verdadeiras.

— Mas, se não pensar — completa Cap —, você não pode ficar com raiva dele. Não era parte do acordo, certo?

Reviro os olhos. Odeio o fato de sempre mencionar que não é Miles quem está quebrando as regras ou acordos. Sou eu que tenho problemas com o que concordamos, e a culpa disso é toda minha.

— Como me meti nessa confusão? — pergunto, sem ao menos precisar de uma resposta.

Sei como me meti nessa confusão. Também sei como sair dela... só não quero fazê-lo.

— Já escutou aquela expressão "quando a vida te der limões"...

— Faça uma limonada — digo, terminando a frase dele.

Cap olha para mim e balança a cabeça.

— Não é assim. Quando a vida te der limões, é melhor saber nos olhos de quem você precisa espremê-los.

Rio, pego outra fatia de pizza e me pergunto como diabos um octogenário acabou virando meu melhor amigo.

* * *

O telefone de Corbin nunca toca. Especialmente depois da meia-noite. Saio das cobertas, pego uma camisa e a visto pela cabeça. Não sei por que me dei ao trabalho de me vestir. Corbin está viajando, e Miles só volta amanhã.

Vou até a cozinha no quinto toque, logo antes da secretária eletrônica atender. Cancelo a mensagem e encosto o telefone no ouvido.

— Alô?

— Tate! — exclama minha mãe. — Meu Deus, Tate.

A voz dela está em pânico, o que imediatamente me deixa em pânico.

— O que aconteceu?

— Um avião. Um avião caiu há meia hora, e não consigo falar com a companhia aérea. Você falou com seu irmão?

Meus joelhos caem no chão.

— Tem certeza que era a companhia dele? — pergunto.

Minha voz está tão apavorada que nem a reconheço. Parece tão apavorada quanto a dela da última vez em que isso aconteceu.

Tinha apenas 6 anos, mas lembro de todos os detalhes, como se tivesse acontecido ontem, até mesmo do pijama de estrelas e luas que eu estava vestindo. Meu pai estava num voo doméstico, e tínhamos ligado a TV no jornal logo após o jantar, e vimos que um dos aviões tinha caído devido a uma falha no motor. Todos a bordo morreram. Lembro-me de ver minha mãe ao telefone com a companhia aérea, histérica, tentando descobrir quem era o piloto. Tivemos a informação de que não era ele em no máximo uma hora, mas foi uma das horas mais apavorantes das nossas vidas.

Até agora.

Corro até o quarto, pego o celular na mesa de cabeceira e disco o número dele imediatamente.

— Já tentou ligar para ele? — pergunto, enquanto volto para a sala.

Tento chegar até o sofá, mas por alguma razão, o chão parece mais tranquilizante. Ajoelho-me novamente, quase como se estivesse rezando.

Acho que é o que estou fazendo.

— Sim, não paro de ligar para ele. Só dá caixa postal.

É uma pergunta idiota. É lógico que ela tentou ligar para ele. Tento outra vez mesmo assim, mas vai direto para a caixa postal.

Tento tranquilizá-la, mas sei que não adianta. Até escutarmos a voz dele, não vai adiantar tentar tranquilizar ninguém.

— Vou ligar para a companhia — digo. — Ligo de volta se souber de algo.

Minha mãe nem sequer se despede.

Uso o telefone de casa para ligar para a companhia aérea, e o celular para ligar para Miles. É a primeira vez que ligo para ele.

Rezo para que atenda, porque, por mais que esteja morrendo de medo por Corbin, também estou pensando que Miles trabalha para a mesma companhia.

Estou nauseada.

— Alô? — atende Miles, no segundo toque.

A voz parece hesitante, como se não soubesse por que estou ligando.

— Miles! — digo, tanto agitada quanto aliviada. — Ele está bem? Corbin está bem?

Há uma pausa.

Por que há uma pausa?

— Como assim?

— Um avião — respondo, imediatamente. — Minha mãe me ligou. Aconteceu um acidente de avião. Ele não está atendendo ao celular.

— Onde você está? — pergunta, depressa.

— Em casa.

— Deixe-me entrar.

Vou até a porta e a destranco. Ele empurra a porta, ainda com o telefone no ouvido. Ao me ver, afasta o telefone, corre imediatamente até o sofá, pega o controle remoto e liga a TV.

Muda de canal até encontrar o noticiário. Disca números no celular, vira-se e corre até mim. Segura minha mão.

— Vem aqui. — Puxa-me para perto. — Tenho certeza de que ele está bem.

Faço que sim contra o peito dele, mas não adianta tentar me tranquilizar.

— Gary? — diz ele, quando alguém atende. — É Miles. Sim. Sim, eu soube. Quem estava na tripulação?

Há uma longa pausa. Estou morrendo de medo de olhar para ele. *Morrendo.*

— Obrigado. — Desliga. — Ele está bem, Tate — avisa-me imediatamente. — Corbin está bem. Ian também.

Caio aos prantos de tanto alívio.

Miles acompanha-me até o sofá, senta-se e me puxa para perto. Tira meu celular das minhas mãos e aperta vários botões antes de colocar o aparelho no ouvido.

— Oi, é Miles. Está tudo bem com Corbin. — Ele para de falar por alguns segundos. — Sim, ela está bem. Vou avisá-la para ligar pra você pela manhã. — Mais alguns segundos se passam, e ele se despede, então coloca o celular ao lado dele no sofá. — Sua mãe.

Assinto. Eu já sabia.

E esse simples gesto de ligar para minha mãe faz com que me apaixone ainda mais.

Agora, está beijando o topo da minha cabeça, massageando meu braço para me tranquilizar.

— Obrigada, Miles — digo para ele.

Miles não responde *de nada*, porque não acha que fez algo que mereça agradecimento.

— Você os conhecia? A equipe que estava a bordo?

— Não. Eram de um ponto diferente. Não reconheci os nomes.

Meu telefone vibra, então Miles o devolve para mim. Olho para o aparelho, e é uma mensagem de Corbin.

> **Corbin: Se tiver ouvido falar do avião, só quero que saiba que estou bem. Liguei para a sede, e Miles também está bem. Por favor, avise a mamãe se ela souber. Amo você.**

Receber a mensagem dele me deixa ainda mais aliviada, pois agora tenho cem por cento de certeza de que ele está bem.

— É uma mensagem de Corbin. Disse que você está bem. Caso estivesse preocupado.

Miles ri.

— Então ele conferiu se eu estava bem? — comenta, sorrindo. — Sabia que não iria conseguir me odiar para sempre.

Sorrio. Adoro que Corbin tenha me avisado que Miles estava bem.

Miles continua me abraçando, e aproveito cada segundo.

— Quando é que ele volta pra casa?

— Daqui a dois dias. Há quanto tempo chegou?

— Há dois minutos — diz ele. — Tinha acabado de colocar o telefone no carregador quando você ligou.

— Fico feliz que tenha voltado.

Ele não responde. Não me diz que também acha bom *estar* de volta. Em vez de falar algo que me dê falsas esperanças, simplesmente me beija.

— Sabe — brinca, puxando-me para o colo. — Odeio as circunstâncias que fizeram com que provavelmente não tivesse tempo de colocar uma calça, mas adoro o fato de você estar sem calça.

Suas mãos sobem pelas minhas coxas, e ele me puxa mais para perto até ficarmos grudados. Beija a ponta do meu nariz, depois meu queixo.

— Miles? — Passo as mãos pelo cabelo dele, descendo pelo pescoço e parando nos ombros. — Eu também estava com medo que tivesse sido você — sussurro. — Por isso fiquei feliz por você estar de volta.

Surge uma ternura em seus olhos, e as rugas entre eles desaparecem. Talvez eu não saiba nada sobre seu passado ou sua vida, mas é óbvio que não deixei de perceber que não ligou para ninguém para avisar que está bem. O que me deixa triste por ele.

Os olhos desviam dos meus e param no meu peito. Ele passa o dedo na parte inferior da minha camisa e a puxa lentamente pela minha cabeça. Agora, estou apenas de calcinha.

Miles inclina-se para a frente, põe os braços ao redor das minhas costas e me puxa contra a boca. Seus lábios fecham delicadamente ao redor do meu mamilo, e meus olhos se fecham involuntariamente. Arrepios irrompem na minha pele enquanto as mãos começam a explorar cada parte das minhas costas e coxas. Sua boca vai até meu outro seio ao mesmo tempo em que a mão desliza para dentro da calcinha na altura do quadril.

— Acho que vou ter que arrancar isso do seu corpo, porque não quero tirar você do meu colo de jeito nenhum — diz ele.

Sorrio.

— Por mim tudo bem. Tem mais de onde essa veio.

Sinto-o sorrir contra minha pele enquanto as mãos puxam o elástico da calcinha. Ele puxa-a para um lado, mas não consegue arrancá-la. Tenta rasgar do outro lado para tirá-la de mim, mas nada cede.

— Assim a calcinha está entrando na minha bunda — digo, rindo.

Ele suspira, frustrado.

— Isso é sempre tão mais sexy na TV.

Ajeito minha posição, sentando-me com a coluna mais ereta.

— Tente de novo — incentivo-o. — Você consegue, Miles.

Ele agarra o lado esquerdo da calcinha e puxa com força.

— Ai! — grito, indo na direção da puxada para amenizar a dor do elástico se enterrando no meu quadril direito.

Ele ri de novo e encosta o rosto no meu pescoço.

— Desculpe. Você não tem uma tesoura?

Faço uma careta só de pensar na ideia de Miles se aproximando de mim com uma tesoura. Saio de cima dele, levanto e puxo a calcinha para baixo, chutando-a para longe.

— Vê-la fazer isso compensou completamente minha tentativa frustrada de ser sexy.

Sorrio.

— E sua tentativa frustrada de ser sexy *deixou* você ainda mais sexy.

Meu comentário faz com que ele ria de novo. Vou até ele e volto para seu colo. Ele me reposiciona para que eu fique sentada nele mais uma vez.

— Você se excita com meus fracassos? — pergunta, num tom provocador.

— Muito — murmuro. — É *tão* sexy.

Suas mãos estão em mim mais uma vez, percorrendo as costas e descendo pelos braços.

— Você teria ficado fascinada por mim quando eu tinha entre 13 e 16 anos. Fracassei em praticamente tudo. Especialmente no futebol americano.

Sorrio.

— Agora sim ficou interessante. Conte-me mais.

— Baseball — continua, logo antes de pressionar a boca no meu pescoço e subir até minha orelha com beijos. — E um semestre de geografia mundial.

— Puta merda — digo, gemendo. — Isso sim é sexy.

Ele move os lábios até minha boca e me puxa para um leve beijo, mal roçando-a na minha.
— Também fracassei nos beijos. Terrivelmente. Uma vez, quase fiz uma garota engasgar com a língua.
Dou risada.
— Quer que eu mostre como foi?
Assim que concordo, ele muda nossa posição no sofá para que eu fique deitada de costas, com ele sobre mim.
— Abra a boca.
Obedeço. Ele abaixa a boca até a minha e enfia a língua lá dentro, dando-me muito possivelmente o pior beijo da minha vida. Empurro o peito dele, tentando tirar sua língua da minha boca, mas ele não se mexe. Viro o rosto para a esquerda, e ele começa a lamber minha bochecha, fazendo com que eu ria ainda mais.
— Meu Deus, isso foi péssimo, Miles!
Ele afasta a boca e se deita em cima de mim.
— Eu melhorei.
Faço que sim.
— Com certeza — digo, com sinceridade.
Nós dois estamos sorrindo. O olhar relaxado no seu rosto me enche de tantas emoções que não consigo nem começar a especificá-las. Estou feliz porque estamos nos divertindo juntos. Estou triste porque estamos nos divertindo juntos. Estou com raiva porque estamos nos divertindo juntos e quero muito mais disso. Muito mais dele.
Ficamos nos encarando em silêncio até ele abaixar a cabeça lentamente, depositando um longo beijo nos meus lábios. Começa a dar leves beijos por toda a minha boca, até que fiquem mais longos e intensos. Após um tempo, sua língua separa meus lábios, e o jeito brincalhão desaparece.
Agora é algo bem sério, com nossos beijos ficando mais apressados, e suas roupas começando a se juntar às minhas no chão, peça por peça.

— No sofá ou na sua cama? — sussurra.
— Nos dois — respondo.
Ele acata.

*　*　*

Peguei no sono na minha cama.
Ao lado de Miles.
Nunca antes algum de nós pegou no sono depois. Alguém sempre vai embora. Por mais que esteja tentando me convencer de que isso não significa nada, sei que significa. Toda vez que estamos juntos, consigo algo a mais dele. Seja uma espiada no seu passado, ou o tempo que passamos sem transar, ou até mesmo o tempo que passamos dormindo, ele tem me entregado cada vez mais de si, aos pouquinhos. É algo que acho bom e ruim. É bom porque quero muito mais dele e preciso de muito mais dele, então cada pedacinho que ganho é o suficiente para me satisfazer quando começo a me preocupar com tudo que *não* ganho dele. Mas também é ruim porque toda vez que consigo um pouco a mais dele, outra parte sua fica mais distante. Dá para ver em seus olhos. Está preocupado achando que está me dando esperança, e tenho medo de que ele acabe simplesmente se afastando para valer.
Tudo o que tenho com Miles vai desmoronar de uma vez.
É inevitável. Ele é muito inflexível com as coisas que não quer da vida, e estou começando a entender quão sério ele realmente é. Logo, por mais que tente proteger meu coração de Miles, é inútil. Ele vai quebrá-lo em algum momento, e, mesmo assim, continuo permitindo que ele o preencha. Sempre que estou com Miles, ele preenche meu coração mais e mais, e, quanto mais se infla de pedaços dele, mais doloroso vai ser quando Miles arrancá-lo do meu peito como se seu lugar de direito nunca houvesse sido ali.
Escuto seu telefone vibrar e sinto-o rolar para o lado e pegá-lo na mesa de cabeceira. Acha que estou dormindo, então não dou nenhum motivo para que pense o contrário.

— Oi — sussurra ele. Há uma longa pausa, e começo a ficar tensa, perguntando-me com quem ele estaria falando. — Sim, desculpe. Deveria ter ligado. Imaginei que estivesse dormindo.

Agora, meu coração está preso na garganta, rastejando para cima, tentando escapar de Miles e de mim e de toda essa situação. Meu coração sabe que está em apuros pela minha reação à ligação. Acabou de entrar no modo lutar ou fugir, e agora está fazendo todo o possível para fugir.

Não culpo meu coração nem um pouco.

— Também amo você, pai.

Meu coração desliza garganta abaixo e reencontra seu lugar de sempre no meu peito. Está feliz por enquanto. *Eu* estou feliz. Feliz por ele ter alguém para quem ligar.

No mesmo instante, também me lembro do quanto não o conheço. Do quanto ele não me mostra. Do quanto esconde de mim, para que, quando eu enfim me despedaçar, a culpa não seja dele.

E também não vai ser uma separação rápida. Vai ser lenta e dolorosa, repleta de muitos momentos como este que me destroem de dentro para fora. Momentos em que pensa que estou dormindo e sai da minha cama. Momentos em que continuo de olhos fechados, mas o escuto se vestir. Momentos em que me asseguro de que minha respiração esteja regular, caso ele esteja prestando atenção quando se inclina e me beija na testa.

Momentos em que ele vai embora.

Porque ele sempre vai embora.

capítulo vinte e oito
MILES

Seis anos antes

— E se ele for gay? — pergunta Rachel.
— Você se incomodaria?
Ela está segurando Clayton, e ambos estamos sentados na cama do hospital. Estou na beirada, olhando para ela, observando-a encará-lo.
Não para de me fazer perguntas aleatórias. De fazer o papel de advogada do diabo mais uma vez.
Ela diz que precisamos cuidar dessas coisas agora para não termos problemas ao criá-lo no futuro.
— Só me incomodaria se achasse que não pode conversar conosco sobre isso. Quero que saiba que pode conversar conosco sobre tudo.
Rachel sorri para Clayton, mas sei que o sorriso dela é para mim.

Porque amou minha resposta.

— E se ele não acreditar em Deus?

— Pode acreditar no que quiser. Só quero que as crenças dele, ou a falta de uma crença, o deixem feliz.

Ela sorri de novo.

— E se cometer um crime terrível, abominável e frio, e pegar prisão perpétua?

— Eu me perguntaria onde errei como pai — digo a ela, que olha para mim.

— Bem, com base nesse interrogatório, estou convencida de que ele nunca vai cometer nenhum crime, porque você já é o melhor pai que já conheci.

Agora ela está *me* fazendo sorrir.

Ambos olhamos para a porta quando esta se abre, e uma enfermeira entra.

Ela abre um sorriso pesaroso.

— Está na hora — avisa.

Rachel grunhe, mas não faço ideia do que a enfermeira esteja falando. Rachel vê a confusão no meu rosto.

— A circuncisão dele.

Sinto um aperto na barriga. Sei que discutimos isso durante a gravidez, mas agora estou repensando, pois sei o que vão fazer.

— Não é tão ruim assim — explica a enfermeira.

— Anestesiamos ele primeiro.

Ela vai até Rachel e começa a tirá-lo dos braços dela, mas me inclino para a frente.

— Espere — peço-lhe. — Deixe-me segurá-lo um pouco.

A enfermeira dá um passo para trás, e Rachel entrega Clayton para mim. Puxo-o até o rosto e olho para ele.

— Desculpe mesmo, Clayton. Sei que vai doer e sei que vai mexer com sua masculinidade, mas...

— Ele só tem um dia — interrompe Rachel, com uma risada. — Mal tem qualquer masculinidade.

Peço para que fique quieta. Digo que é um momento entre pai e filho, e que ela precisa fingir que não está aqui.

— Não se preocupe, sua mãe saiu do quarto — digo para Clayton, piscando para Rachel. — Como eu estava dizendo, sei que vai mexer com sua masculinidade mas depois você vai me agradecer por isso. Especialmente quando for mais velho e se envolver com garotas. Espero que só seja depois dos 18 anos, mas é muito provável que seja com uns 16. Pelo menos comigo foi assim.

Rachel inclina-se para a frente e estende os braços para ele.

— Já basta de momento pai e filho — diz, rindo. — Acho que precisamos repensar os limites dessas conversas de vocês dois enquanto mexem com a masculinidade dele.

Dou um rápido beijo na testa de Clayton e o devolvo para Rachel. Ela o beija também, e o entrega à enfermeira. Ficamos observando-a sair do quarto com ele. Olho para Rachel e engatinho na direção dela até deitar do seu lado.

— Estamos sozinhos — sussurro. — Vamos nos agarrar.

Ela faz uma careta.

— Não estou me sentindo muito sexy nesse momento — explica. — Minha barriga está flácida, meus seios estão inchados e preciso muito de um banho, mas tentar tomar banho dói demais.

Olho para o peito dela e puxo a gola da sua roupa hospitalar. Dou uma espiada dentro da camisa e sorrio.

— Por quanto tempo eles vão ficar assim?

Ela ri e afasta minha mão.

— Bem, e sua boca, como está? — pergunto.

Ela me olha como se não tivesse entendido minha pergunta, então explico:

— Queria somente saber se a sua boca está doendo como o resto do seu corpo, porque se não estiver, quero beijá-la.

Ela sorri.

— Minha boca está ótima.

Apoio-me no cotovelo para que ela não tenha que rolar na minha direção. Olho para ela, e vê-la debaixo de mim dessa vez parece diferente.

Parece *real*.

Até ontem, realmente parecia que estávamos brincando de casinha. É inegável que nosso amor é real e o nosso relacionamento é real. No entanto, até vê-la dando a vida ao meu filho, na véspera, tudo o que eu sentia era como uma brincadeira de criança em comparação ao que sinto por ela agora.

— Amo você, Rachel. Mais do que amava ontem.

Seus olhos me encaram como se ela soubesse exatamente do que estou falando.

— Se está me amando mais hoje do que me amava ontem, não vejo a hora de chegar amanhã.

Meus lábios descem até os seus, e beijo-a. Não porque é o que devo fazer, mas porque é o que preciso fazer.

* * *

Estou do lado de fora do quarto de Rachel. Ela e Clayton estão lá dentro, cochilando.

A enfermeira disse que ele quase não chorou. Tenho certeza de que ela diz isso para todos os pais, mas acredito nela mesmo assim.

Envio uma mensagem para Ian.

Eu: Cortaram a coisinha dele algumas horas atrás. Tirou de letra.

Ian: Ai. Vou conhecê-lo hoje à noite. Chego aí depois das sete.

Eu: Até mais tarde.

Meu pai está se aproximando de mim com dois cafés
nas mãos, então guardo o celular no bolso de trás.
Entrega um dos cafés para mim.
— Ele parece com você.
Está tentando aceitar a situação.
— Bem, eu sou a sua cara — digo. —
Um brinde aos genes fortes.
Ergo o café, e meu pai encosta o dele no meu, sorrindo.
Está tentando.
Ele se encosta na parede em busca de apoio e olha para o
café. Quer dizer alguma coisa, mas está achando difícil.
— O que foi? — pergunto, dando-o a abertura de que precisa.
Ele ergue os olhos do café e os fixa em mim.
— Estou orgulhoso de você — diz, com sinceridade.
É uma afirmação simples.
Quatro palavras.
As quatro palavras mais marcantes que já escutei.
— Obviamente não é o que eu queria pra você. Ninguém
quer ver o próprio filho virando pai aos 18 anos, mas...
estou orgulhoso de você. Da maneira como lidou com
a situação. Como tratou Rachel. — Ele sorri. — Fez o
melhor possível numa situação difícil, e, sinceramente,
foi mais do que a maioria dos adultos faria.
Sorrio. Agradeço.
Fico achando que a conversa acabou, mas não.
— Miles — diz ele, querendo falar algo a
mais. — Sobre Lisa... e sua mãe.
Levanto a mão, sinalizando para que não continue. Não
quero ter essa conversa agora. Não quero que esse dia se
torne a justificativa dele pelo que fez com minha mãe.
— Tudo bem, pai. Nós conversamos
sobre isso em outro momento.
Ele me diz que não. Que precisa discutir isso .
Diz que é importante.

Quero dizer para ele que não é importante.
Quero dizer para ele que Clayton é importante.
Quero focar em Clayton e Rachel e esquecer tudo a respeito do fato de que meu pai é humano e que faz escolhas péssimas, assim como todo o resto de nós.
Mas não digo nada disso.
Escuto.
Porque ele é meu pai.

capítulo vinte e nove

TATE

Miles: O que está fazendo?
Eu: Dever de casa.
Miles: Está a fim de ir nadar?
Eu: ??? Estamos no inverno.
Miles: A piscina da cobertura é aquecida. Só vão fechá-la daqui a uma hora.

Fico encarando a mensagem e depois olho imediatamente para Corbin.

— Tem uma piscina na cobertura?

Corbin assente, mas não desvia os olhos da TV.

— Tem.

Endireito a postura.

— Está brincando? Moro aqui há um tempão e você não me disse que tem uma piscina aquecida na cobertura?

Agora ele olha para mim e dá de ombros.

— Odeio piscina.

Argh. Poderia dar um tapa nele.

Eu: Corbin nunca me falou da piscina. Vou trocar de roupa e apareço aí.

Miles: ;)

* * *

Assim que fecho a porta do apartamento dele, percebo que não bati antes de entrar. Sempre bato. Achei que era suficiente avisar na mensagem que iria para a casa dele depois de trocar de roupa, mas, pela maneira como Miles está me encarando da porta do quarto, parece que não gostou de eu não ter batido.

Paro na sala e olho para ele, esperando para ver como anda seu humor hoje.

— Você está de biquíni.

Olho para minha roupa.

— E de short — acrescento, na defensiva, e olho de volta para ele. — O que é que as pessoas devem vestir quando vão nadar no meio do inverno?

Ele ainda está congelado na porta, encarando minha roupa. Dobro a toalha por cima dos braços e da barriga. De repente, passei a me sentir extremamente constrangida e malvestida.

Ele balança a cabeça e finalmente começa a se aproximar.

— É só que... — Ele ainda está encarando meu biquíni. — Espero que não tenha mais ninguém lá em cima, porque se estiver com esse biquíni, vou passar a maior vergonha com essa bermuda aqui.

Ele olha para a própria bermuda. E para o volume nítido no meio delas.

Dou risada. Então ele *gostou* do biquíni.

Dá mais um passo para a frente e desliza as mãos até a parte de trás do meu short, puxando-me contra ele.

— Mudei de ideia — diz, sorrindo. — Quero ficar aqui.

Balanço a cabeça imediatamente.

— Eu vou nadar — afirmo. — Pode ficar aqui se quiser, mas vai ficar sozinho.

Então, Miles me beija e me empurra na direção da porta.

— Então acho que vou nadar também.

* * *

Miles coloca a senha para entrarmos na cobertura e abre a porta para mim. Fico aliviada ao ver que não tem mais ninguém ali, e encantada com o visual de tirar o fôlego. É uma piscina infinita com vista para a cidade e espreguiçadeiras por toda a lateral até a outra extremidade, onde há uma hidromassagem ligada a ela.

— Não acredito que vocês dois nem pensaram em comentar comigo que isso aqui existia — protesto. — Todos esses meses sem aproveitar.

Miles pega minha toalha e a coloca numa das mesas ao redor da piscina, então volta até mim e põe as mãos no botão do meu short.

— Na verdade, é a primeira vez que venho aqui. — Ele abre o zíper do meu short e o empurra pelos meus quadris. Seus lábios estão próximos dos meus, e há uma expressão brincalhona no seu rosto. — Vamos — sussurra. — Vamos nos jogar.

Tiro o short na mesma hora em que ele tira a camisa. O ar está incrivelmente frio, mas o vapor que sobe da água é promissor. Vou até a extremidade rasa para descer os degraus, e Miles mergulha de cabeça na extremidade funda da piscina. Piso dentro dela, e meus pés são engolidos pelo calor da água, então desço o resto rapidamente. Vou na direção do centro da piscina, ando até a beira e apoio os braços na borda de concreto com vista para a cidade.

Miles chega nadando por trás de mim e me cerca ao pressionar o peito nas minhas costas, colocando as mãos nos dois lados da borda. Ele recosta a cabeça à minha enquanto apreciamos a vista.

— É lindo — sussurro.

Ele não diz nada.

Ficamos observando a cidade em silêncio pelo que parece uma eternidade. De vez em quando, ele faz uma concha com as mãos e coloca água nos meus ombros para aquecê-los e espantar meus calafrios.

— Sempre morou em São Francisco? — pergunto.

Viro-me para me encostar na borda e ficar de frente para ele. Miles mantém os braços nas laterais do meu corpo e assente.

— Perto daqui — afirma, ainda olhando para a cidade por cima do meu ombro.

Quero perguntar onde morou, mas não o faço. Dá para perceber por sua linguagem corporal que ele não quer falar sobre si mesmo. Ele nunca quer falar sobre si mesmo.

— Você é filho único? — pergunto, tentando ver o quanto vou conseguir. — Algum irmão ou irmã?

Agora ele me olha nos olhos. Os lábios estão formando uma linha firme e agitada.

— O que está fazendo, Tate?

Ele não fala de um jeito rude, mas sua pergunta não tem como ser interpretada de outra maneira.

— Só puxando papo — digo.

Minha voz está calma e parece ofendida.

— Tem muitos assuntos melhores do que eu.

Mas só quero saber sobre você, Miles.

Faço que sim com a cabeça, entendendo que, apesar de tecnicamente não estar quebrando as regras dele, estou contornando-as. Ele não se sente muito à vontade com isso.

Viro-me novamente para a borda da piscina. Ele ainda está na mesma posição, pressionado contra mim, mas agora é diferente. Está rígido. Resguardado. Defensivo.

Não sei nada sobre ele. Não sei absolutamente nada sobre sua família, e ele já conhece a minha. Não sei absolutamente nada sobre o seu passado, mas ele dormiu na minha cama de infância. Não sei quais são os assuntos que menciono nem as ações que tomo que o fazem se isolar, mas não tenho nada a esconder dele.

Ele enxerga exatamente quem sou.

Eu não enxergo *nada* nele.

Rapidamente, levanto a mão e enxugo uma lágrima que, por alguma razão, acabou de escapar e escorrer pela minha bochecha. A última coisa que quero é que me veja chorar. Por mais que já esteja envolvida demais para continuar tratando isso como sexo casual, também já estou envolvida demais para acabar com tudo. Morro de medo de perdê-lo de vez, então deixo que não me dê valor e aceito o que posso, apesar de saber que mereço mais.

Miles põe a mão no meu ombro e me vira para ele. Quando prefiro ficar olhando para a água, ele põe o dedo debaixo do meu queixo e me faz encará-lo. Permito que ele vire meu rosto para o seu, mas não faço contato visual. Olho para cima e para a direita, tentando piscar para conter as lágrimas.

— Desculpe.

Nem sei pelo que está se desculpando. Nem sei se *ele* sabe pelo que está se desculpando. Mas ambos sabemos que minhas lágrimas têm tudo a ver com ele, então é bem provável que ele esteja se desculpando só por causa delas. Porque sabe que é incapaz de me dar o que quero.

Ele para de me obrigar a olhar para ele e me puxa para o seu peito. Encosto a orelha no seu coração, e ele apoia o queixo no topo da minha cabeça.

— Acha que devíamos parar? — pergunta, baixinho.

Sua voz está falhando; é como se quisesse que minha resposta fosse não, mas sentisse a obrigação de perguntar mesmo assim.

— Não — murmuro.

Ele suspira fortemente. Parece um suspiro de alívio, mas não tenho certeza.

— Se eu fizer uma pergunta, você vai ser sincera?

Dou de ombros, porque não vou de jeito nenhum responder que sim antes de saber a pergunta.

— Ainda está comigo porque acha que vou mudar de ideia? Porque acha que existe a possibilidade de eu me apaixonar por você?

É a única *razão pela qual ainda estou fazendo isso, Miles.*

Mas não digo isso em voz alta. Não digo nada.

— Porque eu *não consigo*, Tate. Eu simplesmente...

Sua voz esvaece, e ele fica quieto. Analiso suas palavras e o fato de ter dito *não consigo* em vez de *não vou*. Quero perguntar *por que* ele não consegue. Será que está com medo? Que não sou a pessoa certa para ele? Será que tem medo de partir meu coração? Não pergunto nada, pois nenhuma dessas respostas me tranquilizaria. Nenhuma dessas possibilidades é razão suficiente para negar completamente a felicidade a um coração.

E é por isso que não pergunto, porque sinto como se, talvez, eu não estivesse preparada para a verdade. Talvez esteja subestimando o que quer que tenha acontecido no passado que o tornou assim. Porque *alguma coisa* aconteceu. Alguma coisa com que muito provavelmente não me identificaria nem um pouco, mesmo se descobrisse o que é. Algo que roubou todo o espírito dele, exatamente como Cap disse.

Seus braços puxam-me mais para perto, e a maneira como está me segurando diz muito. É mais do que um aconchego. Mais do que um abraço. Está me segurando como se estivesse morrendo de medo de que eu me afogue caso me solte.

— Tate — sussurra. — Sei que vou me arrepender de dizer isso, mas quero que escute. — Ele afasta-se o suficiente para que seus lábios encostem no meu cabelo e me abraça com força mais uma vez. — Se fosse capaz de amar alguém... esse alguém seria você.

Meu coração racha com essas palavras, e sinto a esperança se infiltrar e escorrer para fora de novo.

— Mas não sou capaz. Então se for difícil demais...

— Não é — interrompo, fazendo o que estiver em minhas mãos para impedi-lo de terminar tudo. Não sei como encontro forças para olhá-lo nos olhos e contar a maior mentira que já contei na vida. — Gosto das coisas exatamente como estão.

Ele sabe que estou mentindo. Dá para ver a dúvida em seus olhos preocupados, mas ele concorda mesmo assim. Tento fazê-lo parar de pensar nesse assunto antes que ele consiga enxergar a verdade em mim. Ponho os braços ao redor do seu pescoço sem muita firmeza, mas sua atenção se foca na porta, que agora está se abrindo. Também me viro e vejo Cap arrastando-se lentamente na direção do deck da cobertura. Ele aproxima-se do interruptor na parede que controla os jatos da hidromassagem, então desliga-os e vira-se lentamente na direção da porta, mas não deixa de perceber nossa presença pelo canto do olho. Vira-se completamente para nós, parando a menos de 1,50 metro de distância.

— É você, Tate? — pergunta, estreitando os olhos.

— Sou eu — respondo, ainda na mesma posição, com Miles.

— Hmm — diz Cap, assimilando a nossa presença. — Alguém já disse que vocês dois formam um casal bonito pra caramba?

Faço uma careta, porque sei que agora não é o melhor momento para Miles ouvir isso, especialmente depois da conversa constrangedora que acabamos de ter. Também sei o que Cap está querendo aprontar com esse comentário.

— Vamos desligar a luz ao sair, Cap — garante Miles, ignorando a pergunta de Cap e mudando de assunto.

Cap estreita os olhos para ele, balança a cabeça como se estivesse desapontado e começa a se virar de volta para a porta.

— Era uma pergunta retórica mesmo — murmura. Vejo sua mão ir até a testa, e ele faz uma continência no ar. — Boa noite, Tate — cumprimenta-me em voz alta.

— Boa noite, Cap.

Miles e eu ficamos observando até que a porta se feche atrás de Cap. Tiro as mãos do seu pescoço e empurro seu peito delicadamente até que se afaste, para que eu possa dar a volta nele. Nado para trás, na direção da outra extremidade da piscina.

— Por que você é sempre grosseiro com ele?

Miles abaixa-se na água, separando os braços na frente do corpo e pegando impulso com os pés na parede atrás de si. Nada na minha direção, e vejo seus olhos manterem-se focados nos meus. Nado para trás até encostar na parede oposta da piscina. Ele continua se aproximando, quase batendo em mim, mas para ao se segurar na borda nos dois lados da minha cabeça, enviando ondas de água em direção ao meu peito.

— Não sou grosseiro com ele. — Seus lábios encostam no meu pescoço, e ele o beija suavemente, subindo aos poucos até a boca chegar perto da minha orelha. — É que não gosto de responder a perguntas.

Acho que já deu para perceber isso.

Afasto o pescoço alguns centímetros para poder enxergar seu rosto. Tento focar nos olhos, mas há gotas de água nos seus lábios, e é difícil não ficar olhando para elas.

— Mas ele é idoso. Ninguém deve ser grosseiro com idosos. Se o conhecesse melhor, veria que ele é muito engraçado.

Miles ri um pouco.

— Você gosta dele, não é?

Ele parece achar isso curioso. Assinto.

— Sim. Gosto muito dele. Às vezes, gosto mais dele do que de *você*.

Desta vez, ele ri alto e se inclina para a frente novamente, dando um beijo na minha bochecha. Sua mão acomoda-se na minha nuca, e os olhos descem até minha boca.

— Gosto do fato de você gostar dele — afirma, subindo os olhos até os meus. — Não vou mais ser grosseiro com ele. Prometo.

Mordo o lábio para que ele não veja o quanto quero sorrir por ter acabado de fazer uma promessa para mim. Foi uma promessa simples. Mas é algo bom mesmo assim.

Ele desliza a mão até meu maxilar, e seu polegar encosta no meu lábio e afasta-o dos meus dentes.

— O que foi que lhe falei sobre esconder esse sorriso?

Ele segura meu lábio inferior com os dentes, morde-o delicadamente e depois o solta.

Parece que a temperatura na piscina subiu uns dez graus.

Sua boca encosta na minha garganta, e ele suspira fortemente contra minha pele. Inclino a cabeça para trás e deixo-a recostar-se na borda da piscina enquanto ele desce pelo meu pescoço com beijos.

— Não quero mais nadar — diz ele, deslizando os lábios da base da minha garganta até minha boca.

— O que quer, então? — sussurro, baixinho.

— Você — provoca, sem hesitar. — No meu chuveiro. Por trás.

Engulo em seco, e sinto o ar chegar até a base da minha barriga.

— Nossa. Que específico.

— E também na minha cama — continua. — Com você em cima, ainda encharcada do banho.

Inspiro fortemente, e ambos escutamos minha respiração trêmula quando exalo.

— Está bem. — Tento dizer, mas a boca dele cobre a minha antes que eu complete a frase.

E, mais uma vez, o que deveria ser uma conversa reveladora para mim termina ficando de lado para dar espaço à única coisa que ele está disposto a me dar.

capítulo trinta
MILES

Seis anos antes

Andamos em silêncio até uma área de espera vazia. Meu pai se senta primeiro, e eu me sento relutantemente à sua frente.
Fico esperando sua confissão, mas ele não sabe que não preciso dela. Sei sobre o seu relacionamento com Lisa.
Sei há quanto tempo começou.
— Sua mãe e eu...
Ele está olhando para o chão.
Nao consegue sequer fazer contato visual comigo.
— Decidimos nos separar quando você tinha 16 anos. Mas, como eu viajava muito, fazia sentido financeiramente que esperássemos você se formar antes de darmos entrada no divórcio, então foi o que resolvemos fazer.
16 anos?

Ela ficou doente quando eu tinha 16 anos.
— Estávamos separados há quase um ano quando conheci Lisa.
Agora, ele está me olhando. Está sendo honesto.
— Quando ela descobriu que estava doente, era a coisa certa a se fazer, Miles. Ela era sua mãe, e eu não iria abandoná-la quando mais precisava de mim.
Meu peito dói.
— Sei que tirou suas próprias conclusões. Que fez as contas. Sei que tem me odiado por achar que eu estava tendo um caso enquanto ela estava doente, e eu odiava deixar que você ficasse pensando isso.
— Então por que deixou? — pergunto. — Por que deixou que eu pensasse isso?
Ele olha para o chão novamente.
— Não sei — confessa. — Achei que talvez existisse a possibilidade de que não tivesse percebido que eu estava namorando Lisa há mais tempo do que demonstrei, então achei que falar no assunto faria mais mal do que bem. Não gostava da ideia de você pensar que meu casamento com a sua mãe tinha fracassado. Não queria que pensasse que ela morreu triste.
— Ela não morreu triste — tranquilizo-o. — Você estava ao lado dela, pai. Nós dois estávamos.
Ele aprecia o que digo, pois sabe que é verdade.
Minha mãe estava contente com a vida dela.
Contente comigo.
Pergunto-me se ela não ficaria desapontada agora, ao ver o rumo que minha vida tomou.
— Ela ficaria orgulhosa de você, Miles — diz ele para mim. — Da maneira como lidou com as coisas.
Abraço-o.
Eu precisava ouvir isso mais do que imaginava.

capítulo trinta e um
TATE

Estou tentando prestar atenção em Corbin contando sobre sua conversa com mamãe, mas só consigo pensar no fato de que Miles vai chegar a qualquer instante. Ele está viajando há dez dias, e é o máximo de tempo que ficamos sem nos ver desde as semanas que passamos sem nos falar.

— Já contou para Miles? — pergunta Corbin.
— O quê?

Corbin vira-se para mim.

— Que vai se mudar.

Ele aponta para a luva de cozinha no balcão ao meu lado. Jogo-a para ele e balanço a cabeça.

— Não falo com ele desde a semana passada. Devo contar hoje.

Sinceramente, passei a semana inteira querendo contar para ele que achei um apartamento para mim, mas, para isso, precisaria ligar ou mandar mensagem, duas coisas que não fazemos. Só trocamos mensagens quando ambos estamos em casa. Acho que é porque nos ajuda a manter nossos limites.

E a mudança não é nada de mais. Vou morar a apenas alguns quarteirões daqui. Encontrei um apartamento mais próximo do trabalho e da universidade. Está longe de ser um arranha-céu chique do centro, mas eu adorei.

Pergunto-me, no entanto, como isso vai afetar as coisas entre Miles e eu. Acho que foi uma das razões pela qual nem mencionei que estava procurando apartamento. No fundo da mente, está o medo de que não morar mais na frente dele se torne um inconveniente grande demais, e ele simplesmente acabe com o que quer que seja isso que temos.

Corbin e eu erguemos o olhar assim que a porta do apartamento se abre e alguém bate rapidamente. Olho para Corbin, que revira os olhos.

Ele ainda está se adaptando.

Miles entra na cozinha, e vejo o sorriso que quer se espalhar pelo seu rosto no instante em que me olha, mas ele o contém ao ver Corbin.

— O que estão cozinhando? — pergunta Miles para ele.

Recosta-se à parede e cruza os braços, mas os olhos estão subindo pelas minhas pernas. Eles param no instante em que percebe que estou de saia, e ele sorri na minha direção. Felizmente, Corbin ainda está virado para o fogão.

— O jantar — responde Corbin, de maneira sucinta.

Ele demora para se adaptar.

Miles olha para mim de novo e me encara por alguns segundos.

— Oi, Tate — cumprimenta.

Sorrio.

— Oi.

— Como foram as provas?

Seus olhos estão por todo canto, menos no meu rosto.

— Foram boas.

Ele articula com os lábios: *você está bonita.*

Sorrio e queria mais do que tudo que Corbin não estivesse parado aqui agora, pois estou usando de todas as minhas forças para não jogar os braços ao redor de Miles e dar um puta beijo nele.

Corbin sabe por que Miles está aqui. Estamos apenas tentando respeitar o fato de que Corbin ainda não gosta do que está acontecendo entre nós, então é algo que mantemos entre quatro paredes.

Miles está mastigando o interior da bochecha, remexendo na manga da camisa, olhando para mim. Está silêncio na cozinha, e Corbin ainda não se virou para ele. Miles parece que vai explodir.

— Ah, foda-se! — exclama, deslizando pela cozinha na minha direção.

Ele segura meu rosto nas mãos e me beija intensamente, na frente de Corbin.

Está me beijando.

Na frente de Corbin.

Não analise isso, Tate.

Ele está puxando minhas mãos, arrastando-me para fora da cozinha. Até onde sei, Corbin ainda está voltado para o fogão, fazendo o que pode para nos ignorar.

Ainda se adaptando.

Vamos para a sala, e Miles separa a boca da minha.

— Não consegui pensar em mais nada hoje — conta. — Nadinha.

— Nem eu.

Ele me puxa pela mão na direção da porta do apartamento. Sigo-o. Ele abre a porta, vai até seu apartamento e tira as chaves do bolso. Sua mala ainda está no corredor.

— Por que sua mala está aqui fora?

Miles empurra a porta do apartamento.

— Não passei em casa ainda — diz ele, então vira-se e pega suas coisas no corredor, depois segura a porta para mim.

— Você passou lá em casa primeiro?

Ele assente, joga a bolsa de viagem no sofá e empurra a mala contra a parede.

— Foi — afirma, então agarra minha mão e me puxa para si. — Já falei, Tate. Não estava conseguindo pensar em mais nada.

Ele sorri e abaixa a cabeça para me beijar.

Dou uma risada.

— Ah, você estava com saudade de mim — brinco.

Miles se afasta. Pela maneira como seu corpo fica tenso, parece até que acabei de dizer que o amava.

— Relaxe — digo. — Pode ficar com saudade de mim, Miles. Isso não quebra suas regras.

Ele dá alguns passos para longe de mim.

— Está com sede? — pergunta, mudando de assunto, como sempre.

Vira-se e vai para a cozinha, mas tudo nele mudou. Seu jeito, o sorriso, o entusiasmo por finalmente me ver após dez dias.

Fico parada na sala, assistindo a tudo desmoronar.

A ficha finalmente cai, embora pareça-se mais com um meteoro.

Esse homem nem sequer consegue admitir que está com saudade de mim.

Tinha esperanças de que, se eu não apressasse nada, ele terminaria deixando para trás o que quer que o mantém tão resguardado. Nos últimos meses, presumi que talvez ele não conseguisse aceitar a maneira como as coisas tinham acontecido entre nós, e precisasse de tempo, mas agora está tudo nítido. Não é ele.

Sou *eu*.

Sou *eu* que não aceito nossa situação.

— Você está bem? — pergunta Miles da cozinha.

Ele sai de trás dos armários que bloqueiam sua visão para me ver, e fica esperando que eu responda, mas não consigo fazê-lo.

— Estava com saudade de mim, Miles?

E, mais uma vez, a armadura se ergue, protegendo-o. Ele desvia o olhar e volta para a cozinha.

— Nós não dizemos coisas desse tipo, Tate.

Sua voz está fria mais uma vez.

Ele está falando sério?

— Não? — Dou alguns passos na direção da cozinha. — Miles. É uma frase normal. Não significa compromisso nenhum. Sequer significa amor. Amigos dizem isso um para o outro.

Ele encosta-se no balcão da cozinha e olha calmamente para mim.

— Mas nunca fomos amigos. E não quero quebrar sua única regra de não lhe dar falsas esperanças, então não vou dizer isso.

Não consigo explicar o que acontece comigo, pois não sei o que é. Mas é como se eu fosse atingida de uma vez só por todas as coisas que ele já disse ou fez que me magoaram. Quero gritar com ele. Quero odiá-lo. Quero saber o que diabos aconteceu para que tenha se tornado capaz de falar coisas que me magoam muito mais do que qualquer outra coisa que já escutei.

Cansei de ficar empurrando com a barriga.

Cansei de fingir que não estou desesperada para saber tudo sobre ele.

Cansei de fingir que ele não está por toda parte. Que ele não é tudo. O meu *único* tudo.

— O que ela fez com você? — sussurro.

— Não.

A palavra é um alerta. Uma ameaça.

Estou tão cansada de ver essa aflição nos seus olhos e não saber a causa dela. Cansei de não saber quais palavras são proibidas com ele.

— Me conte.

Ele desvia o olhar.

— Vá para casa, Tate.

Vira-se e se segura na beira do balcão, abaixando a cabeça entre os ombros.

— Vá se foder.

Dou meia-volta e saio da cozinha. Ao chegar na sala, escuto-o vindo atrás de mim, então acelero. Chego na porta do apartamento e a abro, mas a palma de sua mão alcança a porta acima da minha cabeça e a bate.

Fecho os olhos com força, preparando-me para as palavras que vão me destruir completamente, quaisquer que sejam elas, pois sei que é o que vão fazer.

Seu rosto está do lado do meu ouvido, e o peito se pressiona nas minhas costas.

— É o que temos feito, Tate. *Foder*. Deixei isso bem explícito desde o primeiro dia.

Rio, pois não sei o que mais poderia fazer. Eu me viro e olho para ele, que não se afasta. Nunca o achei tão intimidante quanto agora.

— Acha que deixou isso explícito? Pare com essa merda de papo-furado, Miles.

Ele ainda não se mexe, mas sua mandíbula fica tensa.

— Como não? Duas regras. Não dá para ser mais simples do que isso.

Dou risada, incredulamente, então desabafo de uma vez só tudo que está no meu peito.

— Foder e fazer amor com alguém são coisas completamente diferentes. Você não *fode* comigo há mais de um mês. Toda vez que está dentro de mim, está fazendo amor comigo. Dá para ver na maneira como me olha. Sente minha falta quando não estamos juntos. Pensa em mim o tempo inteiro. Não consegue nem esperar dez segundos para entrar no próprio apartamento antes de vir me ver. Então nem se atreva a me dizer que deixou tudo explícito desde o primeiro dia, porque nunca conheci uma merda de homem tão ambíguo quanto você.

Respiro.

Respiro pela primeira vez no que parece um mês.

Pode fazer o que quiser com o que eu disse. Parei de tentar.

Ele expira de maneira controlada e constante enquanto se afasta vários passos de mim. Faz uma careta e se vira, como se não quisesse que eu visse as emoções que obviamente estão presentes em algum lugar lá no fundo dele. Suas mãos agarram firmemente a nuca, e ele fica nessa posição por um minuto inteiro, sem se mexer. Começa a soltar exaladas constantes, uma depois da outra, como se estivesse fazendo tudo que pode para se conter e não chorar. Meu coração começa a doer quando percebo o que está acontecendo.

Ele está desmoronando.

— Ah, Deus — sussurra, com a voz completamente aflita. — O que estou fazendo com você, Tate?

Ele vai até a parede e cai contra ela, deslizando até o chão. Os joelhos sobem, e ele apoia os cotovelos neles, cobrindo o rosto com as mãos para conter as próprias emoções. Os ombros começam a tremer, mas ele não faz nenhum barulho.

Está chorando.

Miles Archer está chorando.

É o mesmo choro arrasador que saiu dele na da noite em que o conheci.

Esse adulto, essa muralha intimidante, essa forte armadura está se despedaçando completamente bem diante dos meus olhos.

— Miles? — murmuro.

Minha voz está fraca em comparação ao seu silêncio robusto. Vou até ele e me ajoelho na sua frente. Ponho o braço ao redor dos seus ombros e encosto a cabeça na sua.

Nem pergunto de novo o que há de errado, pois agora estou morrendo de medo de descobrir.

capítulo trinta e dois
MILES

Seis anos antes

Lisa ama Clayton.
Meu pai ama Clayton.
Clayton conserta famílias.
Ele já é o meu herói e só tem dois dias de idade.
Logo depois que meu pai e Lisa vão embora, Ian chega. Fala que não quer segurar Clayton no colo, mas Rachel o obriga. Ele fica constrangido, porque nunca segurou um bebê antes, mas o faz mesmo assim.
— Ainda bem que ele se parece com Rachel — brinca Ian.
Concordo.
Ian pergunta a Rachel se contei para ela o que disse a ele logo após conhecê-la.
Não sei do que ele está falando.

Ian ri.

— Depois que o acompanhou até a sala no primeiro dia, ele tirou uma foto sua de onde estava sentado — conta Ian para ela. — Mandou a foto para mim com uma mensagem dizendo: ela vai ser mãe de todos os meus filhos.

Rachel olha para mim.

Dou de ombros.

Estou envergonhado.

Rachel adora o fato de eu ter dito isso para Ian. Adoro o fato de Ian ter contado isso para ela. O médico entra e fala que agora podemos ir para casa. Ian me ajuda a levar tudo para o carro e o leva para a saída. Antes que eu possa voltar para o quarto de Rachel, Ian toca no meu ombro. Viro-me para ele.

Tenho a impressão de que quer me parabenizar, mas, em vez disso, apenas me abraça.

É constrangedor, mas também não é. Gosto que esteja orgulhoso de mim.

Fico me sentindo bem. Como se estivesse fazendo tudo certo.

Ian vai embora.

Nós também.

Eu e Rachel e Clayton.

Minha família.

Quero que Rachel vá comigo na frente, mas amo o fato de estar no banco de trás com ele. Amo o quanto ela o ama. Amo estar ainda mais atraído por ela depois que se tornou mãe. Quero beijá-la. Quero dizer mais uma vez que a amo, mas acho que falo isso demais. Não quero que se canse de ouvir isso nunca.

— Obrigada por esse bebê — diz ela do banco de trás. — Ele é lindo.

Dou risada.

— É você quem é responsável pela parte linda, Rachel. A única coisa que ele herdou de mim foi o saco.

Ela ri. Ela ri muito.

— Ah, meu Deus, eu sei — afirma. — É enorme.

Nós dois rimos do saco enorme do meu filho.
Ela suspira.
— Descanse — digo a ela. — Você não dorme há dois dias.
Vejo-a sorrir pelo espelho retrovisor.
— Mas não consigo parar de olhar para ele — sussurra.
Eu não consigo parar de olhar para você, Rachel.
Mas paro, porque o tráfego no sentido contrário
está mais brilhante do que deveria estar.
Minhas mãos agarram o volante.
Está brilhante *demais*.
Sempre ouvi falar que vemos cenas rápidas
da vida momentos antes de morrer.
De certa maneira, é verdade.
No entanto, não é nem sequência e nem numa ordem aleatória.
É apenas uma imagem que
GRUDA
na sua cabeça e se torna *tudo* que você sente e *tudo* que vê.
Não é a sua *verdadeira* vida que passa diante dos seus olhos.
O que passa são as pessoas que *são* sua vida.
Rachel e Clayton.
Tudo o que vejo são eles dois — *minha vida
inteira* — passarem diante dos meus olhos.
O som torna-se tudo.
Tudo.
Dentro de mim, fora de mim, passando por
mim, debaixo de mim, por cima de mim.
RACHEL, RACHEL, **RACHEL.**
Não estou a encontrando.
CLAYTON, CLAYTON, **CLAYTON.**
Está molhado. Está frio. Minha cabeça dói. Meus braços doem.
Não consigo vê-la, não consigo vê-la, não
consigo vê-la, não consigo vê-lo.
Silêncio.
Silêncio.

Silêncio.
SILÊNCIO ENSURDECEDOR.
— Miles!
Abro os olhos.
Está molhado, está molhado, tem água aqui, está molhado.
Tem água dentro do carro.
Desafivelo o cinto e me viro. As mãos
dela seguram a cadeira do bebê.
— Miles, me ajude! Está presa!
Tento.
Tento de novo.
Mas ela também precisa sair.
Ela também precisa sair.
Chuto a janela e quebro o vidro. Vi isso num filme uma vez.
*Arranje uma maneira de sair antes que
haja pressão demais nas janelas.*
Vou pegá-lo, Rachel.
Ela não consegue sair. O cinto está preso. Está apertado demais.
Solto a cadeira do bebê e estendo o braço na direção do cinto
dela. Minhas mãos estão debaixo d'água quando o encontro.
Ela dá um tapa nos meus braços e tenta me afastar dela.
— Pegue ele primeiro! — grita. — Tire ele primeiro!
Não consigo.
Os dois estão presos.
Você está presa, Rachel.
Meu Deus.
Estou com medo.
Rachel está com medo.
A água está por todo canto. Não consigo mais vê-lo.
Não consigo vê-la.
Não consigo escutá-lo.
Estendo o braço para o cinto dela mais uma vez.
Tiro-o de cima dela.
Seguro suas mãos. Sua janela não está quebrada.

A minha está.

Puxo-a para a frente. Ela está lutando contra mim.

Ela está lutando contra mim.

Ela para de lutar contra mim.

Lute, Rachel.

Lute contra mim.

Mexa-se.

Alguém está estendendo o braço pela minha janela.

— Me dê a mão dela! — Ouço-o gritar.

Agora, a água está entrando pela minha janela.

O banco de trás inteiro é água.

Tudo é água.

Entrego a ele a mão de Rachel. Ele me ajuda a tirá-la.

Tudo é água.

Tento encontrá-lo.

Não consigo respirar.

Tento encontrá-lo.

Não consigo respirar.

Tento salvá-lo.

Quero ser o herói dele.

Não consigo respirar.

Então simplesmente paro.

Silêncio.

Silêncio.

Silêncio.

Silêncio.

Silêncio.

Silêncio.

Silêncio.

Silêncio.

Silêncio.

GRITO ENSURDECEDOR.

Cubro os ouvidos com as mãos.

Cubro o coração com uma armadura.

Tusso até conseguir respirar novamente.
Abro os olhos. *Estamos num barco.*
Olho ao redor. *Estamos num lago.*
Levo a mão até o maxilar.
Minha mão está vermelha.
Coberta de sangue, tão vermelho quanto o cabelo de Rachel.
Rachel.
Encontro Rachel.
Clayton.
Não encontro Clayton.
Ergo as mãos e me movo até a beira do barco.
Preciso encontrá-lo.
Alguém me para. Alguém me puxa para trás.
Alguém não está permitindo.
Alguém está dizendo que é tarde demais.
Alguém diz que sente muito.
Alguém diz que não dá para chegarmos até ele.
Alguém diz que caímos da ponte depois do impacto.
Alguém diz que sente *muito*.
Eu me movo para perto de Rachel.
Tento abraçá-la, mas ela não deixa. Está gritando.
Aos prantos. CHORANDO. BERRANDO.
Ela me bate.
Ela me chuta.
Diz que eu deveria ter salvado ele em seu lugar.
Mas eu tentei salvar vocês dois, Rachel.
— Deveria ter salvado *ele*, Miles! — grita ela.
Você devia ter salvado *ele*.
Você devia ter salvado *ele*.
Eu devia ter salvado *ELE*.
Ela está gritando.
Aos prantos. CHORANDO. **BERRANDO.**
Abraço-a mesmo assim.
Deixo que me bata.

Deixo que me odeie.
Rachel me odeia.

Abraço-a mesmo assim.

Rachel chora, mas em silêncio. Está chorando tanto que sua garganta nem consegue fazer barulho. Seu corpo está chorando, mas a voz, não.

Arruinado.

Arruinado.

ARRUINADO.

Choro com ela. Choro e choro e choro e choro e choramos e choramos e choramos.

Arruinado.

Agora a água é tudo.

Olho para Rachel. *Só enxergo água.*

Fecho os olhos. *Só enxergo água.*

Olho para o céu. *Só enxergo água.*

Dói demais. Nunca soube que um coração podia suportar o peso do mundo inteiro.

Não faço mais a vida de Rachel ficar melhor.

Arruinei você, Rachel.

Minha família.

Eu e você e Clayton.

ARRUINADOS.

Você não vai conseguir me amar depois disso, Rachel.

capítulo trinta e três

TATE

Minhas mãos estão sobre ele, massageando as costas, tocando o cabelo. Está chorando, e a única coisa que consigo fazer é dizer que ele deixe pra lá. Quero dizer-lhe que esqueça tudo o que eu falei hoje. Quero fazer tudo que puder para tirar essa dor de Miles, pois o que quer que tenha acontecido não deveria importar. O que quer que tenha sido... Ninguém merece sentir o que está sentindo agora.

Tiro os braços do seu rosto e vou para seu colo. Seguro o rosto em minhas mãos e o inclino para o meu. Ele fica de olhos fechados.

— Não preciso saber, Miles.

Ele põe os braços ao redor das minhas costas e enterra o rosto no meu peito. A respiração difícil fica acelerada enquanto tenta conter as emoções. Meus braços envolvem sua cabeça, e eu beijo seu cabelo, então dou beijos na lateral da cabeça, até que ele se afaste e olhe para mim.

A maior armadura do mundo e a muralha mais grossa de todas não seriam capazes de esconder o sofrimento nos seus olhos neste momento. É tão notável e tão grande que preciso prender o fôlego para não chorar com ele.

O que aconteceu com você, Miles?

— Não preciso saber — sussurro de novo, balançando a cabeça.

Suas mãos movem-se até a parte de trás da minha cabeça, e ele pressiona a boca na minha, forte e dolorosamente. Move-se para a frente até que minhas costas chegam ao chão. As mãos puxam minha camisa, e ele me beija desesperadamente, furiosamente, enchendo minha boca com o gosto de suas lágrimas.

Deixo que me use para se livrar da dor.

Faço tudo o que quiser, por quanto tempo quiser, contanto que pare de sofrer como está sofrendo.

Ele põe a mão sob minha saia e começa a puxar a calcinha no mesmo instante em que prendo os polegares no quadril da sua calça, puxando-a para baixo. Minha calcinha desce até os tornozelos, e chuto-a para longe na mesma hora em que ele segura minhas mãos e as empurra acima da minha cabeça, pressionando-as no chão.

Ele encosta a testa na minha, mas não me beija. Fecha os olhos, mas deixo os meus abertos. Não perde tempo ao se posicionar no meio das minhas pernas, afastando-as mais. Move a testa até a lateral da minha cabeça e desliza lentamente para dentro de mim. Após entrar completamente, expira, liberando parte de sua dor. Tirando da mente o horror que ela acabou de sentir, qualquer que seja ele.

Ele sai e me penetra de novo, desta vez com toda a sua força.

Dói.

Me dê a sua dor, Miles.

— Meu Deus, Rachel — sussurra.

Meu Deus, Rachel...

Rachel, Rachel, Rachel.

A palavra fica se repetindo na minha cabeça.
Meu.
Deus.
Rachel.
Viro a cabeça para o outro lado. É a pior dor que já senti. A pior de todas.

Seu corpo para imediatamente dentro de mim quando ele percebe o que disse. A única coisa movendo-se entre nós nesse momento são as lágrimas caindo dos meus olhos.

— Tate — murmura, quebrando o silêncio entre nós. — Tate, me desculpe, de verdade.

Balanço a cabeça, mas as lágrimas não param. Em algum lugar lá no fundo, sinto algo endurecer. Algo que já foi completamente líquido se congela, e é nesse momento que percebo que é o fim.

Esse nome.

Esse nome disse tudo. Nunca vou ter o passado de Miles, porque é *ela* quem o tem.

Nunca vou ter o futuro dele, porque ele se recusa a entregá-lo a qualquer pessoa que não seja ela.

E nunca vou saber o porquê, porque ele nunca vai me contar.

Começa a sair de mim, mas eu contraio as pernas ao redor das suas. Ele suspira fortemente contra minha bochecha.

— Juro por Deus, Tate. Não estava pensando...

— Pare — sussurro. Não quero escutá-lo defender o que acabou de acontecer. — Apenas termine, Miles.

Ele ergue a cabeça e olha para mim. Vejo um pedido de desculpas bem nítido escondendo-se por trás de novas lágrimas. Não sei se foram minhas palavras que acabaram de feri-lo novamente ou se é porque ambos sabemos que é o fim, mas parece que o coração dele acabou de se partir novamente.

Se é que isso é possível.

Uma lágrima cai dos seus olhos e atinge minha bochecha. Sinto-a escorrer e se juntar a uma das minhas.

Só quero que isso acabe.

Ponho a mão na parte de trás de sua cabeça e puxo a sua boca em direção à minha. Não está mais se movendo dentro de mim, então arqueio as costas, pressionando os quadris com mais força contra ele. Miles geme na minha boca, investe contra mim mais uma vez e para de novo.

— Tate — murmura ele, contra meus lábios.

— Apenas termine, Miles. — Peço, em meio às lágrimas. — Apenas termine.

Ele põe a palma da mão na minha bochecha e pressiona os lábios na minha orelha. Agora, estamos ambos chorando mais intensamente, e dá para perceber que sou mais do que isso para ele. *Sei* que sou. Posso sentir o quanto ele quer me amar, mas o que quer que o esteja impedindo é forte demais para ser vencido por mim. Ponho os braços ao redor do seu pescoço.

— Por favor — imploro. — *Por favor*, Miles.

Estou chorando, implorando por alguma coisa, mas nem sei mais pelo quê.

Ele me penetra de novo. Desta vez com força. Com tanta força que me afasto, então ele põe os braços debaixo dos meus ombros e curva as mãos, mantendo-me parada contra seu corpo enquanto me penetra repetidas vezes. Movimentos fortes, longos e profundos que forçam gemidos a saírem de nós dois a cada estocada.

— Mais forte — imploro.

Ele faz mais força.

— Mais rápido.

Ele move-se mais rápido.

Nós dois estamos ofegando entre as lágrimas. É intenso. É de partir o coração. É arrasador.

É feio.

É o fim.

Assim que o corpo dele fica imóvel em cima do meu, empurro seus ombros. Ele sai de cima de mim. Sento-me e enxugo os olhos com as mãos, depois me levanto e visto a calcinha. Seus dedos cercam meu tornozelo. Os mesmos dedos que cercaram o mesmo tornozelo na noite em que o conheci.

— Tate — diz ele, com a voz enigmática, repleta de *tudo*.

Todas as emoções possíveis cercam cada letra do meu nome no instante em que ele sai da sua boca.

Afasto-me das mãos dele.

Vou até a porta, ainda sentindo-o dentro de mim. Ainda sentindo a sua boca na minha. Ainda sentindo as manchas de suas lágrimas na minha bochecha.

Abro a porta e saio.

Fecho a porta, e é a coisa mais difícil que já fiz na vida.

Não consigo nem andar pelo único metro que separa nossos apartamentos.

Desmorono no corredor.

Virei líquido.

Não passo de lágrimas.

capítulo trinta e quatro
MILES

Seis anos antes

Fomos para casa. Não para *nossa* casa.

Rachel queria ficar com Lisa. Rachel está precisando da mãe.

Eu meio que estou precisando do meu pai.

Todas as noites, abraço-a. Todas as noites, peço desculpas. Todas as noites, nós apenas choramos.

Não entendo como pode ser tão perfeito. Como a vida e o amor e as pessoas podem ser tão perfeitos e lindos.

Até não serem mais.

É tão feio.

A vida, o amor e as pessoas tornam-se feios.

Tudo torna-se água.

Essa noite é diferente. Essa noite é a primeira em três semanas em que ela não está chorando. Abraço-a mesmo assim. Quero ficar feliz por não estar chorando, mas é algo que me assusta. Suas

lágrimas significam que está sentindo algo. Mesmo que seja por estar arrasada, ainda é *alguma coisa*. Hoje não há lágrima alguma.
Abraço-a mesmo assim. Peço desculpas mais uma vez.
Ela nunca me diz que está tudo bem.
Ela nunca me diz que não é culpa minha.
Ela nunca me diz que me perdoa.
Mas hoje, ela me beija. Beija-me e tira a camisa. Pede que eu faça amor com ela. Digo que não devíamos. Digo que o certo é esperarmos mais duas semanas. Ela me beija, então paro de falar.
Retribuo o beijo.
Rachel me ama de novo.
    Eu acho.
        Ela está me beijando como se me amasse.
            Sou delicado com ela.
                Vou devagar.
        Ela está tocando na minha pele como se me amasse.
            Não quero machucá-la.
                Ela chora.
            Por favor não chore, Rachel.
                Eu paro.
    Ela pede que eu não pare.
Ela pede que eu termine.
Termine.
Não gosto dessa palavra.
Como se isso fosse um trabalho.
Beijo-a novamente.
E *termino*.

                * * *

Miles,
Rachel me escreveu uma carta.
Me desculpe.
Não.

Não consigo fazer isso. Dói demais.

Não, não, não.

Minha mãe vai me levar de volta para Phoenix. Nós duas vamos ficar por lá. Está tudo complicado demais, até mesmo entre eles dois. Seu pai já sabe.

Clayton une famílias.

Miles as destrói.

Tentei ficar. Tentei amar você. Toda vez que olho para você, vejo ele. Tudo é ele. Se ficar, tudo sempre será ele. Você sabe disso. Entende isso. Eu não deveria culpá-lo.

Mas você me culpa.

Me desculpe mesmo.

Deixou de me amar com uma carta, Rachel?

Com amor,

Eu sinto. Todas as partes feias. Está nos meus poros. Nas minhas veias. Nas minhas lembranças. No meu futuro.

Rachel.

A diferença entre o lado bonito e o lado feio do amor é que o lado bonito é bem mais leve. A pessoa se sente como se estivesse flutuando. Ele ergue a pessoa. Carrega-a consigo.

As partes bonitas do amor fazem você ficar acima do resto do mundo. Elas deixam a pessoa muito acima das coisas ruins, e a fazem olhar para todo o resto lá embaixo e pensar: *Caramba. Que bom que estou aqui em cima.*

Às vezes, as partes bonitas do amor se mudam de volta para Phoenix.

As partes feias do amor são pesadas demais para se mudarem de volta para Phoenix. As partes feias do amor não são capazes de erguer uma pessoa.

Elas puxam você para
B
  A
    I
      X
        O.

Elas prendem você lá embaixo.

Afogam você.

Você olha para cima e pensa: *queria estar lá em cima.*

Mas você não está.

O amor feio *se torna* você.

Consome você.

Faz com que *odeie tudo*.

Faz com que perceba que todas essas partes bonitas sequer valem a pena. Sem o bonito, você nunca vai correr o risco de sentir *isso*.

Nunca vai correr o risco de sentir o *feio*.

Então você abre mão dele. Abre mão de tudo. Nunca mais quer amar novamente, não importa o tipo de amor, porque não vale a pena sentir o amor feio de novo por nenhum tipo de amor.

Nunca mais vou me deixar amar qualquer outra pessoa de novo, Rachel.

Jamais.

capítulo trinta e cinco
TATE

— Última viagem — afirma Corbin, pegando as duas últimas caixas.

Entrego a ele a chave do meu novo apartamento.

— Vou dar uma última olhada e encontro você lá.

Abro a porta para meu irmão, que sai do apartamento. Fico sozinha encarando a porta do outro lado do corredor.

Não falo com ele nem o vejo desde a semana passada. Fiquei esperando egoistamente que fosse aparecer aqui e pedir desculpas, mas, pensando bem, pelo que se desculparia? Nunca mentiu para mim. Nunca verbalizou promessas que quebrou.

As únicas vezes em que não foi brutalmente honesto comigo foi quando estava em silêncio. Foi nas vezes em que olhou para mim e eu presumi que os sentimentos nos seus olhos eram mais do que ele era capaz de verbalizar.

Agora está evidente que eu, muito provavelmente, inventei esses seus sentimentos para que se igualassem aos meus. A emoção que aparecia algumas vezes por trás dos olhos quando estávamos juntos era obviamente uma invenção da minha própria imaginação. Uma invenção da minha esperança.

Dou uma examinada no apartamento por uma última vez a fim de garantir que levei tudo. Ao sair e trancar a porta de Corbin atrás de mim, meus movimentos são dominados por algo que desconheço.

Não sei se é bravura ou desespero, mas meu punho está cerrado e batendo à porta dele.

Digo para mim mesma que estou livre para escapar para o elevador se dez segundos se passarem e a porta não se abrir.

Infelizmente, ela se abre depois de apenas sete.

Meus pensamentos começam a se amotinar com a razão enquanto a porta vai se abrindo. Antes que a razão vença e eu saia correndo, Ian aparece. Seus olhos mudam de complacência para compadecimento ao me ver aqui.

— Tate — diz ele, concluindo com um sorriso. Percebo que o olhar vira para o quarto de Miles antes de voltar para o meu. — Vou chamá-lo.

Sinto minha cabeça se erguer ao concordar, mas o coração está no sentido contrário, descendo pelo meu peito, passando pela barriga e indo direto para o chão.

— Tate está na porta. — Escuto Ian dizer.

Inspeciono todas as palavras, todas as sílabas, procurando por pistas onde quer que eu possa encontrá-las. Quero saber se revirou os olhos ao dizer isso, ou se falou de um jeito esperançoso. Se tem alguém que sabe o que Miles acharia disso tudo, esse alguém é Ian. Infelizmente, sua voz não dá nenhum sinal do que Miles acha da minha presença.

Escuto passos. Disseco o som dos passos que se aproximam da sala. São passos apressados? Hesitantes? Zangados?

Quando ele chega na porta, meus olhos focam primeiramente nos seus pés.

Não consigo obter nada deles. Nenhuma pista que me ajude a encontrar a confiança de que preciso desesperadamente nesse momento.

Já consigo perceber que minhas palavras sairão roucas e fracas, mas forço-as mesmo assim.

— Estou indo embora — aviso, ainda encarando seus pés. — Só queria dizer tchau.

Não há nenhuma reação imediata, nem física e *nem* verbal. Meus olhos finalmente fazem a jornada corajosa de subir até os seus. Quando vejo o olhar estoico no seu rosto, fico com vontade de recuar, mas tenho medo de tropeçar no meu coração.

Não quero que me veja cair.

Meu arrependimento por ter decidido vir até aqui me consome devido à brevidade de sua resposta.

— Tchau, Tate.

capítulo trinta e seis

MILES

Atualmente

Seus olhos finalmente acham coragem para encontrar os meus, mas tento não vê-la. Quando finalmente olho para ela, é demais. Toda vez que estou com ela, seus olhos e sua boca e sua voz e seu sorriso encontram todos os pontos vulneráveis em mim e abrem uma brecha. Dominam. Conquistam. Toda vez que estou perto dela, preciso lutar contra isso, e, desta vez, tento vê-la somente com meus olhos.

Ela diz que está aqui para se despedir, mas não é por isso que está aqui, e sabe disso. Está aqui porque se apaixonou por mim, apesar de eu tê-la instruído que não o fizesse. Está aqui porque ainda tem esperança de que eu possa amá-la também.

Eu quero, Tate. Quero tanto amar você que dói pra cacete.

Nem reconheço minha própria voz quando me despeço dela. A falta de emoção por trás das minhas palavras pode ser interpretada como ódio. Bem diferente da apatia que estou tentando aparentar, e mais diferente ainda da vontade que tenho de implorar que não vá.

Ela olha imediatamente para os próprios pés. Dá para perceber que minha resposta acabou de destruí-la, mas já dei falsas esperanças demais a ela. Toda vez que a deixo se aproximar, ela sofre mais ainda quando preciso afastá-la.

Mas é difícil ficar com pena de Tate. Por mais que esteja sofrendo, ela não sabe o que é dor. Não como eu sei. Faço com que a dor continue viva. De portas abertas. Faço-a prosperar de tanto que a sinto.

Ela inspira e olha de volta para mim, com os olhos um pouco mais vermelhos e reluzentes.

— Você merece muito mais do que está se permitindo ter. — Fica nas pontas dos pés, põe as mãos nos meus ombros e pressiona os lábios na minha bochecha. — Tchau, Miles.

Tate vira-se e vai para o elevador no instante em que Corbin sai dele e a encontra. Vejo-a levantar a mão para enxugar as lágrimas.

Vejo-a ir embora.

Fecho a porta, esperando sentir o mínimo sinal de alívio por ter deixado que partisse. Em vez disso, o que me aguarda é a única sensação familiar que meu coração é capaz de sentir: *a dor*.

— Você é idiota pra cacete — diz Ian atrás de mim. Viro-me, e ele está sentado no braço do sofá, me encarando. — Por que não está indo atrás dela neste momento?

Porque, Ian, eu odeio esse sentimento. Odeio todos os sentimentos que ela desperta em mim, porque me enchem de todas as coisas que passei os últimos seis anos evitando.

— Por que eu faria isso? — pergunto, enquanto vou para o meu quarto.

Paro ao ouvir alguém batendo à porta. Expiro, frustrado, antes de me virar, sem querer ter que rejeitá-la por uma segunda vez. Mas é o que vou fazer. Mesmo se precisar deixar isso explícito de uma maneira que vai magoá-la ainda mais, ela precisa aceitar que acabou. Deixei as coisas chegarem longe demais. Porra, eu não devia sequer ter deixado que elas começassem, pois ambos sabíamos que era bem provável que acabasse assim.

Abro a porta e encontro Corbin na minha frente em vez de Tate. Quero sentir alívio pelo fato de ser ele, e não ela, mas com o olhar fumegante no seu rosto, é impossível ficar aliviado.

Antes que eu possa reagir, seu punho encontra minha boca, e eu cambaleio para trás na direção do sofá. Ian amortece minha queda, e equilibro-me antes de virar para a porta mais uma vez.

— Que merda é essa, Corbin? — grita Ian.

Ele está me segurando, presumindo que quero retaliar.

Não quero. Mereci aquilo.

Corbin troca olhares com nós dois e finalmente para em mim. Ele ergue o punho até o peito e o massageia com a outra mão.

— Todos nós sabemos que eu deveria ter feito isso há muito tempo.

Agarra a maçaneta e fecha a porta, desaparecendo no corredor.

Balanço os ombros para que Ian me solte, então levo a mão até o lábio. Afasto os dedos, e eles estão manchados de sangue.

— E agora? — diz Ian, esperançoso. — Vai atrás dela agora?

Fulmino-o com o olhar antes de me virar e sair raivosamente em direção ao meu quarto.

Ian gargalha bem alto. É o tipo de risada que diz: *você é idiota pra cacete*. Mas ele já disse isso, então estaria apenas se repetindo.

Ele me segue até o quarto.

Não estou muito a fim de ter essa conversa. Ainda bem que sei olhar para as pessoas sem vê-las de verdade.

Sento na minha cama, e ele entra no quarto e recosta-se à porta.

— Cansei disso, Miles. Porra, já faz seis anos que vejo esse zumbi andar por aí no seu lugar.

— Não sou um zumbi — retruco, calmamente. — Zumbis não voam.

Ian revira os olhos, parecendo não estar a fim de escutar piadas. Ainda bem, porque não estou nem um pouco a fim de fazer piada.

Ele continua me fulminando com o olhar, então pego o telefone e deito na cama para fingir que não está aqui.

— Ela é a primeira coisa que soprou um pouco de vida em você desde a noite em que você se afogou naquela merda de lago.

Eu vou bater nele. Se não for embora exatamente agora, vou descer a porrada nele.

— Vá embora.

— Não.

Olho para ele. *Vejo-o* de fato.

— Dá o fora daqui, Ian.

Ele vai até minha mesa, puxa a cadeira e se senta.

— Vá se foder, Miles — exclama. — Não terminei.

— Vá embora!

— Não!

Paro de brigar com ele. Eu mesmo me levanto e vou embora. Ele me segue.

— Deixe-me fazer uma pergunta — pede, acompanhando-me até a sala.

— Depois vai embora?

Ian assente.

— Depois vou.

— Está bem.

Ele me olha silenciosamente por alguns instantes.

Fico aguardando sua pergunta para que vá embora antes que bata nele.

— E se alguém dissesse que pode apagar aquela noite inteira da sua memória, mas que, para isso, também precisaria apagar todas as coisas boas? Todos os seus momentos com Rachel. Qualquer palavra, qualquer beijo, qualquer *eu amo você*. Todos os momentos que teve com seu filho, mesmo que tenham sido poucos. O primeiro momento em que viu Rachel com ele no colo. O primeiro momento em que *você* o segurou no colo. A primeira vez em que escutou ele chorar ou o viu dormir. Tudo. Já era. Para sempre. Se alguém dissesse que consegue apagar a parte feia, mas que você também teria que perder todas as outras coisas... você aceitaria?

Ele acha que está me perguntando algo que nunca me perguntei. Será que acha que não fico me perguntando essas coisas todo santo dia da minha vida, porra?

— Você não disse que eu precisava responder. Apenas perguntou se podia fazer uma pergunta. Agora já pode ir embora.

Sou o pior tipo de pessoa.

— Você *não pode* responder — afirma. — Não pode dizer que aceitaria.

— Também não posso dizer que não — digo para ele. — Parabéns, Ian. Conseguiu me deixar confuso. Tchau.

Começo a voltar para o quarto, mas ele diz meu nome mais uma vez. Paro, ponho as mãos nos quadris e abaixo a cabeça. Por que não acaba logo com isso? Já se passaram seis malditos anos. Ele devia saber que aquela noite definiu quem sou agora. Deveria saber que não vou mudar.

— Se eu tivesse perguntado isso alguns meses atrás, você teria dito sim antes mesmo que eu pudesse terminar a pergunta — diz ele. — Sua resposta sempre foi sim. Toparia abrir mão de tudo para não ter que reviver aquela noite.

Eu me viro, e ele está indo para a porta. Abre-a, para e vira para mim mais uma vez.

— Se ficar com Tate por alguns poucos meses deixou essa dor tão suportável a ponto de conseguir responder com um *talvez*, imagine o que uma vida inteira com ela faria com você.

Ele fecha a porta.

Eu fecho os olhos.

Alguma coisa acontece. Algo dentro de mim. É como se as palavras dele tivessem criado uma avalanche na geleira que cerca meu coração. Sinto pedaços de gelo endurecido se separarem e caírem ao lado de todos os outros pedaços que se soltaram desde o momento em que conheci Tate.

* * *

Saio do elevador e vou até a cadeira vazia ao lado de Cap. Ele não demonstra perceber minha presença sequer com contato visual. Está encarando a saída do outro lado da portaria.

— Você a deixou ir embora — afirma, sem ao menos tentar disfarçar a decepção na voz.

Não respondo.

Ele empurra os braços da cadeira com as mãos, mudando de posição.

— Algumas pessoas... ficam mais sábias quando envelhecem. Infelizmente, a maioria apenas envelhece. — Ele vira-se para mim. — Você é um dos que só envelhece, porque é tão burro quanto no dia em que nasceu.

Cap me conhece o suficiente para saber que isso era o que precisava acontecer. Ele me conhece desde que nasci, pois trabalha na manutenção dos prédios do meu pai desde antes que eu existisse. Antes disso, trabalhou para o meu avô fazendo exatamente o mesmo. O que praticamente garante que saiba mais sobre mim e minha família até mesmo do que eu.

— Isso tinha que acontecer, Cap — digo, justificando o fato de que acabei de deixar a única garota que conseguiu mexer comigo em mais de seis anos ir embora.

— Tinha que acontecer, é? — resmunga.

Desde que o conheço, e nas muitas noites que passei aqui conversando com ele, nunca opinou sobre minhas decisões. Sabe a vida que escolhi depois de Rachel. Ele lança pérolas de sabedoria de vez em quando, mas nunca sua opinião. Há meses, vem me escutando desabafar sobre a situação com Tate, e sempre fica sentado em silêncio, ouvindo pacientemente, sem nunca me aconselhar. É disso que gosto nele.

E sinto que isso está prestes a mudar.

— Antes que me dê um sermão, Cap — começo a falar, interrompendo-o antes que tenha a chance de continuar. — Você sabe que ela vai ficar melhor sem mim. — Viro para ele. — *Sabe* que vai.

Cap dá uma risadinha, assentindo.

— Vai mesmo.

Olho para ele, incrédulo. *Acabou de concordar comigo?*

— Está dizendo que fiz a escolha certa?

Ele fica quieto por um instante antes de suspirar rapidamente. A expressão se contrai, como se seus pensamentos não fossem algo que necessariamente quisesse compartilhar. Ele acomoda-se na cadeira e cruza os braços relaxadamente.

— Falei para mim mesmo que nunca me envolveria nos seus problemas, garoto, porque, para que um homem dê conselhos, é bom que saiba do que diabos está falando. E Deus sabe que, em todos os meus 80 anos, nunca passei por nada parecido com o que você passou. Não sei absolutamente nada sobre como foi aquilo e o efeito que teve em você. Só de pensar naquela noite, sinto um aperto na barriga, então sei que também o sente. E no seu coração. E nos ossos. E na alma.

Fecho os olhos, querendo poder fechar os ouvidos no lugar deles. Não quero escutar isso.

— Nenhuma pessoa na sua vida sabe como é ser você. Nem eu. Nem seu pai. Nem aqueles seus amigos. Nem mesmo Tate. Só tem uma única pessoa que sente o que você sente. Uma única pessoa que sente a mesma dor que você. A mãe daquele bebê, que sente saudade dele da mesma forma que você.

Agora, meus olhos estão bem fechados, e estou fazendo tudo que posso para respeitar o lado dele da conversa, mas estou precisando de todas as minhas forças para não levantar e ir embora. Não tem o direito de mencionar Rachel.

— Miles — diz ele, baixinho, a voz determinada, como se precisasse que eu o levasse a sério. Sempre o levo a sério. — Você acha que roubou a chance que aquela garota tinha de ser feliz, e até confrontar esse passado, nunca vai seguir em frente. Vai ficar revivendo aquela noite por todo santo dia, até o dia em que morrer, a não ser que vá ver com seus próprios olhos que ela está bem. Talvez, assim, consiga perceber que não é nada de errado em você, também, ser feliz.

Inclino-me para a frente e passo as mãos no rosto, em seguida apoio os cotovelos nos joelhos e olho para a frente. Fico observando uma única lágrima cair do meu olho e atingir o chão debaixo dos meus pés.

— E o que vai acontecer se ela não estiver bem? — sussurro.

Cap inclina-se para a frente e une as mãos entre os joelhos. Viro-me para ele, vendo lágrimas em seus olhos pela primeira vez em 24 anos.

— Nesse caso, acho que nada vai mudar. Vai poder continuar se sentindo como se não merecesse uma vida por ter arruinado a dela. Vai poder continuar evitando tudo o que faz você *sentir* de novo. — Ele inclina-se para a frente e abaixa o tom de voz. — Sei que a ideia de confrontar o passado o deixa apavorado. É algo que apavora todo homem. Mas, às vezes, não é algo que fazemos por nós mesmos. É algo que fazemos pelas pessoas que amamos *mais* do que a nós mesmos.

capítulo trinta e sete

RACHEL

— Brad! — grito. — Tem alguém na porta!

Pego o pano de prato e seco as mãos.

— Deixa comigo — afirma, passando pela cozinha.

Dou uma rápida olhada no cômodo para garantir que não tem nada de que minha mãe possa reclamar. Os balcões estão limpos. O chão está limpo.

Pode vir com tudo, mãe.

— Espere aqui — diz Brad para quem quer que esteja na porta.

Espere aqui?

Brad nunca diria isso para minha mãe.

— Rachel — diz Brad da entrada da cozinha.

Viro para ele e fico tensa imediatamente. A expressão no seu rosto é uma que raramente vejo. É usada apenas para preparação. Quando ele está prestes a me contar algo que não quero escutar, ou algo que ele teme que me magoe. Meus pensamentos imediatos vão parar na minha mãe, e sou tomada pela preocupação.

— Brad — sussurro. — O que foi?

Estou segurando o balcão ao meu lado. O medo familiar que costumava morar e respirar dentro de mim vem à tona, mas agora é algo que só toma conta de mim de vez em quando.

Como agora, quando meu marido está com medo demais para me contar algo que não sabe se quero ouvir.

— Tem alguém na porta querendo falar com você — diz ele.

Não conheço ninguém capaz de deixar Brad tão preocupado quanto agora.

— Quem?

Ele aproxima-se lentamente de mim e segura meu rosto entre as mãos ao me alcançar, então olha nos meus olhos como se estivesse tentando amortecer minha queda.

— Miles.

Não me mexo.

Não caio, mas Brad me segura mesmo assim. Ele põe os braços ao meu redor e me puxa para seu peito.

— Por que está aqui? — questiono, com a voz falhando.

Brad balança a cabeça.

— Não sei. — Ele afasta-se e olha para mim. — Posso pedir que vá embora se você precisar.

Balanço a cabeça imediatamente. Eu não faria isso com ele. Não se ele veio até Phoenix.

Não depois de quase sete anos.

— Precisa de alguns minutos? Posso levá-lo para a sala.

Eu não mereço este homem. Não sei o que faria sem ele. Ele sabe do meu passado com Miles. Sabe de tudo que passamos. Sabe de tudo isso e, mesmo assim, está aqui do meu lado, oferecendo-se para convidar o único outro homem que já amei a entrar na nossa casa.

— Estou bem — asseguro, apesar de não estar. Não sei se quero ver Miles. Não faço ideia de por que ele está aqui. — *Você está bem?*

Brad assente.

— Ele parece chateado. Acho que deveria falar com ele. — Ele inclina-se na minha direção e me beija na testa. — Está no corredor da entrada. Estarei no meu escritório se precisar de mim.

Faço que sim com a cabeça e o beijo. Beijo-o fortemente.

Ele se afasta, e eu fico parada em silêncio na cozinha, com o coração batendo irregularmente no peito. Respiro fundo, mas não consigo me acalmar. Limpo as mãos na camisa e vou até a entrada da casa.

Miles está de costas para mim, mas ouve meus passos quando me aproximo. Vira um pouco a cabeça para trás, quase como se tivesse tanto medo de se virar e me ver quanto eu mesma tenho de vê-lo.

Ele vira-se cautelosamente. Cuidadosamente. De repente, meus olhos fixam-se nos seus.

Sei que se passaram seis anos, mas nesse tempo, de alguma maneira, ele conseguiu mudar completamente, sem de fato mudar nada. Ainda é Miles, mas agora é um homem. Logo, fico me perguntando o que está vendo ao me encontrar pela primeira vez desde o dia em que o deixei.

— Oi — cumprimenta, tomando cuidado.

Sua voz está diferente. Não é mais a voz de um adolescente.

— Oi.

Perco seu olhar enquanto seus olhos percorrem a entrada da casa. Ele fica assimilando minha casa. Uma casa onde nunca esperei vê-lo. Nós dois ficamos parados em silêncio por um minuto inteiro. Talvez dois.

— Rachel, eu... — Olha para mim. — Não sei por que estou aqui.

Eu sei.

Posso ver nos olhos dele. Passei a conhecer esses olhos muito bem quando estávamos juntos. Sabia tudo o que estava pensando. Suas emoções. Ele não conseguia esconder o que estava sentindo, porque sentia demais. Sempre sentiu demais.

Está aqui porque precisa de alguma coisa. Não sei o quê. Respostas, talvez? Um ponto final? Fico feliz por ter esperado até agora para isso, pois acho que finalmente me sinto pronta.

— É bom ver você — digo.

Nossas vozes estão fracas e tímidas. É estranho quando você vê alguém pela primeira vez em circunstâncias diferentes de quando se separaram.

Eu amava esse homem. Amava-o com todo o meu coração e com todo o meu ser. Eu o amava como amo Brad.

E também o odiava.

— Entre — convido-o, gesticulando na direção da sala. — Vamos conversar.

Ele dá dois passos hesitantes na direção da sala. Viro-me e deixo que me siga.

Ambos nos sentamos no sofá. Ele não fica muito à vontade. Em vez disso, senta-se na beira do sofá e se inclina para a frente, apoiando os cotovelos nos joelhos. Está olhando ao redor, assimilando minha casa mais uma vez. Assimilando minha vida.

— Você é corajoso — afirmo, e ele olha para mim, esperando que eu continue. — Já pensei nisso, Miles. Em vê-lo de novo. Eu só... — Olho para baixo. — Não consegui.

— Por que não? — pergunta ele, quase imediatamente.

Faço contato visual mais uma vez.

— Pelo mesmo motivo pelo qual você não o fez. Não sabemos o que dizer.

Ele sorri, mas não é o sorriso que eu amava em Miles. Esse sorriso é resguardado, e me pergunto se teria sido eu quem fiz isso com ele. Se sou responsável por todas as partes tristes de Miles. Agora, ele tem tantas partes tristes.

Miles pega uma foto minha com Brad na mesa de canto e observa-a por um instante.

— Você o ama? — pergunta, continuando a encarar a foto. — Como me amava?

Ele não pergunta isso de um jeito amargurado ou ciumento. Mas sim de um jeito curioso.

— Sim — respondo. — Tanto quanto a você.

Ele põe a foto de volta na mesa, mas continua a encarando.

— Como? — sussurra. — Como conseguiu fazer isso?

Suas palavras trazem lágrimas aos meus olhos, pois sei exatamente o que está me perguntando. Fiz a mesma pergunta a mim mesma por vários anos até conhecer Brad. Achava que jamais seria capaz de amar alguém de novo. Achava que jamais iria *querer* amar alguém de novo. Por que alguém desejaria se colocar numa situação que pode causar o tipo de dor que faz a pessoa cobiçar a própria morte?

— Quero mostrar uma coisa a você, Miles.

Levanto-me e estendo o braço para segurar a mão dele, que observa minha mão com cuidado por um instante e depois finalmente a segura. Seus dedos deslizam por entre os meus, e ele aperta minha mão enquanto se levanta. Começo a ir em direção ao quarto, e ele me segue de perto.

Chegamos à porta do quarto, e meus dedos param na maçaneta. Sinto um peso no coração. As emoções e tudo pelo que passamos estão vindo à tona, mas sei que preciso deixar isso acontecer se quiser ajudá-lo. Empurro a porta e entro, puxando Miles atrás de mim.

Assim que entramos no quarto, sinto seus dedos apertarem mais os meus.

— Rachel — sussurra.

Sua voz está implorando que eu não faça isso. Sinto-o tentar me puxar de volta em direção à porta, mas não permito. Faço-o vir até o berço dela comigo.

Está parado do meu lado, mas dá para sentir que está sendo difícil, que não quer estar aqui neste momento.

Ele está apertando minha mão com tanta força que sinto a dor no seu coração. Exala rapidamente e olha para ela. Vejo sua garganta se mover enquanto engole em seco, e depois exala mais uma vez para se acalmar.

Vejo sua outra mão subir e agarrar-se à beirada do berço, segurando-a com força igual à da mão que segura a minha.

— Qual o nome dela? — pergunta, baixinho.

— Claire.

Seu corpo inteiro reage à minha resposta. Os ombros começam a tremer imediatamente, e ele tenta prender o ar, mas nada seria capaz de impedi-lo. Nada seria capaz de o impedir de sentir o que está sentindo, então simplesmente deixo que ele sinta tudo aquilo. Afasta a mão da minha e cobre a boca para esconder a rápida rajada de ar liberada pelos pulmões. Ele vira-se e sai rapidamente do quarto. Sigo-o com a mesma velocidade, a tempo de ver suas costas chocarem-se com a parede do corredor na frente do quarto do bebê. Ele desliza até o chão, e as lágrimas começam a cair intensamente.

Não tenta disfarçá-las. Ele passa as mãos no cabelo, recosta a cabeça à parede e olha para mim.

— Ela... — Miles aponta para o quarto de Claire e tenta falar, mas precisa tentar várias vezes até que consegue pronunciar a frase: — É a irmã dele — diz, finalmente, exalando de maneira irregular. — Rachel. Você deu uma irmã a ele.

Afundo no chão ao lado dele e ponho o braço ao redor dos seus ombros, alisando seu cabelo com a outra mão. Ele pressiona as palmas da mão na testa e fecha os olhos com força, chorando baixinho para si mesmo.

— Miles. — Não tento disfarçar as lágrimas na minha voz. — Olhe para mim.

Ele encosta a cabeça de novo na parede, mas não consegue me olhar nos olhos.

— Desculpe por tê-lo culpado. Você também o perdeu. Eu não conhecia nenhuma outra maneira de enfrentar a situação naquela época.

Minhas palavras acabam completamente com ele, e sou consumida pela culpa de ter deixado seis anos se passarem sem que ele ouvisse isso. Inclina-se para mim e põe os braços ao meu redor com firmeza e me puxa. Deixo que me abrace.

Ficamos assim por bastante tempo, até que todas as desculpas e perdões tenham sido absorvidos e só sobrássemos nós dois mais uma vez. Sem lágrimas.

Eu estaria mentindo se dissesse que nunca penso no que fiz com ele. Penso nisso todos os dias. Mas eu tinha 18 anos e estava arrasada, e, depois daquela noite, nada mais importava para mim. Nada.

Eu só queria esquecer, mas toda manhã em que acordava e não sentia Clayton do meu lado, culpava Miles. Culpava-o por ter me salvado, pois eu não tinha mais razão para viver. Meu coração sabia que Miles tinha feito o possível. Sabia que nunca tinha sido culpa dele, mas, naquele momento da minha vida, eu não estava conseguindo raciocinar nem perdoar. Naquele momento da minha vida, estava convencida de que não seria capaz de mais nada a não ser sentir dor.

Aqueles sentimentos permaneceram inabaláveis por mais de três anos.

Até o dia em que conheci Brad.

Não sei quem Miles encontrou, mas o conflito familiar em seus olhos prova que há alguém em sua vida. Eu costumava ver o mesmo conflito toda vez que olhava no espelho, sem saber se tinha forças para amar novamente.

— Você a ama? — pergunto.

Não preciso saber o nome dela. Já passamos desse ponto. Sei que não veio aqui por ainda estar apaixonado por mim. Está aqui porque não sabe *mesmo* como amar de novo.

Ele suspira e apoia o queixo no topo da minha cabeça.

— Tenho medo de não conseguir amar.

Miles beija o topo da minha cabeça, e fecho os olhos. Escuto seu coração batendo no peito. Um coração que, segundo ele, não sabe amar, mas que, na verdade, é um coração que ama demais. Ele amava muito, e aquela noite tomou aquilo de nós. Mudou nossos mundos. Mudou o seu coração.

— Eu chorava o tempo inteiro — conto para ele. — O tempo inteiro. No banho. No carro. Na cama. Toda vez que ficava sozinha, chorava. Naqueles primeiros dois anos, minha vida era uma tristeza constante, e nada a penetrava. Nem mesmo os bons momentos.

Sinto seus braços apertarem-me com mais firmeza, dizendo-me silenciosamente que ele entende. Sabe exatamente do que estou falando.

— Então, quando conheci Brad, percebi que tinha breves momentos em que minha vida não era mais triste durante todos os segundos do dia. Ia com ele para algum lugar de carro e percebia que era a primeira vez que entrava num carro sem deixar cair uma única lágrima. As noites que passávamos juntos eram as únicas em que eu não pegava no sono chorando. Pela primeira vez, aquela tristeza impenetrável que tinha me dominado estava sendo quebrada pelos breves momentos bons que eu passava com Brad.

Paro, precisando de um instante. Faz tempo que não preciso pensar nisso, e todas essas emoções e sentimentos são recentes demais. Reais demais. Afasto-me de Miles, encosto na parede e apoio a cabeça no seu ombro. Ele apoia a cabeça na minha e segura minha mão, entrelaçando nossos dedos.

— Depois de um tempo, comecei a perceber que os bons momentos com Brad começaram a ser mais importantes do que todo o rancor. A tristeza que era a minha vida virou os *momentos*, e minha felicidade com Brad virou a minha *vida*.

Sinto-o exalar, e sei que ele sabe do que estou falando. Sei que, independentemente de quem seja essa mulher, ele teve esses momentos bons com ela.

— Durante os nove meses da gravidez de Claire, tive muito medo de não conseguir chorar de alegria quando a visse. Logo depois que ela nasceu, eles a entregaram para mim, da mesma forma que fizeram com Clayton. Claire era igual a ele, Miles. *Igual.* Eu estava encarando-a, segurando-a no colo, e lágrimas escorriam pelas minhas bochechas. Mas eram lágrimas boas, e percebi naquele momento que eram as primeiras lágrimas de alegria desde o dia em que segurei Clayton nos braços.

Enxugo os olhos, solto a mão dele e levanto a cabeça do seu ombro.

— Você também merece isso — afirmo. — Merece sentir aquilo de novo.

Ele assente.

— Quero tanto amá-la, Rachel — confessa, exalando as palavras como se estivessem sendo sufocadas há uma eternidade. — Quero tanto ter isso tudo com ela. Só tenho medo de que o resto da dor nunca vá embora.

— O sofrimento não vai embora nunca, Miles. Jamais. Mas, se você se permitir amá-la, é algo que só vai sentir às vezes, não vai mais consumir toda a sua vida.

Ele põe o braço ao redor de mim e puxa minha testa contra seus lábios. Me dá um beijo longo e forte antes de se afastar. Assente, indicando que entende o que estou tentando explicar.

— Você vai conseguir, Miles — digo, repetindo as mesmas palavras que ele usava para me tranquilizar. — Você vai conseguir.

Miles ri, e é como se eu pudesse sentir parte do peso sendo tirado de cima dele.

— Sabe qual era o meu maior medo hoje? — pergunta. — Estava com medo de que, quando eu chegasse aqui, você estivesse igual a mim. — Ele afasta meu cabelo e sorri. — Estou tão contente por você não estar assim. Sinto-me bem vendo que está feliz.

Ele puxa-me para si e me abraça fortemente.

— Obrigado, Rachel — sussurra, então beija minha bochecha delicadamente antes de me soltar e se levantar. — É melhor eu ir. Tem um milhão de coisas que quero dizer a ela.

Ele segue pelo corredor na direção da sala e se vira para mim uma última vez. Não vejo mais todas as partes tristes dele. Agora, tudo o que vejo ao olhar nos seus olhos é calma.

— Rachel? — Ele para, observando-me em silêncio por um instante. Um sorriso sereno surge lentamente no seu rosto. — Estou muito orgulhoso de você.

Miles desaparece do corredor, e continuo no chão até escutar a porta da casa se fechar atrás dele.

Também estou orgulhosa de você, Miles.

capítulo trinta e oito
TATE

Fecho a porta do carro e vou até a escada que leva ao segundo andar do meu prédio. Fico aliviada por não precisar mais usar o elevador, mas é óbvio que estou com um pouco de saudade de Cap, mesmo se seus conselhos não fizessem muito sentido na maior parte do tempo. Só de tê-lo ao meu lado para desabafar já era bom. Tenho me mantido ocupada com o trabalho e as aulas, tentando manter a concentração, mas tem sido difícil.

Estou no meu apartamento novo há duas semanas, e, apesar de querer estar sozinha, nunca estou de fato. Toda vez que entro em casa, Miles ainda está por todo canto. Ainda está em tudo, e fico esperando o momento em que não vai mais estar. Fico esperando o dia em que vai doer menos. Em que não vou sentir tanta saudade dele.

Até diria que meu coração está partido, mas não é verdade. Não acho que esteja. Na verdade, não dá nem para saber, porque meu coração não aparece no meu peito desde que o deixei jogado na frente do apartamento de Miles no dia em que me despedi.

Digo a mim mesma que é um dia de cada vez, mas é muito mais fácil falar do que fazer. Especialmente quando os dias viram noites, e preciso me deitar sozinha na cama, escutando o silêncio.

O silêncio nunca foi tão barulhento antes de me despedir de Miles.

Já estou sem a mínima vontade de abrir a porta de casa, e ainda nem estou na metade da escada. Já dá para perceber que essa noite não vai ser diferente de todas as outras depois de Miles. Chego no topo da escada e viro à esquerda na direção do meu apartamento, mas meus pés param de funcionar.

Minhas pernas param de funcionar.

Sinto um coração martelar em algum canto no meu peito pela primeira vez em duas semanas.

— Miles?

Ele não se mexe. Está sentado no chão na frente do meu apartamento, encostado na porta. Aproximo-me lentamente, sem saber como interpretar esta visita. Ele não está de uniforme. Está com roupas casuais, e a barba por fazer indica que não trabalha há alguns dias. Também parece ter um machucado novo debaixo do seu olho direito. Tenho medo de acordá-lo, pois se estiver tão hostil quanto na noite em que o conheci, não quero ter que lidar com isso. Mas, pensando bem, não vou conseguir de jeito nenhum passar por ele e entrar em casa sem acordá-lo.

Olho para cima e inspiro profundamente, perguntando-me o que fazer. Tenho medo de acordá-lo e terminar cedendo. Vou acabar deixando que entre e entregando o que ele quer, que não é mesmo a parte de mim que quero entregar a ele.

— Tate.

Olho para ele, que agora está acordado, levantando-se, observando-me nervosamente. Dou um passo para trás depois que ele se levanta, porque esqueci o quanto é alto. O quanto se torna tudo quando está parado na minha frente.

— Há quanto tempo está aqui?

Ele olha para o celular na sua mão.

— Seis horas. — Miles olha de volta para mim. — Preciso muito usar seu banheiro.

Quero rir, mas não me lembro como se faz.

Viro-me para a porta, e ele dá um passo para o lado a fim de que eu possa destrancá-la.

Minha mão trêmula empurra a porta do apartamento, e eu entro, então aponto para o corredor.

— À direita.

Não olho enquanto ele vai naquela direção. Espero a porta do banheiro fechar, sento no sofá e enterro o rosto entre as mãos.

Odeio o fato de Miles estar aqui. Odeio ter deixado que entrasse sem questioná-lo. Odeio o fato de que vou ser obrigada a mandá-lo embora assim que sair do banheiro. Mas simplesmente não consigo mais continuar fazendo isso comigo mesma.

Ainda estou tentando me recompor quando a porta do banheiro se abre e ele volta para a sala. Olho para ele e não consigo deixar de encará-lo.

Tem alguma coisa diferente.

Ele está diferente.

O sorriso no rosto dele... a serenidade em seus olhos... a maneira como ele se comporta, como se estivesse flutuando.

Só se passaram duas semanas, mas ele parece tão diferente.

Ele se senta no sofá e nem se dá ao trabalho de deixar algum espaço entre nós. Senta-se bem do meu lado e se inclina para perto de mim, então fecho os olhos e fico esperando quaisquer que sejam as palavras que está prestes a dizer para me magoar mais uma vez. É tudo o que sabe fazer.

— Tate — sussurra. — Que *saudade* de você.

Caramba.

Não estava esperando escutar essas quatro palavras de jeito nenhum, mas elas acabaram de se tornar as minhas quatro palavras preferidas.

Que e *saudade* e *de* e *você*.

— Fale isso de novo, Miles.

— Que saudade de você, Tate — repete, imediatamente. — Muita. E não é a primeira vez. Senti saudade de você todos os dias em que não estávamos juntos desde o momento em que a conheci.

Ele põe o braço ao redor do meu ombro e me puxa para perto. Eu vou.

Caio no peito dele e seguro sua camisa, fechando os olhos com força ao sentir seus lábios pressionarem o topo da minha cabeça.

— Olhe para mim — pede, baixinho, puxando-me para o colo e me deixando de frente para ele.

É o que faço. Olho para ele. Desta vez, realmente o vejo. Não tem nenhuma proteção erguida. Nenhuma muralha invisível me impedindo de aprender e explorar tudo sobre ele. Está me deixando vê-lo desta vez, e ele é lindo.

Bem mais lindo do que antes. A mudança, qualquer que tenha sido, foi algo gigante.

— Quero contar uma coisa pra você. É muito difícil de dizer, porque você é a primeira pessoa para quem já quis contar isso.

Estou com medo de me mexer. Suas palavras estão me deixando apavorada, mas faço que sim.

— Eu tive um filho — diz ele, baixinho, olhando para nossas mãos entrelaçadas.

Nunca ouvi quatro palavras ditas com tanto sofrimento.

Inspiro. Ele olha para mim com lágrimas nos olhos, mas fico em silêncio por ele, apesar de suas palavras terem acabado de me deixar sem ar.

— Ele morreu há seis anos.

Sua voz está baixa e distante, mas ainda é sua voz.

Dá para perceber que essas palavras estão entre as mais difíceis que teve que dizer na vida. Admitir isso representa muito sofrimento para ele. Quero pedir que pare. Quero dizer que não preciso saber se aquilo o faz sofrer. Quero abraçá-lo e arrancar a tristeza da sua alma com minhas próprias mãos, mas, em vez disso, deixo-o terminar.

Miles olha de volta para nossos dedos entrelaçados.

— Ainda não estou pronto para falar sobre ele. Preciso fazê-lo no meu próprio tempo.

Faço que sim e aperto suas mãos para tranquilizá-lo.

— Mas vou falar dele pra você. Prometo. Também quero contar sobre Rachel. Quero que saiba tudo sobre o meu passado.

Nem ao menos sei se ele terminou, mas me lanço para a frente e pressiono meus lábios nos seus. Ele me puxa com tanta firmeza e empurra minha boca com tanta força que é como se estivesse tentando se desculpar sem usar palavras.

— Tate — murmura contra minha boca. Dá para perceber que está sorrindo. — Não terminei.

Ele me ergue e me coloca ao seu lado no sofá. Sua mão faz círculos no meu ombro enquanto ele olha para o próprio colo, formando quaisquer que sejam as palavras que precisa me dizer.

— Nasci e cresci num pequeno subúrbio nos arredores de São Francisco — começa ele, erguendo os olhos de volta para os meus. — Sou filho único. Não tenho nenhuma comida preferida, porque gosto de quase tudo. Quis ser piloto desde que me lembro. Minha mãe morreu de câncer quando eu tinha 17 anos. Meu pai está casado há cerca de um ano com uma mulher que trabalha para ele. Ela é legal, e eles estão felizes juntos. Meio que sempre quis ter um cachorro, mas nunca tive...

Fico olhando-o, hipnotizada. Vejo seus olhos perambularem pelo meu rosto enquanto ele fala. Enquanto me conta tudo sobre sua infância e seu passado, e como conheceu meu irmão e sua amizade com Ian.

Sua mão encontra a minha, e ele a cobre como se estivesse se tornando o meu escudo. A minha armadura.

— Na noite em que a conheci — diz ele, finalmente. — Na noite em que me encontrou no corredor... — Os olhos viram-se para o seu colo, sem conseguir manter o contato visual comigo.

— Meu filho teria completado seis anos naquele dia.

Sei que ele disse que queria que eu o escutasse, mas agora preciso abraçá-lo. Inclino-me para a frente e passo os braços ao seu redor. Ele se deita no sofá, puxando-me para cima do próprio corpo.

— Precisei de todas as minha forças para me convencer de que não estava me apaixonando por você, Tate. Toda vez que eu estava com você, as coisas que eu sentia me deixavam apavorado. Havia passado seis anos achando que tinha controle da minha vida e do meu coração, e que nada seria capaz de me magoar novamente. Mas, quando estávamos juntos, havia momentos em que eu não me importava se terminaria me magoando, porque ficar com você quase compensava uma possível dor. Toda vez em que eu começava a me sentir assim, afastava-a mais ainda por culpa e por medo. Sentia como se não merecesse você. Como se não merecesse felicidade alguma, porque era algo que eu tinha roubado das únicas duas pessoas que já amei na vida.

Os braços me apertam com mais força quando ele sente meus ombros tremerem devido às lágrimas que caem dos meus olhos. Os lábios encostam no topo da minha cabeça, e ele inspira calmamente enquanto me dá um beijo longo e forte.

— Desculpe ter demorado tanto — diz ele, com a voz cheia de remorso. — Mas nunca vou conseguir agradecer o suficiente por você não ter desistido de mim. Você viu algo em mim que a deixava esperançosa em relação a nós dois, e não desistiu. E Tate? Essa foi a coisa mais importante que alguém já fez para mim.

Suas mãos encontram minhas bochechas, e ele me ergue do seu peito para me encarar.

— Talvez seja um pedaço de cada vez, mas agora o meu passado é seu. Todo ele. Tudo o que quiser saber, vou lhe contar. Mas só se me prometer que posso ficar com seu futuro também.

As lágrimas escorrem pelas minhas bochechas, e ele as enxuga, apesar de não ser necessário. Não me importo de estar chorando, porque não são lágrimas de tristeza. Não mesmo.

Ficamos nos beijando por tanto tempo que minha boca começa a doer tanto quanto meu coração. Mas, desta vez, meu coração não está doendo de sofrimento. Está doendo porque nunca esteve tão cheio.

Passo os dedos na cicatriz do seu maxilar, sabendo que, com o tempo, ele vai me contar a origem dela. Também toco na área sensível debaixo do seu olho, aliviada por finalmente poder fazer perguntas sem ter medo de chateá-lo.

— O que aconteceu com o seu olho?

Ele ri e deixa a cabeça encostar no sofá.

— Precisei pedir o seu endereço para Corbin. Ele me deu, mas demorei para convencê-lo.

Inclino-me para a frente e beijo seu olho delicadamente.

— Não acredito que ele bateu em você.

— Não foi a primeira vez — admite. — Mas tenho certeza que será a última. Acho que finalmente aceitou que estejamos juntos depois que concordei com algumas regras dele.

Isso me deixa nervosa.

— Que regras?

— Bem, para começar, não posso partir seu coração — diz ele. — Segundo, não posso partir o seu coração *nem a pau*. E, por último, não posso partir o seu coração nem a pau, *porra*.

Não consigo segurar a risada, porque parece mesmo algo que Corbin diria para ele. Miles ri comigo, e ficamos nos observando por vários momentos silenciosos. Agora, consigo ver tudo nos seus olhos. Cada uma de suas emoções.

— Miles — digo, sorrindo —, você está olhando para mim como se estivesse apaixonado.

Ele balança a cabeça.

— Não estou *apaixonado* por você, Tate. Estou *nas nuvens*.

Ele me puxa de volta para perto e me dá a única parte sua que nunca tinha conseguido me dar antes.

Seu coração.

capítulo trinta e nove
MILES

Estou parado na porta do meu quarto observando-a dormir. Ela não sabe, mas faço isso todas as manhãs que passa aqui. É isso que faz meu dia começar bem.

A primeira vez que fiz isso foi na manhã depois que a conheci. Não me lembrava de muita coisa da noite anterior. Tudo o que me lembrava era ela. Estava no sofá, e ela ficou alisando meu cabelo, sussurrando, dizendo que eu devia dormir. Quando acordei no apartamento de Corbin na manhã seguinte, não consegui parar de pensar nela. Achei que tinha sido um sonho, até ver sua bolsa na sala.

Dei uma olhada no quarto dela só para ver se tinha alguém no apartamento comigo. O que senti no instante em que olhei para ela foi algo que não sentia desde o instante em que vi Rachel pela primeira vez.

Parecia que eu estava flutuando. A pele e o cabelo e os lábios e a maneira como parecia um anjo enquanto eu a encarava ali trouxeram à tona muitos sentimentos que tinham se tornado desconhecidos para mim nos últimos seis anos.

Havia passado tempo demais me impedindo de sentir qualquer coisa por alguém.

Não que pudesse ter controlado meus sentimentos por Tate naquele dia. Não conseguiria controlá-los nem se quisesse.

Sei disso, porque tentei.

Tentei pra caramba.

Mas, no segundo em que ela abriu os olhos e olhou para mim, eu soube de uma coisa: ou ela seria a minha morte... ou a pessoa que finalmente me faria ressuscitar.

O único problema que havia nisso era o fato de que eu não *queria* ressuscitar. Estava bem. Proteger-me da possibilidade de sentir o que havia sentido no passado era minha única prioridade. No entanto, houve muitos momentos em que esqueci qual devia ser essa minha única prioridade.

O momento que mudou tudo foi quando finalmente cedi e a beijei. Depois daquele beijo, fiquei querendo muito mais. Queria tanto sua boca e seu corpo e sua mente, e só parei porque senti que também estava querendo seu coração. Mas sabia mentir para mim mesmo muito bem. Sabia me convencer de que era forte o bastante para ficar com ela apenas fisicamente. Não queria me magoar de novo, e definitivamente não queria que ela se magoasse.

Mas foi o que fiz mesmo assim. Magoei-a demais. Mais de uma vez. Agora, planejo passar a vida inteira compensando-a por isso.

Vou até minha cama e sento-me na beirada. Ela sente o movimento no colchão e abre os olhos, mas não completamente. Um sorriso se insinua em seus lábios antes de puxar as cobertas por cima da cabeça e rolar para o lado.

Começamos a namorar oficialmente há seis meses, e já foi mais do que o suficiente para que eu percebesse que ela não gosta mesmo de acordar cedo. Inclino-me para a frente e beijo a parte do cobertor que está cobrindo sua orelha.

— Acorde, dorminhoca — sussurro.

Ela grunhe, então ergo as cobertas e deito atrás dela, abraçando-a. O grunhido acaba se tornando um gemido baixinho.

— Tate, você precisa acordar. Temos um voo para pegar.

Isso chama sua atenção.

Ela vira para o lado cautelosamente e tira as cobertas de cima de nossas cabeças.

— Que história é essa de que temos um *voo* para pegar?

Sorrio, tentando conter a ansiedade.

— Levante-se, vá se vestir, vamos.

Ela está me olhando, desconfiado, o que faz bastante sentido, considerando que ainda não são nem cinco da manhã.

— Sei que você sabe quão raro é que eu tenha o dia inteiro de folga, então acho bom isso valer a pena.

Rio e dou-lhe um rápido beijo.

— Isso só depende da nossa capacidade de ser pontual. — Levanto-me e dou vários tapinhas no colchão. — Então levante, levante, levante.

Ela ri e afasta completamente as cobertas. Arrasta-se até a beirada da cama, e ajudo-a a se levantar.

— É difícil ficar irritada com você quando está tão alegre.

* * *

Chegamos à portaria, e Cap está esperando no elevador assim como pedi. Está com o suco de Tate num copo para viagem e o nosso café da manhã. Adoro o relacionamento deles dois. Estava um pouco preocupado em contar para Ela que conheço Cap desde sempre. Quando finalmente contei, ficou irritada com ambos. Em boa parte porque presumiu que Cap me contava tudo o que confessava para ele.

Garanti que Cap não faria isso.

Sei que não faria isso porque Cap é uma das poucas pessoas do mundo em quem confio.

Ele sabia exatamente o que me dizer sem parecer que estava me dando um sermão ou um conselho. Sempre me dizia apenas o suficiente para que eu refletisse bastante sobre minha situação com Tate. Felizmente, ele é uma das poucas pessoas que fica mais sábia com a idade. Ele tinha plena noção o tempo inteiro do que estava fazendo conosco.

— Bom dia, Tate — cumprimenta-a, sorrindo de uma orelha à outra.

Ele estende os braços para que ela o segure, e ela fica olhando para nós dois.

— O que está acontecendo? — pergunta ela para Cap, enquanto ele a acompanha até a saída da portaria.

Cap sorri.

— O garoto está prestes a me levar para minha primeira viagem de avião na vida. Queria que você viesse também.

Tate diz não acreditar que é a primeira viagem de avião dele.

— É verdade — afirma. — O fato de ter esse apelido não significa que já andei de avião.

O olhar de gratidão que ela me lança por cima dos ombros já é o suficiente para que eu declare que esse dia é um dos meus preferidos, e ainda nem amanheceu.

* * *

— Está tudo bem aí atrás, Cap? — pergunto no microfone.

Ele está sendo atrás de Tate, olhando pela janela. Faz um sinal positivo com a mão, mas não tira os olhos da janela. O sol nem apareceu ainda no meio das nuvens, e não tem muito o que se ver neste momento. Estamos no avião há somente dez minutos, mas tenho certeza de que ele está tão fascinado e hipnotizado quanto eu esperava.

Volto a atenção para os controles até chegar à altitude ideal, então ponho o fone do Cap no mudo. Olho para Tate, que está me encarando com um sorriso de gratidão nos lábios.

— Quer saber por que estamos aqui? — pergunto para ela.

Tate olha para Cap por cima do ombro e depois para mim.

— Porque ele nunca fez isso antes.

Balanço a cabeça, bem na hora certa.

— Lembra quando estávamos voltando da casa dos seus pais depois do dia de Ação de Graças?

Ela assente, mas agora seus olhos estão curiosos.

— Você me perguntou como é ver o amanhecer daqui de cima. Não dá para descrever, Tate. — Aponto para a janela dela. — É algo que precisa ser visto com os próprios olhos.

Ela vira-se imediatamente e olha para a janela. Suas palmas pressionam o vidro, e, por cinco minutos seguidos, ela não mexe nenhum músculo. Fica observando o tempo inteiro, e, não sei como, mas me apaixono ainda mais por ela nesse momento.

Depois que o sol atravessa as nuvens e o avião é completamente tomado por sua luz, ela finalmente se vira para mim. Os olhos estão cheios de lágrimas, e ela não diz nada. Apenas estende o braço e segura minha mão.

* * *

— Espere aqui — peço a ela. — Quero ajudar Cap a sair primeiro. Um motorista vai levá-lo de volta ao prédio, porque nós dois vamos tomar café da manhã depois disso aqui.

Ela despede-se de Cap e fica esperando pacientemente no avião enquanto o ajudo a descer os degraus. Ele põe a mão no bolso, me entrega as caixas e abre um dos seus sorrisos de aprovação. Guardo-as no bolso do casaco e me viro de volta para a escada.

— Ei, garoto! — grita Cap antes de entrar no carro. Paro e me viro para ele, que olha para o avião atrás de mim. — Obrigado — diz, gesticulando ao longo do comprimento da aeronave. — Por isso.

Faço que sim, mas ele desaparece para dentro do veículo antes que eu possa responder.

Subo os degraus de novo e entro no avião. Ela está desafivelando o cinto de segurança, preparando-se para sair, mas volto para o meu assento.

Ela sorri para mim afetuosamente.

— Você é incrível, Miles Mikel Archer. E preciso dizer uma coisa, você fica um tesão pilotando um avião. Deveríamos fazer isso mais vezes.

Ela me dá um rápido beijo na boca e começa a se levantar do assento.

Faço-a se sentar de novo.

— Ainda não terminamos — aviso, virando-me completamente para ela. Seguro suas mãos e olho para ela, inspirando lentamente, preparando-me para dizer tudo o que ela merece escutar. — Sabe o dia em que me perguntou sobre o amanhecer? — Olho nos olhos dela mais uma vez. — Preciso agradecê-la por aquilo. Foi o primeiro momento em mais de seis anos em que senti que queria amar alguém de novo.

Ela exala rapidamente pela boca com um sorriso e puxa o lábio inferior para dentro, querendo disfarçá-lo. Levo a mão até seu rosto e puxo seu lábio, tirando-o dos seus dentes com a pressão do meu dedo.

— Já falei pra não fazer isso. Amo o seu sorriso quase tanto quanto amo você.

Inclino-me para beijá-la novamente, mas fico de olhos abertos para garantir que vou conseguir pegar a caixinha preta primeiro. Quando está na minha mão, paro de beijá-la e me afasto. Seus olhos avistam a caixa e arregalam-se imediatamente, desviando sem parar entre a caixa e o meu rosto. A mão sobe até sua boca, e ela cobre um suspiro.

— Miles — começa a dizer, continuando a olhar para mim e para a caixa.

Interrompo-a.

— Não é o que está pensando — digo, abrindo a caixa imediatamente para deixar a chave à mostra. — *Meio que* não é o que está pensando — acrescento, hesitantemente.

Os olhos estão arregalados e esperançosos, e fico aliviado com sua reação. Dá para perceber pelo sorriso que ela quer isso.

Tiro a chave e viro a mão dela, colocando-a na sua palma. Fica encarando a chave por vários segundos e depois olha de volta para mim.

— Tate — digo, olhando para ela com esperança. — Quer morar comigo?

Ela olha para a chave mais uma vez, e depois diz duas palavras que fazem um sorriso surgir imediatamente no meu rosto.

Sem e *dúvida*.

Inclino-me para a frente e a beijo. Nossas pernas e braços e bocas tornam-se duas peças de um quebra-cabeça, encaixando-se sem nenhum esforço. Ela vem para o meu colo, sentando em cima de mim na cabine do avião.

Está apertado e cheio de coisas.

É perfeito.

— Mas não sei cozinhar muito bem — alerta ela. — E você sabe lavar roupa melhor do que eu. Simplesmente jogo as roupas brancas e coloridas juntas. E você sabe que não sou muito legal pela manhã.

Ela está segurando meu rosto, lançando todos os alertas possíveis, como se eu não soubesse no que estou me metendo.

— Olha, Tate — digo a ela. — Eu *quero* a sua bagunça. Quero suas roupas no chão do meu quarto. Quero sua escova de dentes no meu banheiro. Quero seus sapatos no meu armário. Quero sua comida sem graça na minha geladeira.

Ela ri disso.

— Ah, e quase esqueci — digo, tirando a outra caixa do bolso. Seguro-a entre nós dois e a abro, deixando à mostra o anel. — Também quero você no meu futuro. Para sempre.

Sua boca se abre em choque, e ela está encarando o anel. Está paralisada. Espero que não tenha dúvidas sobre isso, porque não tenho nenhuma em relação a querer passar o resto da vida com ela. Sei que só se passaram seis meses, mas, quando a pessoa sabe, ela sabe e pronto.

O silêncio me deixa nervoso, então pego rapidamente o anel e seguro a mão dela.

— Você quer quebrar a regra número dois comigo, Tate? Porque quero muito me casar com você.

Ela nem precisa dizer sim. As lágrimas, o beijo que me dá e sua risada respondem por ela.

Ela afasta-se e olha para mim com tanto amor e gratidão que meu peito dói.

Está absolutamente linda. A esperança dela é linda. Seu sorriso é lindo. As lágrimas escorrendo por suas bochechas são lindas.

O
   amor
      dela
         é
           lindo.

Ela exala baixinho e se inclina para a frente lentamente, pressionando com delicadeza seus lábios nos meus.

O beijo é cheio de ternura e afeto, e nele há uma promessa implícita de que, agora, ela é minha.

Para sempre.

— Miles — sussurra contra minha boca, provocando meus lábios com os seus. — Nunca fiz amor num avião antes.

Um sorriso forma-se imediatamente nos meus lábios. É como se, de alguma maneira, ela tivesse se infiltrado nos meus pensamentos.

— Eu nunca fiz amor com minha *noiva* antes — respondo. Suas mãos deslizam lentamente pelo meu pescoço e minha camisa até que seus dedos encontram o botão da minha calça jeans.

— Bem, acho que precisamos corrigir isso — afirma, terminando a frase com um beijo.

Quando sua boca encontra a minha mais uma vez, é como se todos os últimos pedaços da minha armadura se desintegrassem, e todos os últimos pedaços de gelo que cercavam a geleira que era meu coração desaparecessem e evaporassem.
É óbvio que a pessoa, quem quer que tenha sido, que inventou a frase *estou morrendo de amor por você* nunca sentiu o tipo de amor que existe entre Tate e eu.
Se tivesse, a frase seria *estou vivendo de amor por você*.
Porque é exatamente o que Tate fez.
Ela me trouxe de volta à vida com seu amor.
Fim.

EPÍLOGO

Lembro-me do dia em que me casei com ela.
Foi um dos melhores dias da minha vida.
Lembro-me de estar parado no altar ao lado de Ian e Corbin. Estávamos esperando a entrada dela quando Corbin inclinou-se para a frente e sussurrou algo para mim.
Ele disse:
— Você é o único que seria capaz de atender aos meus requisitos, Miles. Fico feliz por ser você.
Eu também estava feliz porque era eu.
Aquilo foi há mais de dois anos, e todos os dias desde então, de alguma maneira, consegui me apaixonar um pouco mais ainda.
Ou melhor, estou mais ainda *nas nuvens*.
Mas não chorei no dia em que casei com ela.
As lágrimas dela estavam
caindo
caindo

caindo
naquele dia,
mas as minhas, não.
Estava convencido de que nunca cairiam.
Não da forma como queria.
Foi oito meses atrás que descobrimos que íamos ter um bebê.
Não estávamos tentando ter um bebê, mas
também não estávamos *não* tentando.
— Se acontecer, aconteceu — disse Tate.
Aconteceu.
Quando descobrimos, ambos ficamos empolgados.
Ela chorou.
Suas lágrimas estavam
caindo
caindo
caindo,
mas as minhas, não.
Por mais empolgado que eu estivesse,
também estava apavorado.
Estava com o medo que surge quando
se ama alguém tanto assim.
O medo de que algo de ruim aconteça.
Estava com medo que minhas lembranças falassem mais
alto no dia em que me tornasse pai mais uma vez.
Bem, acabou de acontecer.
E ainda estou com medo.
Estou *apavorado*.
— É uma menina — diz o médico.
Uma menina.
Acabamos de ter uma menina.
Acabei de me tornar pai de novo.
Tate acabou de se tornar mãe.
Sinta alguma coisa, Miles.
Tate olha para mim.

Sei que está vendo o medo nos meus olhos.
Também sei o tanto de dor que está sentindo agora,
mas, mesmo assim, ela consegue sorrir.
— Sam — sussurra, dizendo pela primeira
vez o nome dela em voz alta.
Tate insistiu que o nome fosse Sam em homenagem
ao verdadeiro nome de Cap, Samuel.
Não conseguiria pensar em uma ideia melhor.
A enfermeira aproxima-se de Tate e
coloca Sam em seus braços.
Tate começa a chorar.
Meus olhos ainda estão secos.
Ainda estou com medo demais para tirar
os olhos de Tate e ver nossa filha.
Não estou com medo do que vou sentir ao vê-la.
Estou com medo do que *não* vou sentir.
Estou aterrorizado com o medo de que minhas experiências
passadas tenham arruinado toda a capacidade que eu tinha
de sentir o que todo pai deve sentir neste momento.
— Vem aqui — diz Tate, querendo que eu me aproxime.
Sento-me ao lado delas na cama.
Ela entrega Sam para mim, e minhas mãos estão
tremendo, mas eu a seguro mesmo assim.
Fecho os olhos e exalo lentamente antes de encontrar
a coragem para abri-los mais uma vez.
Sinto a mão de Tate encostar delicadamente no meu braço.
— Ela é linda, Miles — sussurra. — Olhe para ela.
Abro os olhos e inspiro fortemente ao vê-la.
Ela é igual a ele, mas com o cabelo castanho de Tate.
Seus olhos são azuis.
Ela tem os meus olhos.
Estou
sentindo.
Está tudo aqui.

Tudo o que senti da primeira vez em que o segurei no colo é
tudo que estou sentindo nesse momento enquanto a olho.
Achar que eu não tinha mais a capacidade de amar
tanto alguém era o único medo que faltava superar.
Com uma única olhada para Sam, superei-o com sua ajuda.
Ela já é minha heroína, e só tem dois minutos de idade.
— Ela é tão linda, Tate — murmuro. — Tão linda.
Minha voz falha.
Meu rosto está coberto de lágrimas.
Caindo
Caindo
Caindo.
Pela primeira vez desde o instante em que segurei
Clayton, estou chorando lágrimas de alegria.
Rachel tinha razão. A dor sempre vai estar presente.
O medo também.
Mas a dor e o medo não são mais minha
vida. São apenas momentos.
Momentos que são constantemente ofuscados
a cada minuto que passo com Tate.
E, agora, a cada minuto que passo com Sam.
Eu e Tate e Sam.
Minha família.
Beijo-a na testa e depois me inclino e beijo Tate por
ter me dado algo tão bonito mais uma vez.
Tate encosta a cabeça no meu braço, e nós
dois ficamos olhando para ela.
Nossa filha.
Amo tanto você, Sam.
Estou olhando para a perfeição que criamos quando cai a ficha.
Tudo isso vale a pena.
São os momentos bonitos como esse que
fazem valer a pena o amor feio.

AGRADECIMENTOS

Não faço ideia de como cheguei a este momento em que escrevo os agradecimentos para meu oitavo livro. É definitivamente surreal, e eu nunca teria sido capaz de vivenciá-lo se não fosse pelas seguintes pessoas.

Toda a equipe de Dystel & Goderich, pelo apoio e incentivo contínuos.

Johanna Castillo, Judith Curr e toda a família da Atria Books. Vocês tornam isto divertido, e sou eternamente grata por fazer parte de uma das equipes editoriais mais legais da indústria.

A todos os meus amigos e leitores-teste, vocês sabem quem são. Os feedbacks e o apoio de vocês continuam me deixando perplexa. Saibam que amo vocês e que os agradeço muito e que não seria capaz de nada disto sem cada um de vocês.

Minha família incrível. Não sei como dei a sorte de ter a melhor família de todas, mas nunca vou subestimar o valor de cada um de vocês. Especialmente dos meus quatro garotos.

Garotas do FP, vocês sempre sabem exatamente quando disparar os canhões de purpurina e soltar os unicórnios. Formamos uma equipe maravilhosa.

Aos meus Weblichs. Pode ser que não saibamos como pronunciar Weblich corretamente, mas escutamos essa palavra com orgulho. Nem sei o que dizer, quero somente agradecer por terem me dado um lugar para ir quando precisava ouvir um incentivo, dar uma boa risada ou cair na real.

Aos CoHorts por todo o apoio incomparável de vocês, que fazem este trabalho não ter nada de trabalho.

E, por último, mas com certeza não menos importante, ao meu NPTBF. Sempre serei grata pela minha desorganização e por não saber guardar joias. Caso contrário, eu perderia a oportunidade de ter um dos relacionamentos mais maravilhosos, estranhos, antiéticos e sem sentido da minha vida.

Queridos leitores,

Como sabem, tive o prazer de trabalhar com o músico Griffin Peterson para criar uma trilha sonora original que acompanha *Talvez um dia*. Sei que todos amaram a música, então lá vamos nós novamente! Griffin escreveu uma canção para *O lado feio do amor* também. Você pode ouvi-la nos principais streamings de música.

Divirtam-se!
Colleen Hoover

Este livro foi composto na tipologia Minion Pro,
em corpo 10/14,3, e impresso em papel off-white,
na gráfica Cruzado.